まえがき

税法学習は、税理士への真の第一歩！

本書を手にしたみなさんの多くは、税理士試験の会計科目（簿記論、財務諸表論）の受験をされた方や無事合格された方だと思います。よくぞ、ここまで来られました！

そして、いよいよ税法科目の学習をはじめようとされる方にあらためて伝えておきたいことがあります。それは、税理士とは「税法のプロフェッショナルであり、法律家である」ということです。

ですから、税法の学習は税理士への真の第一歩を踏み出したことになります。

ここからまた気を引き締めていけば、税理士試験の合格も間近です。

さて、ネットスクールでは税理士試験を目指す方への資格支援の学校として、画期的なことを行いました。それは、本来、高額な受講料を払ってのみ手にすることのできる講座使用教材を書店やネットショップで市販することでした。

これにより、独学者にも平等に合格を目指す機会を提供することができましたし、また、独学者が同じ教材を使用して講座学習に切り替えられるという利便性を高めることができました。

一方で、講座使用教材を誰もが購入できるということは、講座の付加価値の希薄化を招き、さらには講座のノウハウの流出というリスクも抱えてしまうことになりかねません。

しかしそれでも、人生を賭けてチャレンジする受験生にとってよりよい教材は生命線であり、その気持ちを想像したときに、講座使用教材を市販することについて一縷の迷いも生じることはありませんでした。さらに言えば、講座のノウハウとして主要な要素である講師からの説明を側注として書き添えることで、独学でもより理解の深まる教科書に仕上げることに注力いたしました。

合格するための状況は我々が整えます。

みなさんは、この本で勇気を持って始め、本気で学んでください。

そうすれば、みなさん自身ばかりではなく、みなさんの周りの人たちをも幸せにできる、そんな人生が開けてきます。

さあ、この一歩、いま踏み出しましょう！

税理士WEB講座
講師一同

目次

Contents

税理士試験　教科書
消費税法Ⅱ　基礎完成編

合格に必要な知識を効果的に習得するために

本書の構成・特長

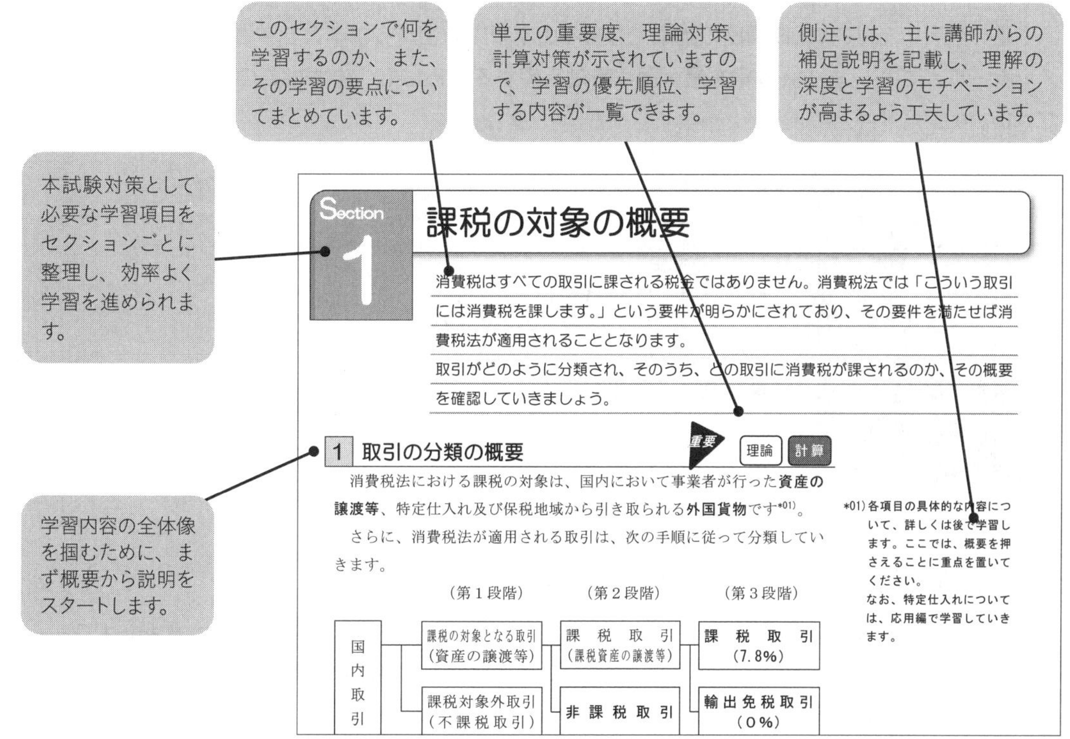

このセクションで何を学習するのか、また、その学習の要点についてまとめています。
単元の重要度、理論対策、計算対策が示されていますので、学習の優先順位、学習する内容が一覧できます。
側注には、主に講師からの補足説明を記載し、理解の深度と学習のモチベーションが高まるよう工夫しています。
本試験対策として必要な学習項目をセクションごとに整理し、効率よく学習を進められます。
学習内容の全体像を掴むために、まず概要から説明をスタートします。
Section 1
課税の対象の概要
消費税はすべての取引に課される税金ではありません。消費税法では「こういう取引には消費税を課します。」という要件が明らかにされており、その要件を満たせば消費税法が適用されることとなります。
取引がどのように分類され、そのうち、どの取引に消費税が課されるのか、その概要を確認していきましょう。
1 取引の分類の概要
重要
理論
計算
消費税法における課税の対象は、国内において事業者が行った資産の譲渡等、特定仕入れ及び保税地域から引き取られる外国貨物です*01)。
さらに、消費税法が適用される取引は、次の手順に従って分類していきます。
（第１段階）
（第２段階）
（第３段階）
国内取引
課税の対象となる取引（資産の譲渡等）
課税対象外取引（不課税取引）
課税取引（課税資産の譲渡等）
非課税取引
課税取引（7.8%）
輸出免税取引（0%）
*01) 各項目の具体的な内容について、詳しくは後で学習します。ここでは、概要を押さえることに重点を置いてください。
なお、特定仕入れについては、応用編で学習していきます。

学習をはじめる前に

著者からのメッセージ

本書の著者であり、WEB講座の講師でもある山本和史先生から、本書を学習する前の心構えとしてメッセージがございます。本書を最大限に有効活用するためにも、まずはこのメッセージをお読みください。

プロフィール
講師　山本和史（やまもとかずふみ）
講師歴38年。わかりやすい講義をモットーとし、長年の講師歴の中で培った受験生の陥りやすい誤りを未然に防ぐ授業を展開し受験生を合格へと導く。

◆学習アドバイス

この「基礎完成編」から本格的に税理士試験対策に入っていきます。頑張っていきましょう。

本書は「基礎導入編」で触れた内容を網羅した上で税理士試験対策に必要な内容を掲載していますので、「基礎導入編」で学習した内容も復習できるようになっています。

本書では、各単元に「理論」、「計算」と見出しを付しています。「理論」が付されている単元では、別冊の「理論集」を使用し理論暗記を行うようにし、「計算」が付されている単元では、別冊の「問題集」で計算練習をそれぞれ行われるようにしてください。

では、具体的に学習方法について説明していきたいと思います。この基礎完成編の教材は消費税法の理論対策と計算対策を行っていきますが定期的に週4日程度学習する日を設けて学習してください。

週4日のうち2日は新しい単元を学習する日、残り2日は今まで学習した内容を復習する日とします。

新しい単元を学習する日は1時間程度「教科書」で新しい単元を学習し、その後1時間程度「問題集」を解答し知識の定着を図ってください。また、復習する日は、1日を理論対策、残り1日を計算対策としてください。理論対策の日は、「教科書」と「理論集」を使用し各理論の内容を理解した上で暗記を行うようにしてください。また、計算対策の日は、基礎導入編と同じくその週に新しく学習した単元の「問題集」を再度解答し学習した内容が自分のものになっているかどうか確認するようにしてください。

税法科目特有の「理論暗記」が始まっていきますが、上記にも書きましたが理論の内容を理解していけば内容を覚えやすくなりますし、忘れにくくなります。殆どの受験生が苦手とするものですが早目早目に暗記していきましょう。

ネットスクールの書籍シリーズのご案内

税理士試験合格に向けた学習

教科書・問題集　Ⅰ基礎導入編

基礎導入編は“教科書（テキスト）”と“問題集”の内容を1冊にまとめた構成となっており、『教科書編』ではインプットを、『問題集編』ではアウトプットを繰り返すことにより、効率的に学習を進めることができます。何事も最初が肝心となりますので、まずは本書で消費税法学習の土台を作りあげていきましょう。

教科書／問題集　Ⅱ基礎完成編

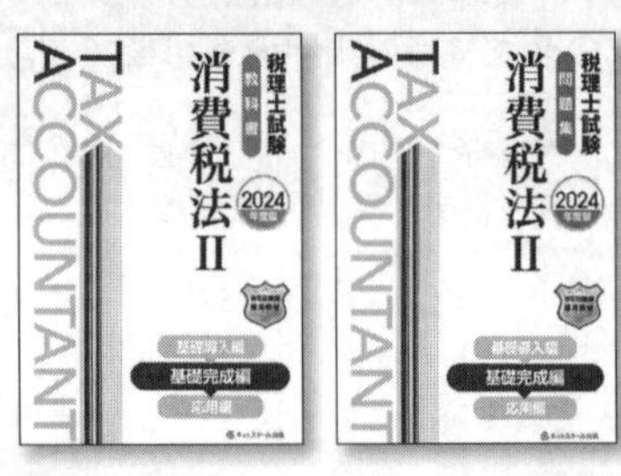

基礎導入編での学習が終わったら、基礎完成編に移ります。基礎導入編と同様に、税理士試験で頻繁に出題される重要論点の基礎的事項を学習していきます。

基礎完成編も基礎導入編と同様に、教科書でインプットしたことを必ず問題集（教科書と別売りとなります）を使ってアウトプットし、学習した知識を定着させましょう。

理 論 集

理論学習に特化したテキストで、効果的で無駄のない理論学習を行えます。

また、重要理論については音声＆デジタル版のWダウンロードサービスを付帯し、移動中や外出先でも理論学習を行えるようにしております（別途有料サービス）ので、あわせてご利用ください。

教科書／問題集　Ⅲ応用編

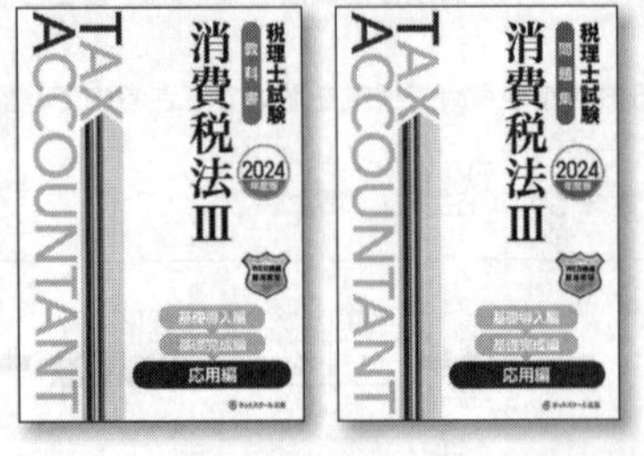

基礎完成編での学習が終わったら、応用編の学習に移ります。試験対策として重要となる応用的な内容及び特殊論点を学習していくことになりますが、基礎導入編及び基礎完成編で学習した内容を基に学習を進めていただければ、無理なく学習を進めることができますので、復習する際は、基礎導入編及び基礎完成編も併せて復習するようにしましょう。

全経　税法能力検定試験　公式テキスト（3級／2級・1級）

公益社団法人　全国経理教育協会（全経協会）では、経理担当者として身に付けておきたい法人税法・消費税法・相続税法・所得税法の実務能力を測る検定試験が実施されています。試験を受けることで、実務のスキルアップを図れるだけでなく、税理士試験の基礎学力の確認としても有効に活用することができます。税理士試験の学習と並行して、全経　税法能力検定試験の学習を進めることをお勧めします。

※検定試験の詳細は、全経協会公式ホームページをご確認ください。

https://www.zenkei.or.jp/

ラストスパート模試

教科書（テキスト）での学習が一通り終わったら、本試験形式で構成された模擬試験問題を解きましょう。本シリーズでは、ネットスクールの税理士講師の先生が作成した模擬問題を3回分収載しています。

試験問題を本体から取り外し、YouTubeで配信している「試験タイマー」を流しながら解くことで、試験本番の臨場感の中で解くことができます。学習してきた力を試験本番で十分に発揮できるよう訓練をしましょう。

試験合格！

ネットスクール公式 YouTube チャンネル

試験勉強や合格後の実務に役立つ動画も随時配信中！

☑ 出題予想や本試験の講評・解説

☑ 最新の実務の動向を解説する「ネットスクール学びちゃんねる」

☑ 試験会場の雰囲気を味わえる試験タイマーなど

アカウントをお持ちの方はぜひチャンネル登録のうえ、ご覧ください。

※掲載している書影は、すべて2024年8月現在の最新版、教科書／問題集シリーズは2024年度版のものとなります。
※書籍のお求めは全国の書店・インターネット書店、またはネットスクールWEB-SHOPをご利用ください。

多数の“合格者の声”が信頼と実績の証です！

ネットスクールWEB講座 合格者の声

ネットスクールで見事！合格を勝ち取った受講生様からのお言葉を紹介いたします。

イトウ　ハルカ様（20代女性／学生）　第72回試験／消費税法合格

私は他の予備校と併用する形で受講させていただいたのですが、画面を通しての講義でも質問などに親身に対応してくれてとても勉強しやすかったです。また、常に前向きな言葉をかけてくださる所にもとても勇気をもらいました。

勉強方法については、学生で本業の学業も手を抜くことができないため、試験勉強は、毎日何時から何をするかの計画を立てて勉強しました。また、直前期は毎日総合問題を解き、問題解答のフォームやルーティーンを定着させるようにしました。直前期は複数の予備校の直前対策問題を解くようにしましたが、ネットスクールの教材は、特に予想問題が主要論点を抑えつつ初見の問題もあったため何度も活用させていただきました。

YouTubeの解答速報を拝見し、丁寧な解説と勇気をもらえるような言葉を伝えてくれるネットスクールに興味を持ち、複数の科目を受講しましたが、丁寧な解説、教材、出題予想で本当に助かりました。受講してよかったです。

Y・K様（30代男性／一般会社勤務）　第72回試験／相続税法合格

相続税法の受験は3回目となりますが過去2回不合格となった際には、計算・理論共に基本論点で解答できておりませんでした。そのため、基本論点を見直し、ネットスクールの参考書や問題集を何度も回転させて記憶の定着を図りました。

また、単なる暗記ではなく理解力も伸ばさなければ本番の試験には対応できないので、制度の概要やなぜその制度が創設されたのかといった背景を理解することも重視しておりました。ネットスクールでは講義が分かりやすく、何度も気になったところは再生できるので納得いかないところは何度も視聴して理解することを心がけておりました。

最後になりますが、試験直前になるとSNS等で他校の生徒が高得点を取った情報や理論予想などの投稿を目にすることがありますが、そのような情報に惑わされずにまずはネットスクールのカリキュラムをしっかりと消化してその中での問題は確実に解けるようにすることが非常に重要だと思いました。実際に相続税法の理論では、ネットスクールで出題されたところを完璧に理解しておりましたので、他校の理論の出題ランクは低い論点でしたがしっかりと点数を取ることが出来ました。

これからは法人税法・消費税法の合格を目指して引き続きネットスクールにお世話になろうと考えております。引き続きどうぞよろしくお願いいたします。

官報合格者も続々輩出！

M・S様（50代男性／一般会社勤務）第71回試験／国税徴収法・官報合格

以前は独学で市販の理論集や問題集を購入して勉強していましたが、配当額の計算でどうしてこのような計算結果となるのか、いまひとつ理解できないところもあり、本試験でも配当額を間違えて計算してしまったことから、その年度は残念ながら不合格となりました。

その後、国税徴収法のテキストを探していたところ、ネットスクールの通信講座を知り、もう一度勉強しなおそうと思い立ち、受講を決めました。

実際に講義を受けてみると、これまで理解が不完全だった「なぜこうなるのか」がすっきりと理解でき、まさに目からウロコが落ちる、という体験でした。

理論は、試験に直結する重要度が高いものに加え、「これは覚えておくべき」と自分が判断したものを全部暗記し、2～3日間で一回転するやり方で精度の向上に努めました。ただ単に暗記するだけではなく、横のつながりを意識することが大切だと思いましたので、どことつながっているのかもいっしょに覚えるようにしました。

答練は、通信講座のなかの問題と過去問で練習を繰り返しました。「ラストスパート模試」は過去8年分と模擬試験4回分が収録されていましたので、これだけでも練習量としては充分だったと思います。答案の書き方自体もあまりよく知らず、以前は隙間なくビッシリと書いていましたので、適度にスペースを空ける書き方を教えてもらったことも受講してよかった、と思いました。

おかげさまで国税徴収法に合格することができました。ありがとうございました。

S・K様（40代男性）　第72回試験／法人税法・官報合格

この度、ようやく官報合格となりました。これまでにお世話になった先生方、本当に本当にありがとうございました。私は他校の受講経験がなく比較することはできませんが、一番ありがたかったのは「学び舎」です。理解力不足や勘違いで何度もくだらない質問をしましたが、すぐに丁寧に詳しく解説を頂けたことが合格に結び付いたと確信しています。

受験勉強で私が一番苦労したのは、何と言っても勉強時間の確保です。仕事との両立はやはり厳しく、平日夜はほぼ時間がとれないため、毎朝3時に起床し朝に勉強するというスタイルで、1日約3～4時間は勉強に充てていました。主な1日のスケジュールは、朝は計算メインの勉強、通勤時間は車の中で、自分が吹き込んだオリジナル理論音声を聞きながらブツブツ念仏を唱え、昼休みは理論集の暗記、ベッドに入って寝るまでの時間も理論集の暗記といった内容でした。

私の理論暗記法は、短期間で繰り返し理論集を何回転もさせるやり方です。最初は重要語句を暗記ペンでマーカーし、覚えたら次の理論という感じでどんどん進めていき、少しずつ暗記ペンでマーカーした部分を増やしていきます。30～40回転目になると、ほとんどマーカーした状態になり、その頃からは、理論集を見ずに暗唱し、つまれば理論集を見て確認するというやり方に徐々にシフトしていきます。この方法は職場の先輩から教えてもらったもので、前回受験した国税徴収法と今回受験した法人税法はこの方法でほぼ全部暗記しました。直前期は数日で1回転できるようになり、最終的には60回転くらいさせたと思います。理論暗記に悩んでいる人にはお勧めです。

税理士試験はかなり長い年数を勉強に費やすことになり、それに比例して犠牲にしなければならないことも多いと思います。私も何度も諦めそうになりました。しかし、なんとか踏みとどまり、ネットスクールを信じて諦めずに継続したことで、5科目合格することができました。

税理士試験とは

試験概要

【試験科目】

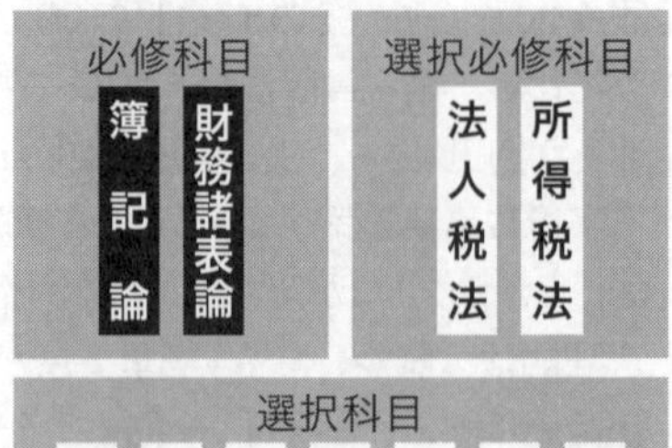

税理士試験は、会計科目２科目・税法科目９科目の全11科目あります。このうち、会計科目２科目と税法科目３科目(選択必須科目１科目以上を含む)の合計５科目に合格する必要があります。１度の受験で５科目全てに合格する必要はなく、１科目ずつ受験することもできます。なお、１度合格した科目は生涯有効となります。

【試験日】

通常、8月第１又は第２週の火曜日～木曜日に実施されます。

【合格点・合格発表】

合格基準点は各科目とも満点の60パーセントです。合格発表は11月下旬になります。

その他、税理士試験の詳細については、国税庁ホームページをご覧下さい。

https://www.nta.go.jp/index.htm

国税庁ホームページ > 税の情報・手続・用紙 > 税理士に関する情報 > 税理士試験

本書シリーズ

法令等の改正情報の公開について

本書税理士シリーズについて、法令等の改正や会計基準等の変更があった場合には、改正・変更に関する情報を公開いたします。

https://www.net-school.co.jp/

読者の方へ　>　税理士試験 / 科目　>　改正情報

凡例(略式名称……正式名称)

法……消費税法　　令……消費税法施行令　　規……消費税法施行規則

基通……消費税法基本通達

別表第一、第二、第三……消費税法別表第一、第二、第三

所法……所得税法　　所令……所得税法施行令　　法法……法人税法

法令……法人税法施行令　　国通法……国税通則法

措法……租税特別措置法

措令……租税特別措置法施行令

引用例

法7①三　…　消費税法第7条第1項第3号

基通10-1-19　…　消費税法基本通達10-1-19

(注)　本書は、令和６年(2024年)４月１日現在施行されている法令等に基づき作成しています。

Chapter 1

消費税とはⅡ

私たちが毎日の買い物の中で支払っている身近な存在である消費税。消費税とはいったいどのような税金なのでしょうか？Chapter 1では、私たちの身近な存在である消費税と少し違った「法律」をとおして捉えた場合の消費税を見ていきます。これから「消費税法」を学習するための基本的な考え方を見ていきますので、まずはしっかりと理解することを意識しましょう。

Section 1 消費税法の概要

皆さんがこれから学習していく消費税法という法律はどのような法律なのでしょうか？

ここでは、法律の内容に触れていく前に、学習の範囲や法律の構成など具体的な知識を見ていきましょう。

1 消費税の法律関係

税理士試験における「消費税法」の出題範囲は、**消費税法**と**その他の関連する法律**となっています。これらの関連する法律と消費税法の関係を図示すると以下のようになります。

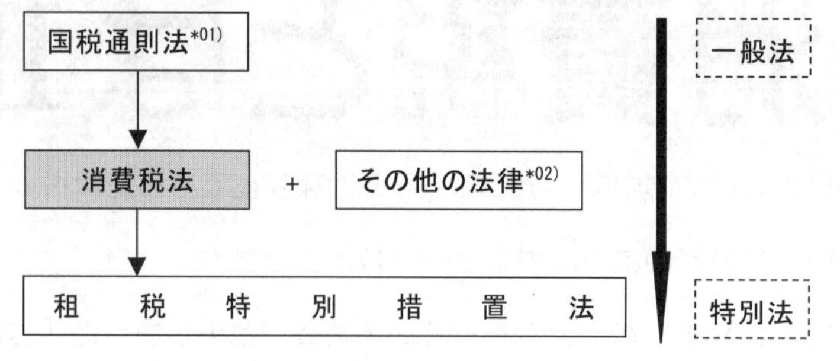

*01) 国税に関する一般的な事項を定めたものであり、申告や納付の期限・計算の端数処理の方法など内容は多岐にわたります。

*02) その他の法律には、①関税法 ②関税定率法 ③輸入品に対する内国消費税の徴収等に関する法律（輸徴法）などがあります。

特別法は一般法に優先して適用されます。例えば、上で示した法律では租税特別措置法 ＞ 消費税法 ＞ 国税通則法という順番となります。

この中で主に消費税法が税理士試験で出題されます。

2 税法の構成

理論

1．税法の構成

税法の構成は、**消費税法**で大綱を定め、**施行令**や**施行規則**で技術的な事項、様式的な事項をそれぞれ規定しています。**基本通達**は、法律や施行令、施行規則の解釈や運用方針などを示しています。

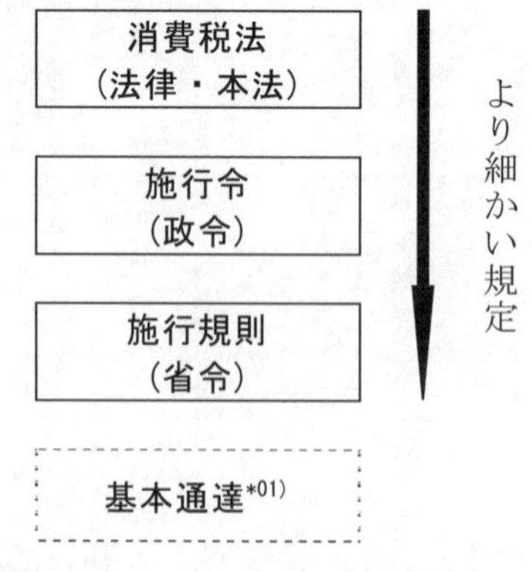

*01) 基本通達は本法や施行令、施行規則と異なり、課税庁側の見解であるため、一般的に拘束力はないといえます。

2. 消費税法の法律構成

消費税法は第１条～第67条まであり、以下のように定められています。

章建	条文	
第１章　総則 （第１条～第27条）	①　定義 ②　課税の対象 ③　納税義務者及び免税事業者 ④　納税義務の成立 ⑤　課税期間 ⑥　納税地	②→なにを？ ③→だれが？ ④⑤→いつ？ ⑥→どこへ？
第２章　課税標準及び税率 （第28条・第29条）	①　課税標準 ②　税率	どれだけ？
第３章　税額控除等 （第30条～第41条）	①　消費税額の控除等	
第４章　申告、納付、還付等 （第42条～第56条）	①　中間申告 ②　確定申告 ③　還付を受けるための申告 ④　引取りに係る申告 ⑤　中間申告による納付 ⑥　確定申告による納付 ⑦　引取りに係る納付 ⑧　還付 ⑨　更正の請求	どうする？
第５章　雑則 （第57条～第63条）	①　届出 ②　帳簿の備え付け等 ③　国、地方公共団体等に対する特例 ④　価格の表示	そのためには？
第６章　罰則 （第64条～第67条）	①　消費税のほ脱犯 ②　無申告犯 ③　秩序法	しなかったら？
【附則】	①　経過措置 ②　消費税法施行に伴う他法の一部改正	
【別表第一】	**軽減税率対象資産の取引**（国内取引）	
【別表第一の二】	**軽減税率対象資産の取引**（輸入取引）	
【別表第二】	**非課税項目**（国内取引）	
【別表第二の二】	**非課税項目**（輸入取引）	
【別表第三】	**特殊法人等**	

一般的に税法とは、税の納付に関する国と納税者との間の法律関係を示した文章です。法律構成というと難しく聞こえますが、消費税法とは、消費税の納付に関して「**なにを**」「**だれが**」「**いつ**」「**どこへ**」「**どれだけ**」「**どうする**」といった内容が具体的に示された文章と捉えていきましょう。

Section 2

消費税の性格

消費税が課税対象とする「消費」とは一体何でしょうか？
一般的に消費とは、人が欲求を満たすため財貨やサービスを利用することをいいます。消費税はこの消費という行為に着目し、大人から子供まで「平等に」、消費するためのお金の一部分を税金として負担してもらうことを目的とした税金です。
ここでは他の税法とは異なる消費税の特徴を見ていきましょう。

1 個別消費税と一般消費税

理論

消費税とは、財貨やサービスの消費を課税対象とした税金全般を指す言葉であり、特定の財貨やサービスの消費に対して課税する酒税やたばこ税も消費税に含まれます。これらの特定の消費に対する消費税を「**個別消費税**」といいます。これに対し、消費税法が対象としている消費税は、原則として国内におけるすべての商品の販売やサービスの提供に対して広く薄く課税するため、**一般消費税**と呼ばれています。

ここでいう消費には、国内で消費することを目的とした輸入取引も含まれます*01)。

*01) 輸入取引については Chapter 2で詳しくみていきます。

2 消費税の税率の内訳

消費税の税率は10%ですが、その10%相当の税額のすべてが国に納付される訳ではありません。

10%のうち**7.8%が 国税**であり、**2.2%が地方税**です*01)*02)。

2.2%の地方税部分は、国税の確定税額に$\frac{22}{78}$*03)を乗じて計算されます。

受験上は、国税の7.8%に基づいて計算します*04)。

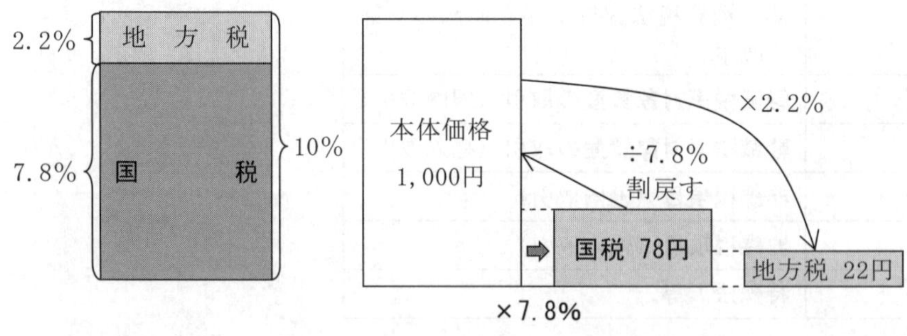

*01) 国が課す税金を国税、都道府県などの地方公共団体が課す税金を地方税といいます。

*02) 税法上は、7.8%の国税を「消費税」、2.2%の地方税を「地方消費税」といいます。

*03) $\frac{22}{78}$ となっていますが、意味合いは $\frac{2.2\%}{7.8\%}$ です。
国税7.8%部分の税額を7.8%で割り戻すことにより、本体価格相当額の金額を算出し、それに地方消費税の税率2.2%を改めて掛けることにより、地方消費税部分の税額を算出しています。

*04) 以後、この教科書では、消費税率を7.8%として説明していきます。

参考

令和元年 10 月 1 日以降の税率

	国　税	地方税	合　計
標 準 税 率	7.8%	2.2%	10%
軽 減 税 率	6.24%	1.76%	8 %

3 直接税と間接税

実際に税金を負担する者（担税者）とその税金を納める者（法律上の納税義務者）が同一である税金を「直接税」、担税者と法律上の納税義務者が異なる税金を「**間接税**」といいます。

消費税は、担税者が直接税金を納付する「法人税」や「所得税」とは異なり、担税者と法律上の納税義務者が一致していないため、間接税に分類されます。

したがって、消費税の納税義務者は、商品の販売等をした際に消費者から税金を預かる「**事業者**」です。消費税法は、この納税義務者たる事業者が、消費者から預かった税金を、国に納付するための方法等を定めた法律なのです。

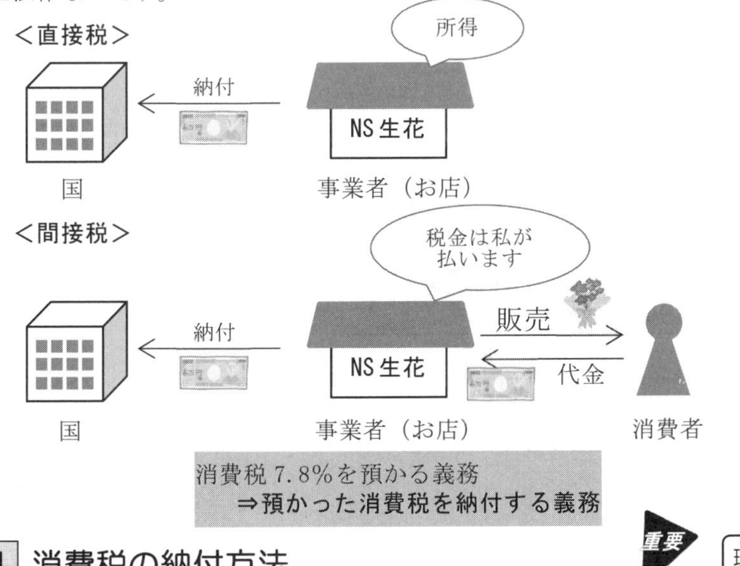

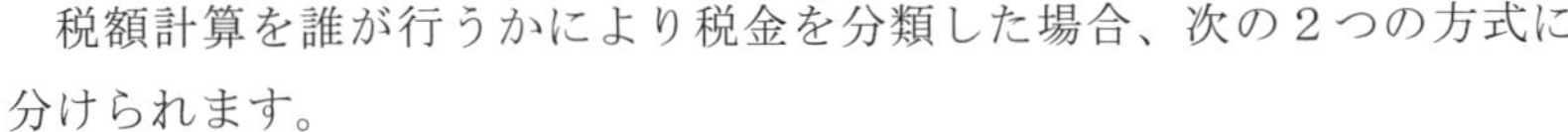

4 消費税の納付方法

重要　理論

税額計算を誰が行うかにより税金を分類した場合、次の２つの方式に分けられます。

- **申告納税方式**

　申告納税方式とは、納税者が自ら税額を計算し、自ら申告して納める方法をいいます。

- **賦課課税方式**

　賦課課税方式とは、税金を課す国や地方公共団体が税額を計算し、その計算された税額を納税者が納める方法をいいます。

　消費税法は、**国内取引**については**申告納税方式**を採用し、**輸入取引**については**申告納税方式と賦課課税方式の両方**を採用しています。

5 国内取引と輸入取引

理論

取引を区分すると、**①国内取引**、**②輸出取引**、**③輸入取引**、**④国外取引**に分けられます。消費税法においては、**①国内取引と②輸出取引をまとめたものを広い意味での国内取引**と捉え、**この広い意味での国内取引と③輸入取引を課税の対象**としています。

国内取引と国外取引の判別は「**場所**」で判定します。例えば、資産の譲渡は、その資産の譲渡が行われた時にその資産が所在している場所、サービス等の役務の提供は、役務の提供が行われた場所が、それぞれ国内ならば国内取引になります。

輸出を行うためには、国内の税関で輸出許可を受ける必要があります。

輸出許可を受ける時には、その資産は当然国内にあります。ここから、輸出取引も国内取引として扱います。

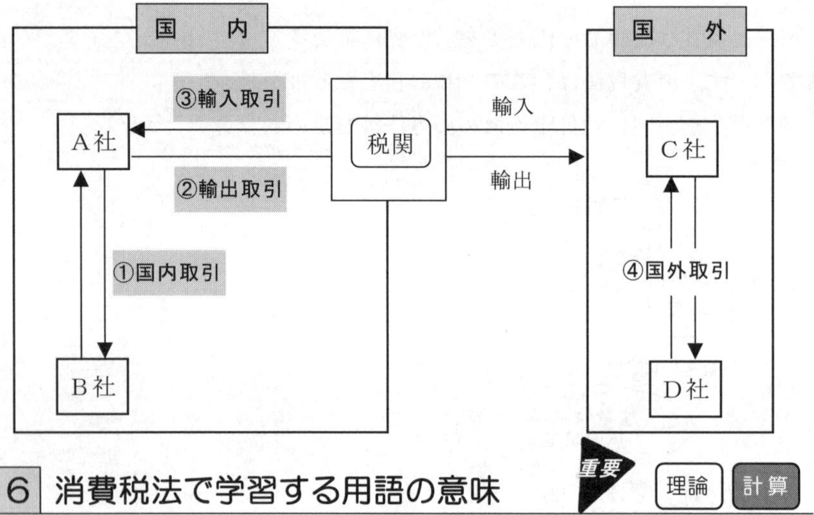

6 消費税法で学習する用語の意味

重要　理論　計算

用語の意味は、理論を暗記する際も必要なので正確に押さえましょう。

事業者	個人事業者[*01]と法人があります。
課税期間	課税期間とは、納付すべき消費税額の計算の基礎となる期間をいいます。 個人事業者は、**1月1日から12月31日** 法人は、その法人の定める**事業年度**[*02]になります。
売上げ	会計における売上げは、商品を売った場合を主に指しますが、消費税における売上げは、入金全般や資産等の流出全般を指します。
仕入れ	会計における仕入れは、商品を買った場合を主に指しますが、消費税における仕入れは、出金全般や資産等の譲受け全般を指します。
課税売上げ	売上げのうち消費税が課されるものをいいます。
課税仕入れ	仕入れのうち消費税が課されるものをいいます[*03]。

*01) 事業を行う個人をいいます。

*02) 3月決算の法人なら、4月1日から翌年3月31日です。

*03) 厳密には、事業者が、事業として他の者から資産を譲り受け、若しくは借り受け、又は役務の提供（所得税法に規定する給与等を対価とする役務の提供を除く。）を受けることをいいます。

Section 3 消費税の仕組み

消費税の納税義務者である事業者は、商品の販売等を行う際、その売上げに対し7.8%の税金を預かります。
ここで問題となるのが、商品の購入等をした人はすべて「消費者」なのか、という点です。
事業者が商品の購入等をした場合、事業者は「消費」をするためでなく「販売等」のために購入していますから、「消費」はしていません。
消費税はあくまでも消費を行う消費者が負担する税金であるため、このような販売等のための、消費を伴わない購入等に対し税金の負担が発生することを避けるため、以下のような仕組みを採用しています。

1 前段階控除方式

商品が私たちの手許に届くまでには、様々な流通過程を経ます。

例えば、本は、『出版社→書店→消費者』という流通過程です。消費税は、消費者に手渡される時のみならず出版社や書店にも購入の際、課されるため、取引を行うたびに税金が累積されることを避ける必要があります。そのために、前段階の税を排除していく**前段階控除方式**の仕組みが採用されています。

この仕組みを採用すると、消費税は最終的には消費者が負担することになります。

出版社

書 店

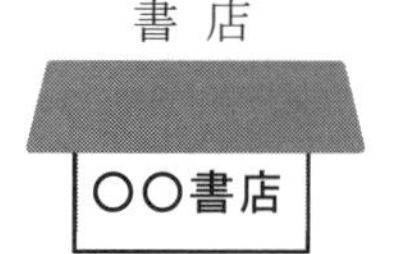

消費者

出版社	書店	消費者
売上げ 60,000円 消費税額 4,680円	仕入れ 60,000円 消費税額 4,680円	
	売上げ 70,000円 消費税額 5,460円	購入 70,000円 消費税額 5,460円
納付税額 4,680円	5,460円-4,680円 ＝780円	5,460円

5,460円 ← 一致 → 5,460円

	出版社	書　店	消費者
預かった税金（売上げ分の消費税）	4,680円	5,460円	—
支払った税金（仕入れ分の消費税）	—	4,680円	5,460円
納付税額	4,680円	＋　780円	＝5,460円

出版社と書店の納付税額の合計額5,460円（出版社4,680円＋書店780円）が消費者の支払税額と一致しており、消費者のみが最終的に税金を負担していることがわかります。

Section 4 納付税額の計算方法

Section３で学習したように、最終的に消費税を負担するのは消費者ですが、実際に納付するのは事業者です。事業者は、「預かった消費税」から「支払った消費税」を差し引いた額を納付税額として納めます。

ここでは、消費税の納付税額を求める具体的な方法を学習していきましょう。

1 納付税額の計算の流れ

計算

先ほどの書店を例に考えると、書店は、売り上げた分の消費税5,460円を預かっており、仕入れた分の消費税4,680円を支払っています。

したがって、納付税額780円（5,460円－4,680円）*01)を国税として納めます。

*01) 便宜上、百円未満切捨の端数処理はしていません。

また、地方税は、国税の納付税額に$\frac{22}{78}$を乗じて算定しますので、地方税は220円（780円×$\frac{22}{78}$）となります。

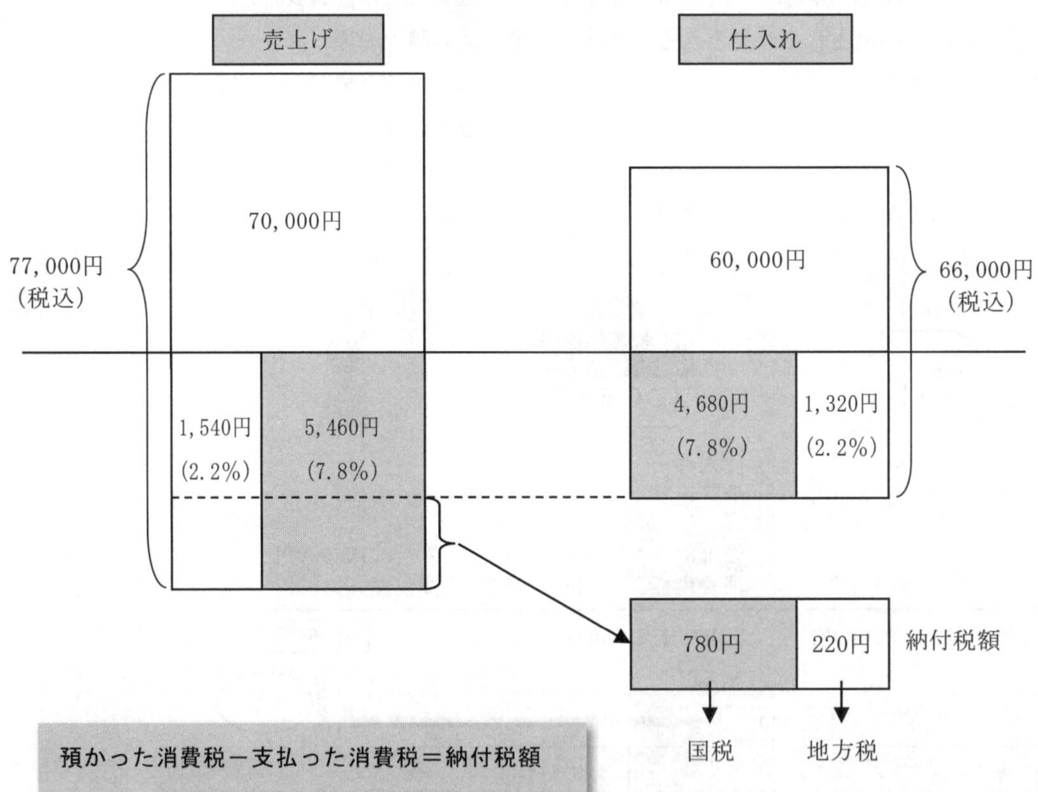

預かった消費税－支払った消費税＝納付税額

〈税込経理方式と税抜経理方式〉

消費税の会計処理については、取引の対価の額と消費税額等を区分しないで経理する「税込経理方式」と、区分する「税抜経理方式」があります。

これから学習する消費税の計算に関しては、税込経理方式を前提とした計算方法になっています。

2 納付税額の計算方法

計算

納付税額の計算は、以下のような手順で計算します[*01]。

(1) 預かった消費税（＝課税標準額に対する消費税額）

① 課税標準額

77,000円[*02] × $\frac{100}{110}$ ＝70,000円（千円未満切捨）

② 課税標準額に対する消費税額

70,000円×7.8%＝5,460円

(2) 支払った消費税（＝控除対象仕入税額）

66,000円[*03] × $\frac{7.8}{110}$ ＝4,680円[*04]

(3) 納付税額

① **差引税額** (1)－(2)

5,460円－4,680円＝780円 → 700円（百円未満切捨）

〈差引税額がマイナスとなった場合〉

差引税額がマイナスとなったときは、支払った消費税が還付金として戻ってくるため「**控除不足還付税額**」と呼び方が変わります。

なお、マイナスの場合は、百円未満の切捨ては行いません。

（例）		
	課税標準額に対する消費税額	3,520円
	控除対象仕入税額	5,800円
	控除不足還付税額	2,280円（プラスで表示）

切捨てない

② **納付税額**（差引税額から中間納付税額を差し引きます）

700円－0円＝700円

中間納付税額[*05]

〈納付税額がマイナスとなった場合〉

差引税額から「中間納付税額」を引いた結果マイナスとなったときは中間納付により支払済みの消費税が還付されるため「**中間納付還付税額**」と呼び方が変わります。

（例）		
	差引税額	2,800円
	中間納付税額	5,100円
	中間納付還付税額	2,300円（プラスで表示）

*01) 前ページの図の金額を使った計算例です。最終的に納付税額が700円（780円と算出されますが、百円未満切捨の端数処理をします。）となることを確認しましょう。

*02) 預かった消費税の計算では、一課税期間の課税売上げの合計額（税込）から、計算式を使って求めています。前ページの例では、書店の売上げである77,000円（税込）が課税売上げとなります。

*03) 支払った消費税の計算では、一課税期間の課税仕入れの合計額（税込）から、計算式を使って求めています。前ページの例では、書店の仕入れである66,000円（税込）が課税仕入れとなります。

*04) ここで円未満の端数が生じた場合には、切捨てます。

*05) 納付する税額が多額の場合、納付する税金の一部を前払いすることがあります。これを中間納付税額といいます。詳しくは、Chapter14で学習します。

Ch 1 Ch 2 Ch 3 Ch 4 Ch 5 Ch 6 Ch 7 Ch 8 Ch 9 Ch 10 Ch 11 Ch 12 Ch 13 Ch 14 Ch 15 Ch 16

設例４－１　納付税額の計算

次の【資料】に基づいて、当課税期間（令和７年４月１日～令和８年３月31日）の課税標準額に対する消費税額、控除対象仕入税額（課税仕入れに係る消費税額の全額を控除するものとする。）、差引税額、納付税額を計算しなさい。なお、課税標準額に対する消費税額及び控除対象仕入税額の計算は割戻し計算の方法による。

【資料】

⑴　課税売上高（税込）　162,355,410円

⑵　課税仕入高（税込）　113,648,641円

⑶　中間納付税額　920,000円

解答

課税標準額に対する消費税額	**11,512,410円**
控除対象仕入税額	**8,058,721円**
差引税額	**3,453,600円**
納付税額	**2,533,600円**

解説（単位：円）

⑴　課税標準額に対する消費税額

①　課税標準額

$$162,355,410\times\frac{100}{110}=147,595,827\ \rightarrow\ 147,595,000\text{（千円未満切捨）}$$

②　課税標準額に対する消費税額

147,595,000×7.8％＝11,512,410

⑵　控除対象仕入税額

$$113,648,641\times\frac{7.8}{110}=8,058,721$$

⑶　納付税額

①　差引税額

11,512,410－8,058,721＝3,453,689 → 3,453,600（百円未満切捨）

②　納付税額

3,453,600－920,000＝2,533,600

Try it　　納付税額の計算

株式会社甲社は、小売業を営んでいる法人であり、甲社の令和７年４月１日から令和８年３月31日までの課税期間に関連する取引の状況は、次のとおりである。

これに基づき、当課税期間における確定申告により納付すべき消費税額をその計算過程を示して計算しなさい。なお、控除対象仕入税額は課税仕入れに係る消費税額の全額を控除するものとし、課税標準額に対する消費税額及び控除対象仕入税額の計算は割戻し計算の方法によるものとする。

【資料】

1　課税売上高（税込）　89,250,000円

2　課税仕入高（税込）　47,250,000円

3　中間納付税額　1,360,000円

解答欄

Ⅰ　課税標準額に対する消費税額の計算

〔課税標準額〕

計　算　過　程　（単位：円）		
	金額	円

〔課税標準額に対する消費税額〕

計　算　過　程　（単位：円）	金額	円

Ⅱ　仕入れに係る消費税額の計算等

〔控除対象仕入税額〕

計　算　過　程　（単位：円）		
	金額	円

Ⅲ　納付税額の計算

〔納付税額〕

計　算　過　程　（単位：円）		
	金額	円

Ch 1 Ch 2 Ch 3 Ch 4 Ch 5 Ch 6 Ch 7 Ch 8 Ch 9 Ch 10 Ch 11 Ch 12 Ch 13 Ch 14 Ch 15 Ch 16

解答

Ⅰ　課税標準額に対する消費税額の計算

〔課税標準額〕

計　算　過　程　（単位：円）	金額（円）
$89,250,000 \times \frac{100}{110} = 81,136,363$ → 81,136,000（千円未満切捨）	81,136,000

〔課税標準額に対する消費税額〕

計　算　過　程　（単位：円）	金額（円）
81,136,000×7.8%＝6,328,608	6,328,608

Ⅱ　仕入れに係る消費税額の計算等

〔控除対象仕入税額〕

計　算　過　程　（単位：円）	金額（円）
$47,250,000 \times \frac{7.8}{110} = 3,350,454$	3,350,454

Ⅲ　納付税額の計算

〔納付税額〕

計　算　過　程　（単位：円）	金額（円）
⑴　差引税額 6,328,608－3,350,454＝2,978,154 → 2,978,100（百円未満切捨） ⑵　納付税額 2,978,100－1,360,000＝1,618,100	1,618,100

解説

1　課税標準額の計算

千円未満切捨を忘れないようにしましょう。なお、「千円未満切捨」は、答案用紙に明記します。

2　控除対象仕入税額の計算

$\frac{7.8}{110}$ を乗じて計算します。このとき円未満の端数は切捨てます。

3　納付税額

差引税額と納付税額の２段階で計算することを押さえましょう。

また、差引税額で百円未満切捨を忘れないようにしましょう。なお、「百円未満切捨」は、答案用紙に明記します。

Chapter 2

課税の対象Ⅱ

消費税の学習にあたって最重要項目といえるのが「取引の分類」です。取引の分類は、はじめに、消費税の対象とする「消費」の概念である「課税の対象」に入る取引と入らない取引の分類から行います。ここでは、課税の対象の４要件について詳しく見ていきます。この分類の考え方が消費税の学習の基礎となりますので、しっかり理解しましょう。

Section 1 課税の対象の概要

消費税はすべての取引に課される税金ではありません。消費税法では「こういう取引には消費税を課します。」という要件が明らかにされており、その要件を満たせば消費税法が適用されることとなります。

取引がどのように分類され、そのうち、どの取引に消費税が課されるのか、その概要を確認していきましょう。

1 取引の分類の概要

消費税法における課税の対象は、国内において事業者が行った**資産の譲渡等**、特定仕入れ及び保税地域から引き取られる**外国貨物**です[*01]。

さらに、消費税法が適用される取引は、次の手順に従って分類していきます。

	（第１段階）	（第２段階）	（第３段階）
国内取引	課税の対象となる取引（資産の譲渡等）	課　税　取　引（課税資産の譲渡等）	**課　税　取　引（7.8%）**
			輸出免税取引（0%）
		非　課　税　取　引	
	課税対象外取引（不課税取引）		
輸入取引	**課　税　取　引（課税貨物の引取り）**		
	非　課　税　取　引（非　課　税　貨　物）		

*01) 各項目の具体的な内容について、詳しくは後で学習します。ここでは、概要を押さえることに重点を置いてください。
なお、特定仕入れについては、応用編で学習していきます。

消費税法〈課税の対象〉

第４条①　国内において事業者が行った資産の譲渡等（特定資産の譲渡等[*02]に該当するものを除く。）及び特定仕入れ[*02]には、この法律により、消費税を課する。

②　保税地域から引き取られる外国貨物には、この法律により、消費税を課する。

消費税法〈資産の譲渡等〉

第２条①八　事業として対価を得て行われる資産の譲渡及び貸付け並びに役務の提供（代物弁済による資産の譲渡その他対価を得て行われる資産の譲渡若しくは貸付け又は役務の提供に類する行為として政令で定めるものを含む。）をいう。

*02) 特定資産の譲渡等及び特定仕入れについては、応用編で学習していきます。

Section 2 国内取引の課税の対象

Chapter 1では、消費税が財貨やサービスの消費に対し課税され、その納付は、商品等を販売等した事業者が行うことを学習しました。それでは、消費税が課税の対象とする（消費税法が適用される）財貨やサービスの消費とはどのような取引を指すのでしょうか？

ここでは、国内取引の消費税の課税の対象となる取引について学習していきましょう。

1 取引の分類の概要

計算

消費税法では、「国内において事業者が行った資産の譲渡等（特定資産の譲渡等[*01]に該当するものを除く。）及び特定仕入れ[*01]には消費税を課する。」と規定しています。この「資産の譲渡等」とは、「**事業として対価を得て行われる資産の譲渡及び貸付け並びに役務の提供**」のことをいいます。

*01）応用編で学習していきます。

資産の譲渡等	事業として、対価を得て行われる 資産の｛譲　渡 及び 貸付け｝ 並びに 役務の提供

消費税法〈課税の対象〉

第４条①　国内において事業者が行った資産の譲渡等（特定資産の譲渡等に該当するものを除く。）及び特定仕入れには、この法律により、消費税を課する。

消費税法〈資産の譲渡等〉

第２条①八　事業として対価を得て行われる資産の譲渡及び貸付け並びに役務の提供（代物弁済による資産の譲渡その他対価を得て行われる資産の譲渡若しくは貸付け又は役務の提供に類する行為として政令で定めるものを含む。）をいう。

具体的には、以下の**４要件をすべて満たす取引**が国内取引の課税の対象となります。

(1)　国内において行うものであること
(2)　事業者が事業として行うものであること
(3)　対価を得て行われるものであること
(4)　資産の譲渡及び貸付け並びに役務の提供であること[*02]

*02）「資産の譲渡等」に資産の貸付けや役務（サービス）の提供も含まれる点に注意しましょう。

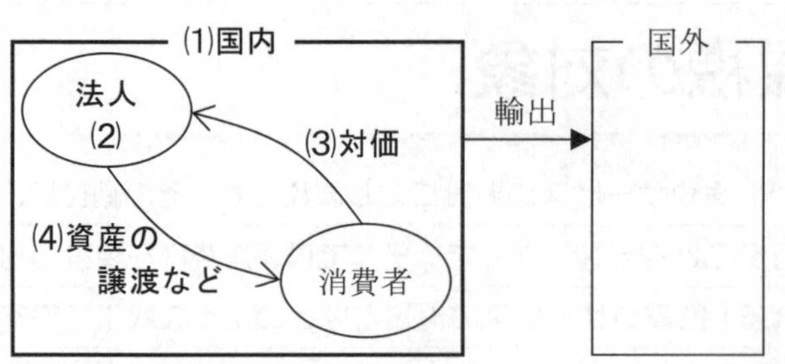

2 国内において行われるもの

消費税は国内で行われた資産の譲渡等に対して税金の負担を求めています。したがって、課税の対象と判断するためには、まず、資産の譲渡等が**国内で行われたか否か**を判断する必要があります。

具体的には、資産の譲渡又は貸付け、役務の提供ごとに判定を行います。

1．資産の譲渡又は貸付けの場合（法4③一、令6①）

資産の譲渡又は貸付けは、その譲渡又は貸付けが行われる**時**においてその**資産が所在していた場所が国内であるか否か**に基づき判定を行います。

ただし、船舶や航空機などの動産については所在する場所の判断基準が特殊であるため、それぞれ個別の判定基準で判断します。

(1) 原　則

原　則	その譲渡又は貸付けが行われる時においてその資産が所在していた場所

(2) 例　外

資産の種類		場　　所
船舶	登録済	船舶の登録をした機関の所在地（同一の船舶について二以上の国において登録をしている場合には、いずれかの機関の所在地）
	未登録	その譲渡又は貸付けを行う者のその譲渡又は貸付けに係る事務所等の所在地
航空機	登録済	航空機の登録をした機関の所在地
	未登録	その譲渡又は貸付けを行う者のその譲渡又は貸付けに係る事務所等の所在地
鉱業権若しくは租鉱権又は採石権等		鉱業権に係る鉱区若しくは租鉱権に係る租鉱区又は採石権等に係る採石場の所在地
特許権、実用新案権、意匠権、商標権等		権利の登録をした機関の所在地（同一の権利について二以上の国において登録をしている場合には、これらの権利の譲渡又は貸付けを行う者の住所地*01)）
公共施設等運営権*02)		公共施設等の所在地

*01) 住所地とは、個人事業者の場合には、生活の本拠地を指し、法人の場合には本店所在地を指します。ここでいう生活の本拠地とは、一般的には住民票の登録地といわれますが、必ずしも一致しているとは限りません。

*02)「民間資金等の活用による公共施設等の整備等の促進に関する法律」に規定する公共施設等運営権をいいます。公共施設等運営権とは、地方公共団体等が保有する学校やスポーツ施設等の公共施設の運営等の事業を行う権利を指し、民間企業等権利の所有者がその施設に係る運営を行い、利用料を徴収することができることとしています。

著作権、特別の技術による生産方式及びこれに準ずるもの（ノウハウ）	著作権、ノウハウの譲渡又は貸付けを行う者の住所地
営業権又は漁業権若しくは入漁権	これらの権利に係る事業を行う者の住所地
有価証券（ゴルフ場利用株式等を除く。）	有価証券が所在していた場所
登録国債	登録国債の登録をした機関の所在地
振替機関等が取扱う有価証券	振替機関等の所在地
合名会社等の持分	その持分に係る法人の本店又は主たる事務所の所在地*03)
金銭債権	その金銭債権に係る債権者の譲渡に係る事務所等の所在地
ゴルフ場利用株式等	ゴルフ場その他の施設の所在地
所在場所が明らかでない場合	その資産の譲渡又は貸付けを行う者のその譲渡又は貸付けに係る事務所等の所在地

*03) 主たる事務所の所在地とは、法人格を持たない団体等が消費税の納税義務者となる場合に、その活動の中心となる場所を指します。

「住所地」と「事務所等の所在地」

取引の判定を行う際､取引を行う法人に複数の支店がある場合に、「住所地」で判定する取引については、取引そのものがどこで行われたかにかかわらず、本店の所在地で判定し、「事務所等の所在地」で判定する取引については、具体的に取引を行った支店の所在地で判定を行います。海外に支店を持つ法人に関しては､「住所地」なのか「事務所等の所在地」なのかにより、課税の対象に含まれるか否かが異なりますので注意が必要です。

2．役務の提供の場合（法4③二、令6②）

役務の提供の場合は､**その役務の提供が行われた場所が国内であるか否か**に基づき判定を行います。

ただし、その役務の提供が運輸、通信その他国内及び国外にわたって行われるものである場合､その他の政令で定めるものである場合はそれぞれ個別の判定基準で判断します。

(1) 原　則

原　則	その役務の提供が行われた場所

⑵ 例 外

役務提供の種類	場　　所
国際運輸	その旅客又は貨物の**出発地**若しくは**発送地**又は**到着地**
国際通信	**発信地**又は**受信地**
国際郵便	**差出地**又は**配達地**
保険	保険に係る事業を営む者の保険の契約の締結に係る**事務所等の所在地**
生産設備等の建設又は製造に関する専門的な知識を必要とする調査、企画、助言、監督等の役務の提供	その生産設備等の建設又は製造に必要な資材の大部分が調達される場所
役務の提供が行われた場所が明らかでないもの	役務の提供を行う者の役務の提供に係る事務所等の所在地

3．電気通信利用役務の提供の場合（法４③三）

電気通信利用役務の提供の場合は、その電気通信利用役務の提供を受ける者の住所若しくは居所又は本店若しくは主たる事務所の所在地**が国内であるか否か**に基づき判定を行います。

4．利子を対価とする金銭の貸付け（令６③）

利子を対価とする金銭の貸付け又は預貯金の預入は、その貸付け又は預入れの行為を行う者のその貸付け又は預入れの行為に係る事務所等の所在地が国内にあるかどうかにより判定を行います。*04)

*04) 例えば海外の金融機関が日本に所在する支店において貸付けを行った場合には、国内取引に該当しますが、反対に日本の金融機関であっても海外の支店で貸付けを行った場合には国内取引には該当せず、課税の対象とはなりません。

設例2－1　国内において行うもの

次の取引のうち、国内取引に該当するものを選びなさい。

［資産の譲渡又は貸付け］

⑴　内国法人が北海道にある土地を売却する行為

⑵　内国法人がアメリカにある建物を貸し付ける行為

⑶　外国法人が東京支店の車両を売却する行為

⑷　内国法人がパナマで登録している船舶を売却する行為

⑸　内国法人が外国法人（銀行）に預けていた預金の利子を受取る行為

⑹　外国法人が内国法人から貸付金の利息を受取る行為

［役務の提供］

⑴　内国法人が国外において建物の建設を行う行為

⑵　内国法人が横浜から上海へ貨物を輸送する行為

⑶　外国法人がロンドンから東京への国際電話料金を受取る行為

解答

［資産の譲渡又は貸付け］

⑴、⑶、⑸

［役務の提供］

⑵、⑶

解説

［資産の譲渡又は貸付け］

⑴　国内にある資産の譲渡であるため国内取引に該当します。

⑵　国外にある資産の貸付けであるため国外取引に該当します。

⑶　外国法人による取引であっても、国内にある資産の譲渡であるため国内取引に該当します。

⑷　船舶の譲渡が国内取引に該当するかの判定は、その船舶の登録機関の所在地により行います。ここでは、船舶の登録地が国外であるため国外取引に該当します。

⑸⑹　利子を対価とする金銭の貸付けが国内取引に該当するかの判定は、その貸付けを行う者の貸付けに係る事務所等の所在地により行います。

⑸は、貸付けに係る事務所等が国内にあるため国内取引に該当します。一方、⑹は、貸付けに係る事務所等が国外にあるため国外取引に該当します。

なお、預金の場合には、お金を金融機関に預ける預金者が「貸付けを行う者」に該当します。

［役務の提供］

⑴　国外における役務の提供であるため、国外取引に該当します。

⑵　国際運輸が国内取引に該当するかの判定は、その貨物の出発地、発送地又は到着地のいずれかにより行います。ここでは、貨物の出発地が国内であるため国内取引に該当します。

⑶　国際通信が国内取引に該当するかの判定は、その通信の発信地又は受信地のいずれかにより行います。ここでは、通信の受信地が国内であるため国内取引に該当します。

3 事業者が事業として行うもの

消費税法では、**法人**が行う資産の譲渡及び貸付け並びに役務の提供は、**そのすべてが、「事業として」に該当**します。一方、**個人事業者**が生活の用に供している資産を譲渡する場合のその譲渡は、**「事業として」には該当しません**（基通５－１－１）*01)。

*01) 例えば、個人事業者が家庭で利用しているパソコンを売却した場合などは該当しません。

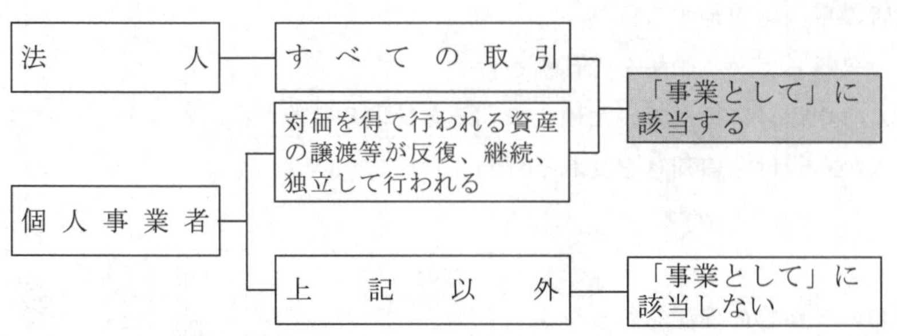

＜付随行為＞（基通５－１－７）

その性質上事業に付随して対価を得て行われる資産の譲渡等には、例えば、事業活動の一環として、又はこれに関連して行われる次に掲げるようなものが該当します。

⑴　職業運動家、作家、映画・演劇等の出演者等で事業者に該当するものが対価を得て行う他の事業者の広告宣伝のための役務の提供

⑵　職業運動家、作家等で事業者に該当するものが対価を得て行う催物への参加又はラジオ放送若しくはテレビ放送等に係る出演その他これらに類するもののための役務の提供

⑶　事業の用に供している建物、機械等の売却

⑷　利子を対価とする事業資金の預入れ

⑸　事業の遂行のための取引先又は使用人に対する利子を対価とする金銭等の貸付け

⑹　新聞販売店における折込広告

⑺　浴場業、飲食業等における広告の掲示

＜事業に関して行う家事用資産の譲渡＞（基通５－１－８）

個人事業者が行う資産の譲渡のうち、例えば、次に掲げるものは、事業のために行うものであっても付随行為には該当しません。

⑴　事業用資金の取得のために行う家事用資産の譲渡

⑵　事業用資産の仕入代金に係る債務又は事業用に借り入れた資金の代物弁済として行われる家事用資産の譲渡

すなわち、**その資産の譲渡という行為が「事業として」行われているか否かの判定は、その資産の所有目的が事業のためであったのかに着目し、その売却の目的には影響されません。**

設例２－２ 事業者が事業として行うもの

次の取引のうち、事業者が事業として行う取引に該当するものを選びなさい。

⑴　法人が商品を販売する行為

⑵　法人が無償で役務を提供する行為

⑶　個人事業者が商品を販売する行為

⑷　個人事業者が家事用冷蔵庫を売却する行為

⑸　個人事業者が商品配達用の車両を売却する行為

解答　⑴、⑵、⑶、⑸

解説

⑴⑵　法人が行う資産の譲渡及び貸付け並びに役務の提供は、そのすべてが「事業として」に該当します。したがって、⑴⑵がともに事業者が事業として行う取引に該当します。

⑶⑷　個人事業者が行う資産の譲渡及び貸付け並びに役務の提供のうち、反復・継続・独立して行われるものは「事業として」に該当します。しかし、生活の用に供している資産を譲渡する場合の譲渡は「事業として」には該当しません。したがって、⑶は事業者が事業として行う取引に該当しますが、⑷はこれに該当しません。

⑸　「事業として」行う取引には、付随行為も含まれます。個人事業者が商品配達用の車両を売却する行為は付随行為に当たるため、この行為は事業者が事業として行う取引に該当します。

4　対価を得て行われるものであること

理論　計算

1．原　則（基通５－１－２）

対価を得て行われる資産の譲渡等とは、**資産の譲渡等に対して反対給付を受けること**をいいます。すなわち、事業者が行った資産の譲渡等に関し、何らかの「**見返り**」がある場合には、対価を得て行われた取引となります。

ここでいう対価とは、金銭に限らないため、資産の交換等も対価性のある取引に該当します。なお、**無償による取引は、資産の譲渡等に該当しません。**

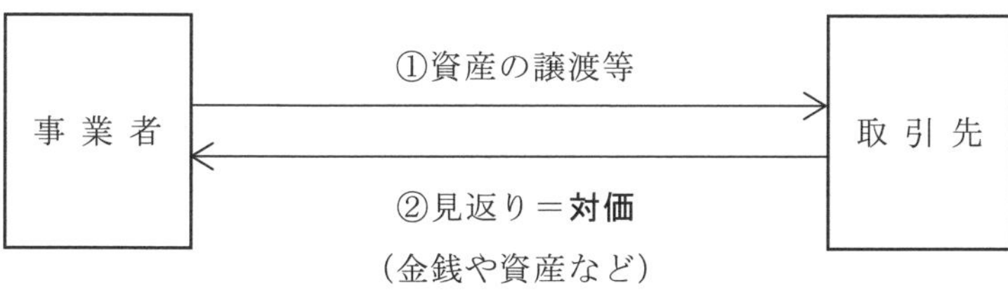

2．例　外（法4⑤）

例外として、次の行為は対価を得ていない取引にもかかわらず、事業として対価を得て行われた資産の譲渡とみなされ、課税の対象となります。**（みなし譲渡）** *01)

*01) これらの取引を容認しないと恣意的に消費税を少なく納付する租税回避行為につながるため、例外的に課税の対象に含めることとしています。

⑴　個人事業者が棚卸資産等の事業用資産を家事のために消費し、又は使用した場合におけるその消費又は使用

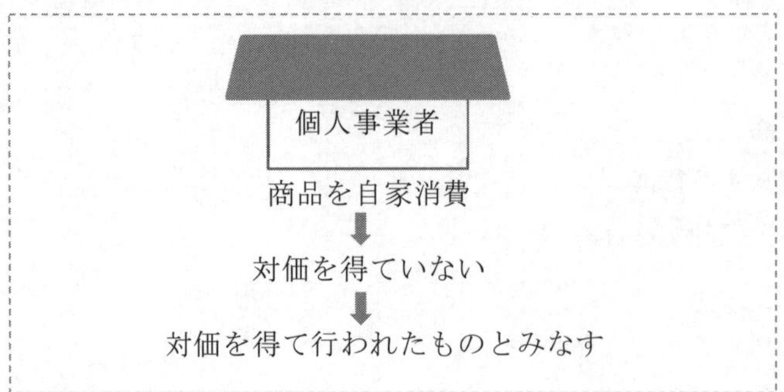

⑵　法人が資産をその役員に対して贈与した場合におけるその贈与[*02)]

*02) 法人が行うすべての取引は事業を目的として行われるため資産の譲渡等に該当することになります。

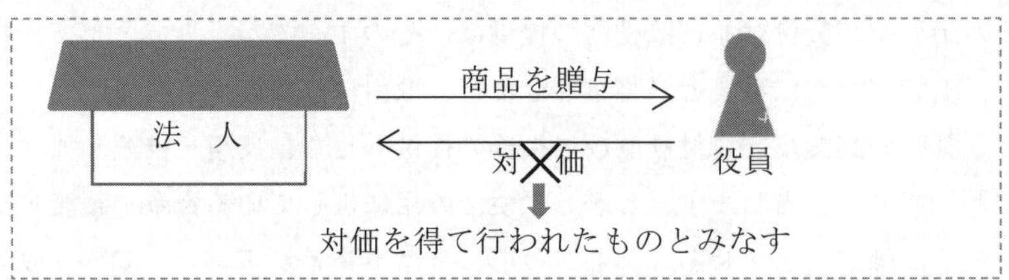

3．特殊なケースの対価性の判定

資産の譲渡等が対価を得て行われた取引に該当するか否かの判定は、具体的には以下のようになります。

⑴　保証債務等を履行するために行う資産の譲渡（基通達５－２－２）

対価性あり（課税の対象）	他の者の債務の保証を履行するために行う資産の譲渡又は強制換価手続により換価された場合の資産の譲渡[*03)]

*03) 代物弁済と同様に考えます。

⑵　保険金、共済金等（基通５－２－４）

対価性なし（不課税）	保険事故の発生に伴い受けるもの

保険金又は共済金は保険事故の発生に伴い受け取るものであり、資産の譲渡等の「対価」に該当しません。

⑶　損害賠償金（基通５－２－５）

対価性なし （不課税）	損害賠償金のうち、心身又は資産につき加えられた損害の発生に伴い受けるもの
対価性あり （課税の対象）	①　損害を受けた棚卸資産等が加害者に引き渡される場合で、その棚卸資産等がそのまま又は軽微な修理を加えることにより使用できるときにその加害者からその棚卸資産等を有する者が収受する損害賠償金 **→使用できるものを引き渡すため、実質的に資産の譲渡等に該当** ②無体財産権の侵害を受けた場合に加害者からその無体財産権の権利者が収受する損害賠償金 **→実質が権利の使用料であるため資産の譲渡等に該当** ③　不動産等の明渡しの遅滞により加害者から賃貸人が収受する損害賠償金 **→実質が明渡しまでの賃貸料であるため資産の譲渡等に該当**

<対価性なし>

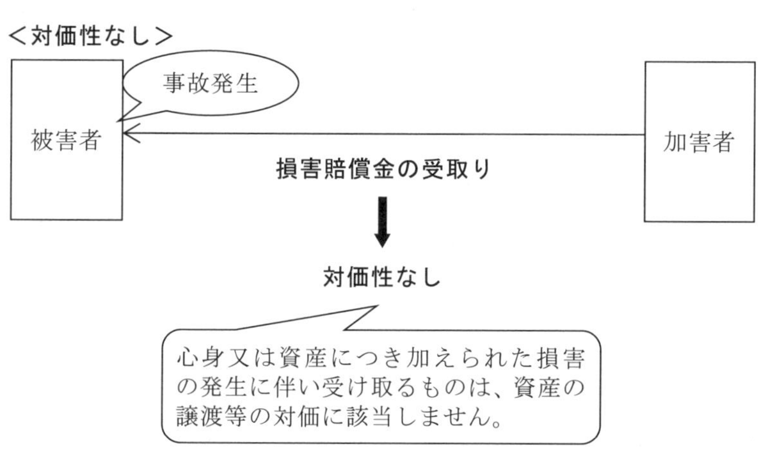
事故発生
被害者
加害者
損害賠償金の受取り
対価性なし
心身又は資産につき加えられた損害の発生に伴い受け取るものは、資産の譲渡等の対価に該当しません。

<対価性あり>

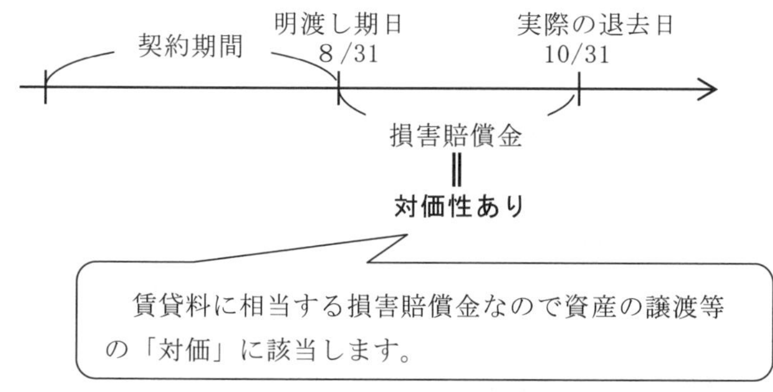
契約期間
明渡し期日
8 /31
実際の退去日
10/31
損害賠償金
‖
対価性あり
賃貸料に相当する損害賠償金なので資産の譲渡等の「対価」に該当します。

(4) 建物賃貸借契約の解除等に伴う立退料（基通５－２－７）

対価性なし （不課税）	建物等の賃借人が賃貸借の目的とされている建物等の契約の解除に伴い賃貸人から収受する立退料*04)
対価性あり （課税の対象）	建物等の賃借人たる地位を賃貸人以外の第三者に譲渡し、その対価を立退料として収受した場合

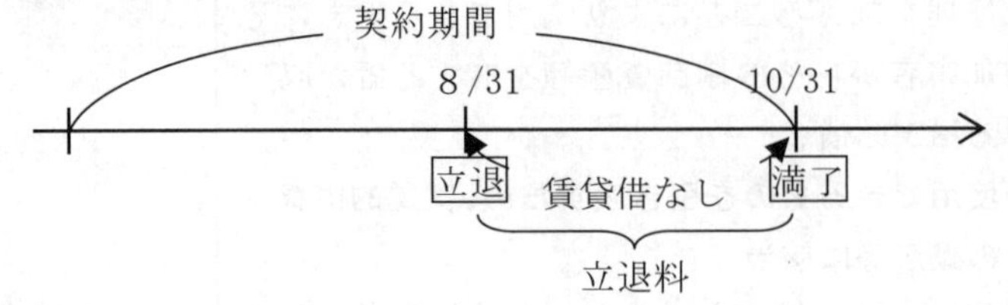

(5) 剰余金の配当等（基通５－２－８）

対価性なし （不課税）	剰余金の配当若しくは利益の配当又は剰余金の分配*05)

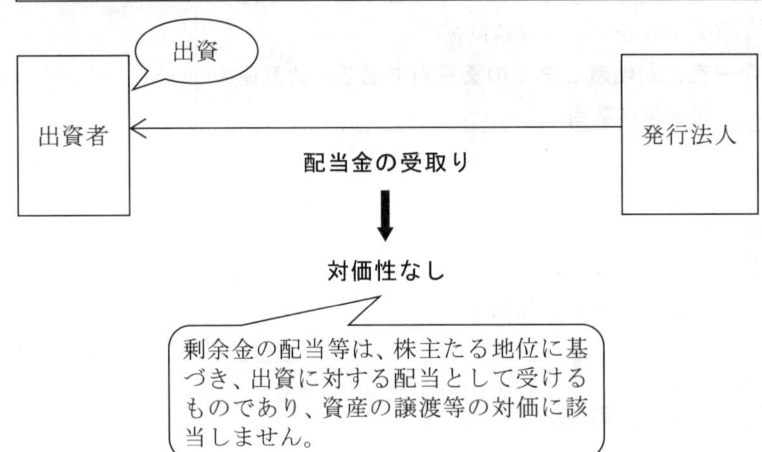

(6) 自己株式の取扱い（基通５－２－９）

対価性なし （不課税）	法人が自己株式を取得する場合（証券市場での買入れを除く。）における株主からその法人への株式の譲渡*06)

(7) 対価補償金（基通５－２－10）

対価補償金は、収用*07)が行われた際に、収用された土地や建物の売却に係る対価として受け取る補償金です。

対価性あり （課税の対象）	対価補償金（譲渡があったものとみなされる収用の目的となった所有権その他の権利の対価たる補償金。）
対価性なし （不課税）	収益補償金*08)、経費補償金*09)、移転補償金等*10)

*04) 明渡し遅滞のケースと異なり、契約の解除により賃貸借が行われていないにもかかわらず給付を受けているため、対価性のある取引に該当しません。

*05) 株主又は出資者たる地位に基づき、出資者に対する配当又は分配として受けるものであるから、対価性がある取引に該当しません。

*06) 法人が自己株式を取得するための募集を行い、それに応じて事業者である株主が売却した場合に、「株主側の売上げ」が、有価証券の譲渡にならず、不課税取引（資本取引）として取り扱われるという意味です。

*07) 収用とは、土地収用法に基づき、公共の利益となる事業の用に供するため、土地などの所有権を権利者の意思にかかわらず、国又は地方公共団体等に強制的に取得させることをいいます。

*08) 収益補償金とは、収益又は生ずることとなる損失の補てんとして交付を受ける補償金です。

*09) 経費補償金は、休廃業等により生ずる事業上の費用の補てん又は収用等による譲渡の目的となった資産以外の資産について実現した損失の補てんとして交付を受ける補償金です。

*10) 移転補償金とは、資産の移転に要する費用の補てんとして交付を受ける補償金です。

⑻ 自社使用等（基通５－２－12） 2回目でOK!

対価性なし（不課税）	自己の広告宣伝又は試験研究等のために商品、原材料等の資産を消費し、又は使用した場合のその消費又は使用

⑼ 資産の廃棄、盗難、滅失（基通５－２－13）

対価性なし（不課税）	棚卸資産又は棚卸資産以外の資産で事業の用に供していた若しくは供すべき資産について廃棄をし、又は盗難若しくは滅失があった場合

⑽ 寄附金、祝金、見舞金等（基通５－２－14）

対価性なし（不課税）	寄附金、祝金、見舞金等

⑾ 補助金、奨励金、助成金等（基通５－２－15）

対価性なし（不課税）	特定の政策目的の実現を図るための給付金

⑿ 下請先に対する原材料等の支給（基通５－２－16）

対価性あり（課税の対象）	原材料等を有償支給する場合
対価性なし（不課税）	有償支給に係る原材料等についてその支給をした事業者が自己の資産として管理している場合

⒀ 借家保証金、権利金等（基通５－４－３）

対価性あり（課税の対象）	一定の事由の発生により返還しないもの*11)
対価性なし（不課税）	賃貸借契約の終了等に伴って返還するもの

*11) 賃料の一部と捉えます。

⒁ 福利厚生施設の利用（基通５－４－４）

対価性あり（課税の対象）	事業者が、その有する宿舎、宿泊所、集会所、体育館、食堂その他の施設を、対価を得て役員又は使用人等に利用させる行為

⒂ 資産の無償貸付け（基通５－４－５）

対価性なし（不課税）	個人事業者又は法人が、資産の貸付けを行った場合において、その資産の貸付けに係る対価を収受しないこととしているとき

(16) 解約手数料、払戻手数料等（基通５－５－２）

対価性あり（課税の対象）	解約手数料、取消手数料又は払戻手数料等を対価とする役務の提供
対価性なし（不課税）	予約の取消し、変更等に伴って予約を受けていた事業者が収受するキャンセル料、解約損害金*12)

*12) 逸失利益等に対する損害賠償金であり、不課税取引となる損害賠償金等と同様に対価性はありません。

(17) 会費、組合費等（基通５－５－３）

会費、組合費等については、その組合費等が構成員に対して行う役務の提供等との間に明白な対価関係があるかどうかで判定します。

対価性なし（不課税）	同業者団体、組合等がその団体としての通常の業務運営のために経常的に要する費用をその構成員に分担させ、その団体の存立を図るというようないわゆる通常会費
対価性あり（課税の対象）	名目が会費等とされている場合であっても、役務の提供等との間に明白な対価関係がある場合 例えば、それが実質的に出版物の購読料や施設の利用料等と認められる場合等

<対価性なし>

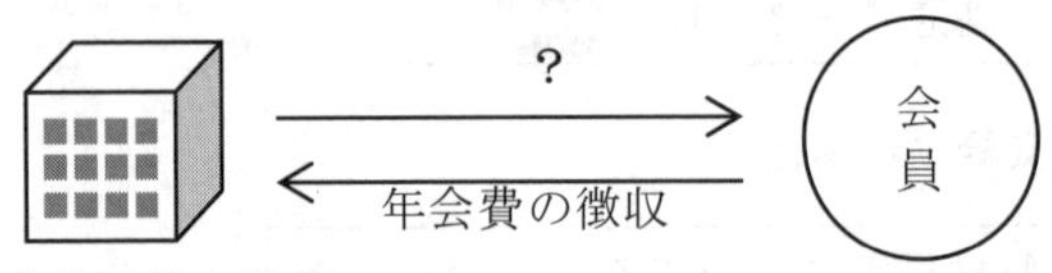

明白な対価関係がないため、資産の譲渡等の「対価」に該当しません。

<対価性あり>

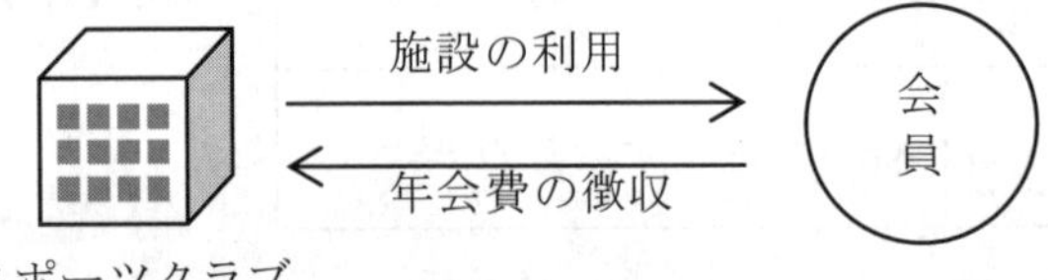

実質が施設の利用料等であるため、資産の譲渡等の「対価」に該当します。

(18) 入会金（基通５－５－４、５－５－５）

対価性あり（課税の対象）	会員に対する役務の提供を目的とする事業者*13)が会員等の資格を付与することと引換えに収受する入会金で**返還しないもの**
対価性なし（不課税）	・同業者団体、組合等がその構成員から収受する入会金 ・役務の提供を目的とする事業者が会員等の資格を付与することと引換えに収受する入会金で**返還するもの**

*13) ゴルフクラブ、宿泊施設その他レジャー施設が該当します。

⒆　出向先事業者が支出する給与負担金（基通５－５－10）

対価性なし （不課税）	事業者の使用人が他の事業者に出向した場合において、その出向した使用人に対する給与を出向元事業者が支給することとしているため、出向先事業者が自己の負担すべき給与に相当する金額を出向元事業者に支出したときの給与負担金

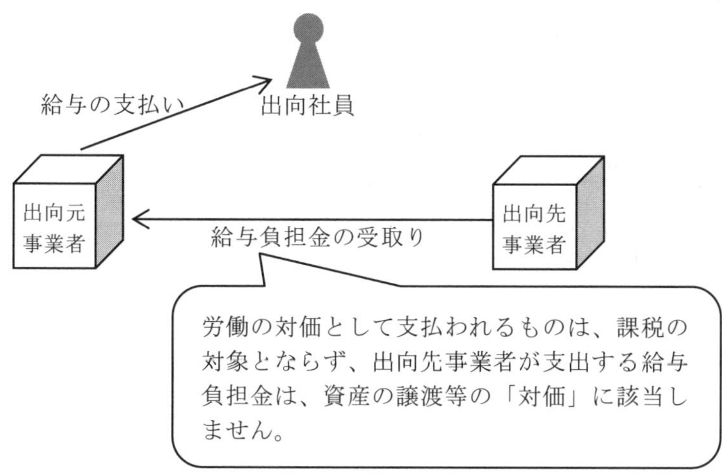
給与の支払い
出向社員
出向元
事業者
給与負担金の受取り
出向先
事業者
労働の対価として支払われるものは、課税の対象とならず、出向先事業者が支出する給与負担金は、資産の譲渡等の「対価」に該当しません。

⒇　労働者派遣に係る派遣料（基通５－５－11）

対価性あり （課税の対象）	労働者の派遣を行った事業者が他の者から収受する派遣料等の金銭

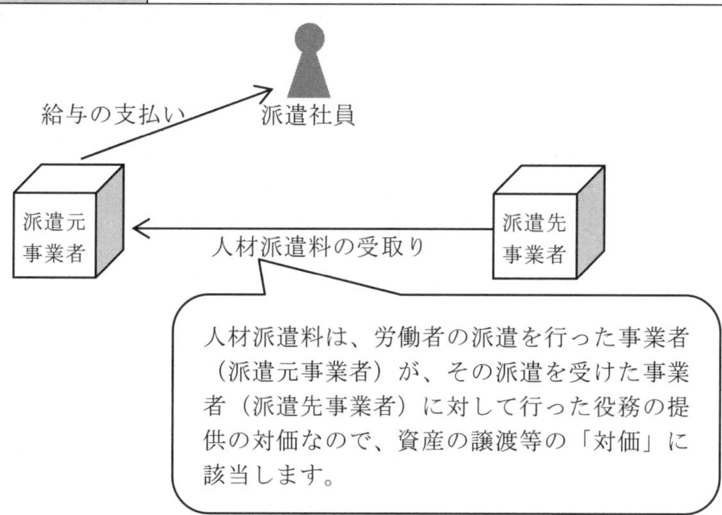
給与の支払い
派遣社員
派遣元
事業者
人材派遣料の受取り
派遣先
事業者
人材派遣料は、労働者の派遣を行った事業者（派遣元事業者）が、その派遣を受けた事業者（派遣先事業者）に対して行った役務の提供の対価なので、資産の譲渡等の「対価」に該当します。

(21)　共同行事に係る負担金等（基通５－５－７）

2回目
でOK!

対価性あり （課税の対象）	同業者団体等の構成員が共同して行う宣伝や販売促進などの共同行事に要した費用をまかなうために、その共同行事の主宰者がその参加者から収受する負担金等*14)

*14) 共同行事の参加者ごとに負担割合が定められている場合に、費用の金額をその主宰者が仮勘定として経理したときは、資産の譲渡等の対価に該当しません。

設例２－３　課税の対象

次の取引のうち、課税の対象となるものを選びなさい。

⑴　外国法人が国外の得意先に商品を販売する行為
⑵　内国法人が国内の得意先に商品を贈与する行為
⑶　内国法人が自社役員に商品を贈与する行為
⑷　内国法人が従業員に商品を贈与する行為
⑸　内国法人が自社役員に国内にある建物を無償で貸付ける行為
⑹　内国法人が保有株式の配当金を収受する行為
⑺　個人事業者が国内の得意先に商品を贈与する行為
⑻　個人事業者が従業員に商品を販売する行為
⑼　個人事業者が商品を家事のために消費する行為
⑽　個人事業者が保険金を収受する行為

解答　⑶、⑻、⑼

解説

⑴　国外取引であるため、課税の対象となりません。

⑵　贈与であるため対価を得ていない取引です。したがって、課税の対象となりません。

⑶　贈与であるため対価を得ていない取引です。しかし、自社の役員に対する贈与であるため、対価を得て行われたものとみなされます。(みなし譲渡)。したがって、課税の対象となります。

⑷　贈与であるため対価を得ていない取引です。なお、内国法人の従業員に対する贈与であるため、みなし譲渡には該当しません。したがって、課税の対象となりません。

⑸　無償の貸付けであるため、対価を得ていない取引です。なお、内国法人の役員に対する贈与ではなく無償の貸付けであるため、みなし譲渡には該当しません。したがって、課税の対象となりません。

⑹　配当金の収受は資産の譲渡等の対価として受け取るものではありません。したがって、課税の対象となりません。

⑺　贈与であるため対価を得ていない取引です。したがって、課税の対象となりません。

⑻　従業員に対する販売であっても、対価を得ている取引です。したがって、課税の対象となります。

⑼　商品を自家消費しているため対価を受取っていません。しかし、対価を得て行われたものとみなされます。(みなし譲渡)。したがって、課税の対象となります。

⑽　保険金の収受は、資産の譲渡等の対価として受け取るものではありません。したがって、課税の対象となりません。

5 資産の譲渡及び貸付け並びに役務の提供 重要 理論 計算

1. 意　義

(1) 資産の意義（基通５－１－３）

資産とは、取引の対象となる一切の資産をいいます。具体的には、棚卸資産又は固定資産のような有形資産のほか、権利その他の無形資産が含まれます。

(2) 資産の譲渡の意義（基通５－２－１）

資産の譲渡とは、資産につきその同一性を保持しつつ、他人に移転させることをいいます。なお、資産の交換は、資産の譲渡に該当します。

(3) 資産の貸付けの意義（法２②）

資産の貸付けには、資産に係る権利の設定その他、他の者に資産を使用させる一切の行為を含みます*01)。

(4) 役務の提供の意義（基通５－５－１）

役務の提供とは、労務、便益その他のサービスを提供することをいい、専門的知識、技能等に基づく役務の提供もこれに含まれます*02)。

*01) 資産に係る権利の設定とは、例えば、土地に係る地上権若しくは地役権、特許権等の工業所有権に係る実施権若しくは使用権又は著作物に係る出版権の設定等をいいます。

*02) 役務の提供とは、例えば、土木工事、修繕、運送、保管、印刷、広告、仲介、興行、宿泊、飲食、技術援助、情報の提供、便益、出演、著述その他のサービスを提供することが該当します。また、弁護士、公認会計士、税理士、作家、スポーツ選手、映画監督、棋士等によるその専門的知識、技能等に基づく役務の提供もこれに含まれます。

2. 資産の譲渡等に類する行為（令２①）

資産の譲渡等には、対価性のない取引（贈与等）は含まれませんが、反対に**一見すると対価性のない取引**であっても何らかの**反対給付があると認められる取引**については、資産の譲渡等に**含まれる**こととしています。

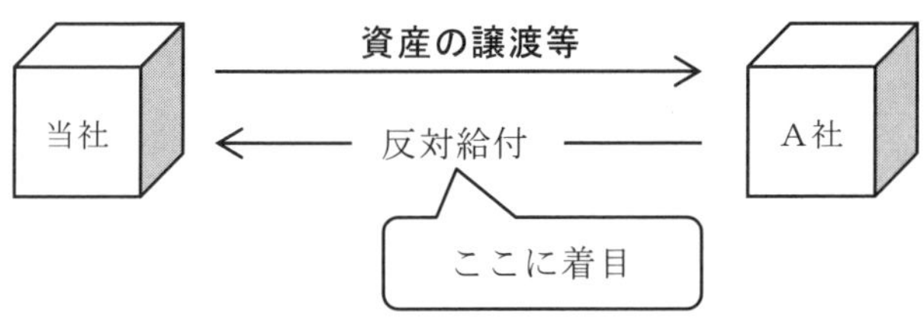

(1) 代物弁済による資産の譲渡（法２①八、基通５－１－４）

代物弁済による資産の譲渡とは、債務者が債権者の承諾を得て、約定されていた弁済の手段に代えて**他の給付をもって弁済する**場合の資産の譲渡をいいます。

＜具体例＞

当社は、Ａ社に資産を譲渡し、Ａ社に対する借入金を返済した。

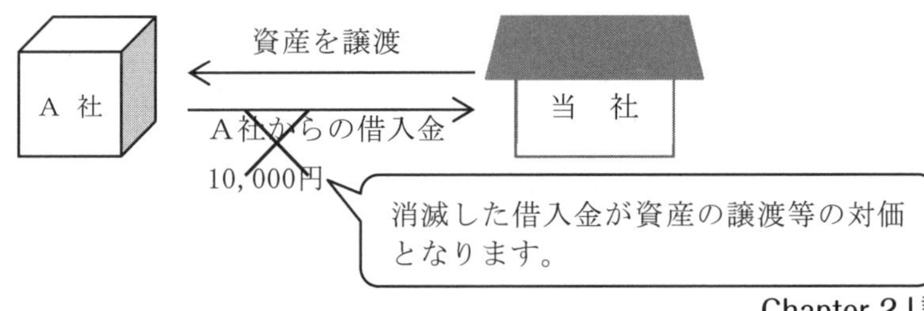

・**実際の取引**

（借） 借入金 10,000円 （貸） 資　　産 10,000円

・**税務上の考え方**

税務上は、資産を譲渡したことにより現金（対価）を取得し、この現金で借入金を返済したと考えます。

（借） 現　　金 10,000円 （貸） 資　　産 10,000円

（借） 借入金 10,000円 （貸） 現　　金 10,000円

⑵ **負担付き贈与による資産の譲渡（令2①一、基通5－1－5）**

負担付き贈与とは、その贈与に係る**受贈者に一定の給付をする義務を負担させる**資産の贈与をいいます。

なお、事業者が他の事業者に対して行った広告宣伝用資産の贈与は、負担付き贈与には該当しません。

＜具体例＞

当社は、B社からの借入金を返済することを条件にA社に資産を譲渡した。

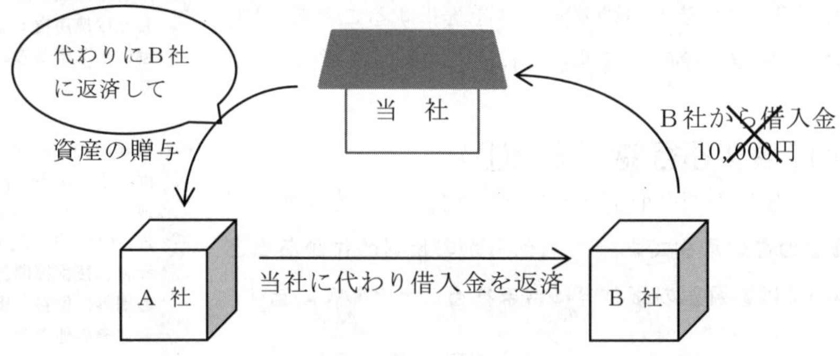

税務上は、資産を譲渡したことにより金銭（対価）を取得し、この金銭で借入金を返済したと考えます。

⑶ **金銭以外の資産の出資（令2①二、基通5－1－6）**

いわゆる現物出資のことです。

＜具体例＞

当社は、A社に資産を出資し、A社株式を取得した。

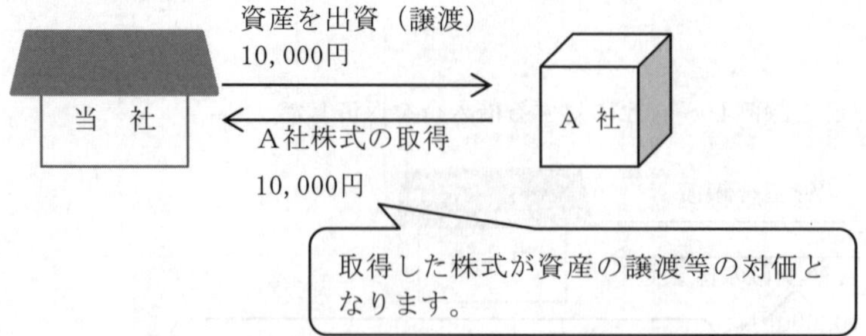

・**実際の取引**

（借）	有価証券	10,000円	（貸）	資　　産	10,000円

・**税務上の考え方**

税務上は、資産を譲渡したことにより現金（対価）を取得し、この現金でA社株式を取得したと考えます。

（借）	現　　金	10,000円	（貸）	資　　産	10,000円
（借）	有価証券	10,000円	（貸）	現　　金	10,000円

⑷　特定受益証券発行信託又は法人課税信託の委託者が金銭以外の資産の信託をした場合におけるその資産の移転等（令２①三）*03)

*03) 信託については、応用編で学習します。

⑸　貸付金その他の金銭債権の譲受けその他の承継（包括承継*04)を除く）（令２①四）

*04) 包括承継とは、他の者の権利義務を一括して承継することをいい、相続、合併、分割等による事業承継がこれに含まれます。

<具体例>

当社は、A社がB社に対して有していた売上債権500円をA社から450円で購入した。また、期日にB社から当該債権を500円で回収した。

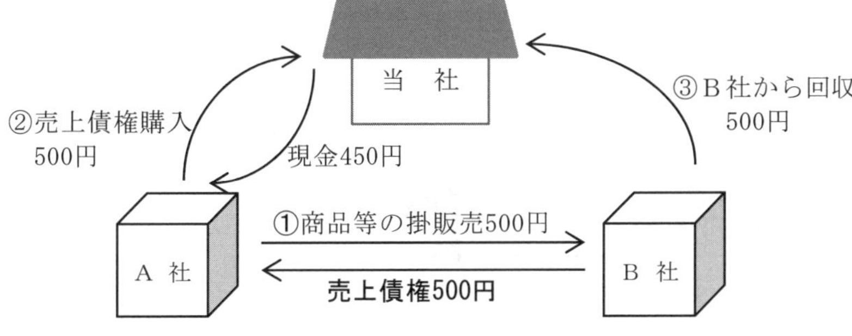

①　A社の商品等の掛販売

A社	（借）	売上債権	500円	（貸）	売　　上	500円

②　A社の有する売上債権を購入

A社	（借）	現　　金	450円	（貸）	売上債権	500円
		支払利息	50円			
当社	（借）	売上債権	450円	（貸）	現　　金	450円

③　B社からの債権の回収*05)

当社	（借）	現　　金	500円	（貸）	売上債権	450円
					受取利息	50円

*05) 第三者が、当初の債権者から貸付金その他の金銭債権を譲り受ける行為は、利子を対価とする金銭の貸付けに該当します。

⑹　不特定多数の者に受信される無線通信の送信で、法律による契約に基づき受信料を徴収して行われるもの*06)（令２①五）

*06) NHKの受信料がこれに該当します。

Section 3

輸入取引の課税の対象

これまで、国内取引の課税の対象を学習してきましたが、ここでは消費税の、もう一つの課税の対象である輸入取引について学習しましょう。

1 輸入取引の課税の対象の概要

理論

海外から輸入された外国貨物は国内の保税地域から引き取られる際に消費税が課されます。

これは海外から輸入された外国貨物が、国内で消費又は使用されるので、**消費地課税主義**[*01)]の見地から課税されるためです。

なお、輸入取引は、国内取引とは異なり、事業者だけではなく、個人（消費者）が輸入した場合も納税義務者となります[*02)]。

区　分	納税義務者	
国内取引	課税資産の譲渡等を行う事業者	事業者
輸入取引	課税貨物を保税地域から引き取る者	事業者、個人（消費者）

*01) 消費地課税主義とは、消費される財貨や役務につき、その消費される場所に基づき税負担を求める考え方です。

*02) 納税義務者に関してはChapter 6で詳しくみていきます。

消費税法〈課税の対象〉

第４条②　保税地域から引き取られる外国貨物には、この法律により、消費税を課する。

2 輸入取引の課税の対象の内容

理論

1．意　義

(1) 外国貨物

外国貨物とは、関税法の規定により**輸出を許可された貨物**、及び**輸入が許可される前の貨物**のことです[*01)]。

(2) 保税地域

保税地域とは、外国から輸入及び輸出する貨物を蔵置し、又は加工、製造、展示等をすることができる特定の場所です[*02)]。

(3) 課税貨物

課税貨物とは、保税地域から引き取られる外国貨物のうち、非課税貨物以外の貨物をいいます。

課　税　貨　物	外国貨物
非　課　税　貨　物	

*01) 詳しくはChapter 4でみていきます。

*02) 保税地域には、具体的には指定保税地域、保税蔵置場、保税工場、保税展示場及び総合保税地域の５種類があります。

2. 外国貨物と内国貨物の区分

外国貨物と内国貨物は以下のように区分されます。

外国貨物	・輸出の許可を受けた貨物 ・外国から到着した貨物で輸入が許可される前のもの
内国貨物	・輸出の許可を受けていない貨物 ・外国から到着した貨物で輸入が許可されたもの

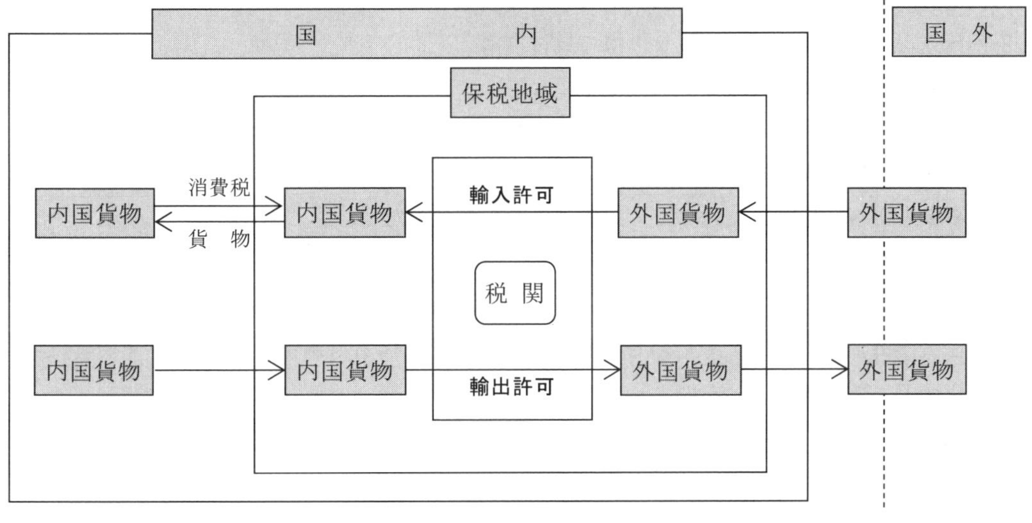

3. 無償による貨物の輸入等（基通5－6－2）

保税地域から引き取られる外国貨物については、国内において事業者が行った資産の譲渡等の場合のように、「事業として対価を得て行われる」ものには限られません。

したがって、保税地域から引き取られる外国貨物に係る対価が無償の場合、又は保税地域からの外国貨物の引取りが事業として行われるものではない場合の**いずれについても外国貨物に対し消費税法の規定が適用**されます。

4. みなし引取り（法4⑥、令7、基通5－6－5）

保税地域において外国貨物が消費され、又は使用された場合には、その消費又は使用をした者がその**消費又は使用の時**にその外国貨物をその**保税地域から引き取るものとみなされます。**

ただし、その外国貨物が課税貨物の原料又は材料として消費され、又は使用された場合その他政令で定める場合は、適用されません。*03)

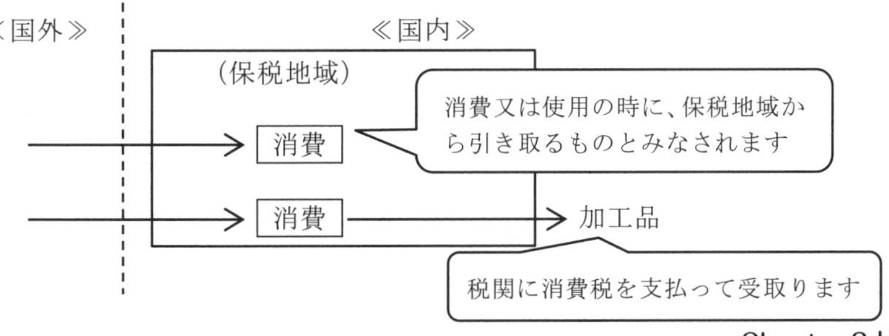

*03) **原材料として消費された場合には、加工品を引き取る際、その加工品に対し、消費税が課税されるため、原材料としての消費がされた時点においては、みなし引取りの適用は受けません。**

Try it　**国内取引の判定と課税の対象**

次に掲げる取引のうち、消費税の課税対象となるものを選びなさい。

なお、以下の取引はすべて国内において行われている。

⑴　個人事業者が棚卸資産を家事消費した。

⑵　内国法人が借入金を現金で返済することに代えて商品を債権者に引渡した。

⑶　内国法人が事業用資産を他の内国法人が所有する同一種類の資産と交換した。

⑷　内国法人が運搬中の事故により破損した商品を廃棄した。

⑸　内国法人がその役員に対し社宅を無償で貸付けた。

⑹　内国法人がその従業員に対し商品を贈与した。

⑺　内国法人がその役員に対し固定資産を贈与した。

⑻　当社の製品を取り扱う販売店に対し、広告宣伝用資産を贈与した。

⑼　個人事業者が事業用資金調達のため家事用資産を売却した。

⑽　個人事業者が事業の用に供している機械装置を売却した。

⑾　内国法人が特許権の使用に係る権利の設定により対価の支払いを受けた。

⑿　内国法人が外注先に対して原材料を支給し、その支給に係る対価を収受した。（事業者は原材料を自己の資産として管理していない。）

⒀　内国法人が所有する福利厚生施設を従業員に使用させたことにより従業員から使用料を徴収した。

⒁　内国法人が外国貨物を保税地域から無償で引取った。

⒂　個人事業者が生活の用に供している資産を譲渡した。

⒃　個人事業者が生計を一にする親族との間で対価を得て事業用資産の譲渡を行った。

⒄　建物の賃借人（事業者）が賃貸借契約の解除に伴い賃貸人から立退料を受け取った。

⒅　労働者の派遣を行った内国法人が労働者派遣料を受け取った。

⒆　内国法人が、国内の子会社に出向させている使用人の給与負担金を国内の子会社から受け取った。

⒇　内国法人が所有する特許権を国内の他の内国法人に無断で使用されたため、加害者である国内の他の内国法人から特許権使用料に相当する損害賠償金を受け取った。

解答

⑴、⑵、⑶、⑺、⑽、⑾、⑿、⒀、⒁、⒃、⒅、⒇

解説

⑴　個人事業者が棚卸資産等の事業用資産を家事のために消費し、又は使用した場合におけるその消費又は使用は、事業として対価を得て行われた資産の譲渡等とみなす。

⑵　資産の譲渡等は、代物弁済による資産の譲渡を含む。

⑶　資産の交換は、資産の譲渡に該当する。

⑷　棚卸資産について廃棄をした場合は、資産の譲渡等には該当しない。

⑸　法人が、資産の貸付けを行った場合において、その資産の貸付けに係る対価を収受しないこととしているときは、その資産の貸付けを受けた者がその法人の役員であっても、資産の譲渡等に該当しない。

⑹　無償による資産の譲渡及び貸付け並びに役務の提供は、資産の譲渡等に該当しない

また、本問は、従業員に対する贈与であることからみなし譲渡の規定は適用されない。

⑺　法人が資産をその役員に対して贈与した場合におけるその贈与は、事業として対価を得て行われた資産の譲渡とみなす。

⑻　事業者が自己の広告宣伝のために商品、原材料等の資産を消費し、又は使用した場合のその消費又は使用は、資産の譲渡等に該当しない。

⑼　個人事業者が行う資産の譲渡等のうち、事業用資金の取得のために行う家事用資産の譲渡は、事業のために行うものであっても、「その性質上事業に付随して対価を得て行われる資産の譲渡」には、含まれない。

⑽　資産の譲渡等に含まれる「その性質上事業に付随して対価を得て行われる資産の譲渡及び貸付け並びに役務の提供」には、事業活動の一環として、又はこれに関連して行われる事業の用に供している建物、機械装置等の売却が該当する。

⑾　資産の貸付けに規定する「資産に係る権利の設定」とは、例えば、特許権等の工業所有権に係る実施権若しくは使用権の設定をいう。

⑿　事業者が外注先等に対して外注加工に係る原材料等を支給する場合において、その支給に係る対価を収受することとしているときは、その原材料等の支給は、対価を得て行う資産の譲渡に該当する。

⒀　事業者が、その有する宿舎、宿泊所、集会所、体育館、食堂その他の施設を、対価を得て役員又は使用人等に利用させる行為は、資産の譲渡等に該当する。

⒁　保税地域から引き取られる外国貨物については、国内において事業者が行った資産の譲渡等の場合のように、「事業として対価を得て行われる」ものには限られないのであるから、保税地域から引き取られる外国貨物に係る対価が無償の場合についても外国貨物に対する消費税の課税の規定が適用される。

⒂　個人事業者が生活の用に供している資産を譲渡する場合のその譲渡は、「事業として」には該当しない。したがって、消費税の課税対象とはならない。

⒃　個人事業者が生計を一にする親族との間で行った資産の譲渡及び貸付け並びに役務の提供であっても、それが事業として対価を得て行われるものであるときには、これらの行為は、資産の譲渡等に該当する。

⒄　建物等の賃借人が賃貸借の目的とされている建物等の契約の解除に伴い賃貸人から収受する立退料は、賃貸借の権利が消滅することに対する補償、営業上の損失又は移転等に対する実費補償などに伴い授受されるものであり、資産の譲渡等の対価に該当しない。

⒅　労働者の派遣を行った事業者がその他の者から収受する派遣料等の金銭は、資産の譲渡等の対価に該当する。

⒆　事業者の使用人が他の事業者に出向した場合において、その出向した使用人（出向者）に対する給与を出向元事業者が支給することとしているため、出向先事業者が自己の負担すべき給与に相当する金額（給与負担金）を出向元事業者に支出したときは、その給与負担金の額は、その出向先事業者におけるその出向者に対する給与として取り扱うので資産の譲渡等の対価に該当しない。

⒇　損害賠償金のうち、心身又は資産につき加えられた損害の発生に伴い受けるものは、資産の譲渡等の対価に該当しないが、特許権の侵害を受けた場合に加害者からその特許権の権利者が収受する損害賠償金のように、その実質が資産の譲渡等の対価に該当すると認められるものは資産の譲渡等の対価に該当する。

Chapter 3

非課税取引Ⅱ

消費者が行うすべての消費に対して消費税を課税してしまうことは、問題が生じる場合があります。例えば、病気の治療に必要な診療費に消費税が課税されると治療費が高くなってしまい、治療が受けられない可能性も出てきます。

このように消費税を課税することに問題が生じてしまう一定の取引を消費税法上では非課税取引として限定し、規定しています。非課税取引は、項目の暗記が重要となりますので１つ１つ理解しながら押さえていきましょう。

Section 1 非課税取引の概要

Chapter２では、消費税の課税の対象となる取引の判定方法について学習してきましたが、ここまでの判定で課税の対象に含まれるとした取引の中にも、特定の理由から意図的に消費税を課さないこととされている非課税取引があります。

このChapterでは非課税取引を見ていきましょう。

1 非課税取引とは

非課税取引とは、課税の対象となる取引のうち消費するという行為に対して負担を求めるという性格上、**課税することになじまない取引**や、社会政策上、課税することが不適当なため、**政策的に消費税を課さないこととした取引**のことです[*01)]。

この非課税取引は、資産の譲渡等を伴う国内取引及び外国貨物の引取りによる輸入取引について規定されています。

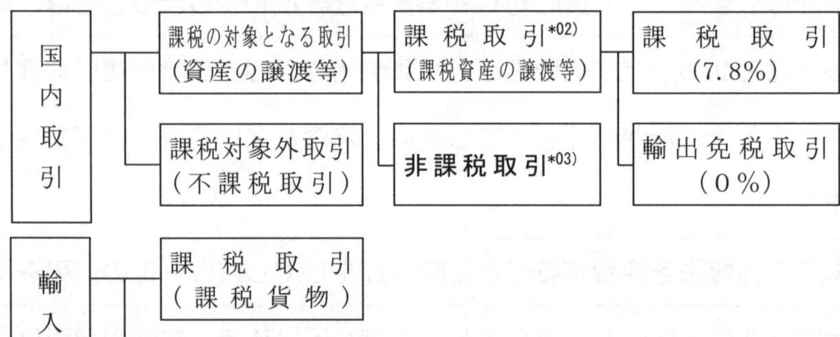

*01)「何が非課税取引になるのか」という点についてはあとで学習します。ここでは、全体像の位置づけを見ることに重点を置いてください。

*02) 消費税法では、資産の譲渡等のうち、ここで列挙される国内取引の非課税取引に該当しない取引を広義の課税取引とし、この広義の課税取引を「課税資産の譲渡等」といいます。

*03) 非課税取引は、課税の対象に含まれる取引であるため、該当する取引がすべて国内取引の４要件を満たすことに注意しましょう。

なお、課税の対象となる取引のうち、非課税取引に該当しない取引を**「課税資産の譲渡等」**といいます。

消費税法〈非課税〉

第６条①　国内において行われる資産の譲渡等のうち、別表第二に掲げるものには、消費税を課さない。

②　保税地域から引き取られる外国貨物のうち、別表第二の二に掲げるものには、消費税を課さない。

消費税法〈課税資産の譲渡等〉

法２条①　九　資産の譲渡等のうち、第６条第１項の規定により消費税を課さないこととされるもの以外のものをいう。

Section 2

国内取引の非課税

非課税取引とは、本来は課税の対象の４要件を満たす取引であるにもかかわらず、その性質上及び政策的見地から消費税を課さないこととされている取引のため、消費税法で特に定められたものだけが該当します。

ここでは、具体的にその定められた取引を確認していきましょう。

1 国内取引の非課税の概要

理論 

資産の譲渡等を伴う国内取引から生じる非課税取引は、別表第二に掲げられている13項目です。なお、その項目は、課税をすることになじまないもの、及び社会政策上課税することが不適当なものに分類されます。

> **消費税法〈非課税〉**
> 第６条①　国内において行われる資産の譲渡等のうち、別表第二に掲げるものには、消費税を課さない。

１．課税の対象とすることになじまない取引
①　**土地の譲渡及び貸付け**
②　**有価証券等の譲渡**
③　**利子を対価とする金銭の貸付け、保険料を対価とする役務の提供等**
④　**郵便切手類、印紙、証紙及び物品切手等の譲渡**
⑤　**行政手数料等及び外国為替業務に係る役務の提供**

２．政策的に配慮した取引
⑥　社会保険医療等
⑦　介護保険法による居宅サービス等及び社会福祉事業等
⑧　助産に係る資産の譲渡等
⑨　埋葬料、火葬料を対価とする役務の提供
⑩　身体障害者用物品に係る資産の譲渡等
⑪　学校等の教育として行う役務の提供
⑫　教科用図書の譲渡
⑬　**住宅の貸付け**

2 土地の譲渡及び貸付け

土地の譲渡及び貸付けに関しては、**原則として非課税**となります[*01]。

ただし、土地の**貸付けに係る期間が１ヵ月に満たない場合**及び駐車場その他の**施設の利用に伴って土地が使用される場合**は非課税に該当しません。

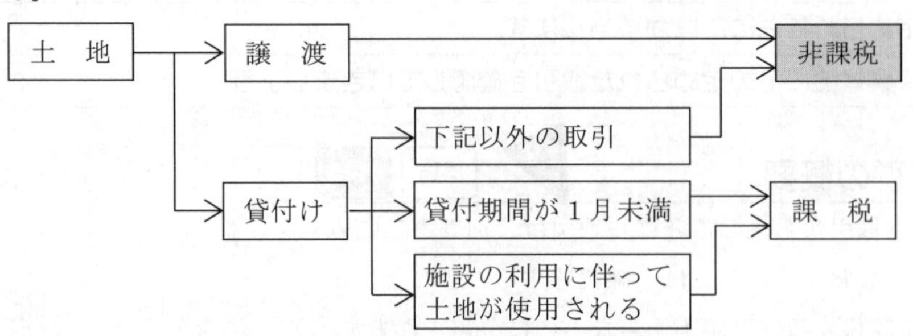

また、土地の譲渡及び貸付けについては以下のような取扱いがあります。

*01) 土地の価格は需給関係により変動するものであり、土地を転売することにより価値が減少しません。よって、単なる資本の移転にすぎないことから非課税とされています。
また、土地の貸付けは比較的長期間に及ぶため、土地の譲渡と同様に非課税とされています。

１．土地の範囲（基通６－１－１）

「土地」には、立木(りゅうぼく)その他独立して取引の対象となる土地の定着物は含まれませんが、その土地が宅地である場合には、庭木、石垣、庭園その他これらに類するもののうち宅地と一体として譲渡するものについては含まれます。

非課税取引	庭木、石垣、庭園その他これらに類するもののうち宅地と一体として譲渡するもの
課税取引	立木その他独立して取引の対象となる土地の定着物の譲渡

２．土地の上に存する権利（基通６－１－２）

「土地の上に存する権利」とは、地上権[*02]、土地の賃借権等の**土地の使用収益に関する権利**をいいます。この**土地の上に存する権利は土地に含まれます**。

なお、例えば、鉱業権、土石採取権、温泉利用権及び土地を目的物とした抵当権は、これに含まれません。

非課税取引	土地の上に存する権利（地上権、土地の賃借権等の土地の使用収益に関する権利）
課税取引	鉱業権、土石採取権、温泉利用権及び土地を目的物とした抵当権

*02) 地上権とは、借地権の一つであり、他人の所有する土地を使用することができる権利のことです。

３．土地等の譲渡又は貸付けに係る仲介手数料（基通６－１－６）

土地等の譲渡又は貸付けに係る**仲介料を対価とする役務の提供**は課税資産の譲渡等に該当します。

課税取引	土地等の譲渡又は貸付けに係る仲介料を対価とする役務の提供

4．借地権に係る更新料又は名義書換料（基通6－1－3）

借地権に係る**更新料**又は**名義書換料**は、土地の上に存する権利の設定若しくは譲渡又は土地の貸付けの対価に該当します。

 非課税取引	・借地権に係る更新料 ・名義書換料

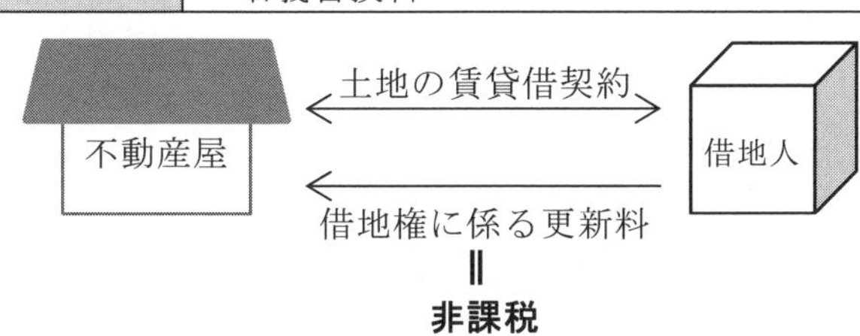

5．土地付建物等の貸付け（基通6－1－5）

施設の利用に伴って土地が使用される場合、その土地を使用させる行為は**土地の貸付けから除かれます**。

例えば、建物、野球場、プール又はテニスコート等の施設の利用が土地の使用を伴っても、その土地の使用は、土地の貸付けに含まれません。

したがって、建物の貸付け等に係る対価と土地の貸付けに係る対価とに区分しているときであっても、その**対価の額の合計額がその建物の貸付け等に係る対価の額**となります。

非課税取引	建物の貸付け等に係る対価と土地の貸付けに係る対価とに区分されている場合の土地付建物の貸付けで、かつ、その建物が住宅である場合*03)
課税取引	建物の貸付け等に係る対価と土地の貸付けに係る対価とに区分されている場合の土地付建物の貸付けで、かつ、その建物が住宅でない場合*03)

*03) 住宅については後半で学習します。

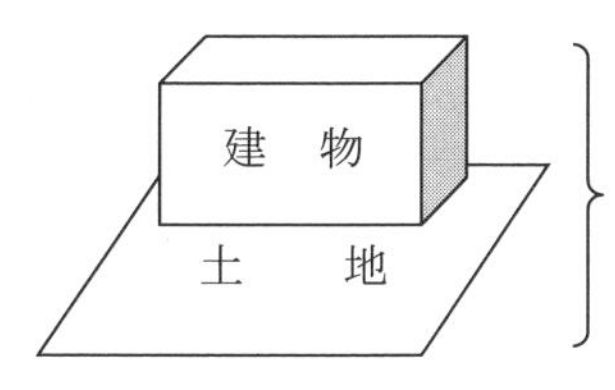

〈駐車場の貸付け〉

⑴　事業者が駐車場又は駐輪場として土地を利用させた場合、その土地につき駐車場又は駐輪場としての用途に応じる地面の整備又はフェンス、区画、建物の設置等をしていないときは、その土地の使用は、土地の貸付けに含まれます。

区　分	特　　長	取扱い
更地の貸付け	—	非課税
駐車場施設の貸付け	地面の整備、又はフェンス、区画、建物の設置等	課　税

⑵　土地の所有者が駐車場の経営者に駐車場用地として使用する土地を貸し付ける場合には、駐車場の貸付けではなく土地の貸付けに該当するため、非課税取引となります。

設例２－１　　土地の譲渡及び貸付け

次の取引のうち、非課税取引に該当するものを選びなさい。なお、与えられた取引は国内取引の要件を満たしている。

⑴　法人が土地を譲渡する行為

⑵　法人が土地を１ヵ月間有償で貸付ける行為

⑶　法人が地上権を譲渡する行為

⑷　法人が鉱業権を譲渡する行為

⑸　法人が土地の貸付けに係る仲介手数料を受け取る行為

⑹　法人が所有するテニスコートの貸付けに伴い土地を使用させる行為

解答　⑴、⑵、⑶

解説

⑴　土地の譲渡は、非課税取引となります。

⑵　貸付期間が１ヵ月以上の土地の貸付けは、非課税取引となります。なお、貸付期間が１ヵ月未満の土地の貸付けは、課税取引となる点に注意しましょう。

⑶　「土地の上に存する権利」も土地に含まれるため、「土地の上に存する権利」の譲渡は、非課税取引となります。地上権は、「土地の上に存する権利」の代表例です。

⑷　鉱業権は、「土地の上に存する権利」に含まれません。したがって、鉱業権の譲渡は課税取引となります。

⑸　土地の貸付けに係る仲介手数料は、課税資産の譲渡等に該当し、課税取引とされます。

⑹　ここでの土地の貸付けは、施設の利用に伴う貸付けであるため、土地の貸付けからは除かれ、課税取引とされます。

3 有価証券等の譲渡

有価証券及び**有価証券に類するもの**の譲渡に関しては**非課税**となります*01)。

また、**支払手段***02)及び**支払手段に類するもの**の譲渡についても非課税となります。

なお、ゴルフ場その他の施設の利用に関する権利に係るもの（**ゴルフ場利用株式**、ゴルフ会員権）の譲渡、**収集品及び販売用の支払手段**の譲渡については**非課税となりません***03)。

*01) 有価証券の譲渡は資本の移転であり、消費するという行為ではないため非課税とされています。

*02) 支払手段とは、現金や小切手、約束手形等のことです。

*03) 収集品及び販売用の支払手段とは、記念硬貨や古銭のことをいいます。

<有価証券の譲渡>

区　分	取扱い
下記以外	非 課 税
ゴルフ場利用株式等	課　　税

<支払手段の譲渡>

区　分	取扱い
下記以外	非 課 税
収集品及び販売用	課　　税

1．非課税となる有価証券等の範囲（基通６－２－１）

非課税となる有価証券等の範囲は、主に以下のものがあります。

金融商品取引法で規定されている有価証券
① 国債証券、地方債証券、社債券
② 株券又は新株予約権証券
③ 投資信託、貸付信託等の受益証券
④ コマーシャルペーパー
⑤ 抵当証券

上記の有価証券に類するもの
① 証券が発行されていない有価証券
② 合名会社、合資会社又は合同会社の社員の持分
③ 貸付金、預金、売掛金その他の金銭債権

2. 有価証券に含まれないもの（基通6－2－2）

消費税法上、非課税とならない有価証券は、主に以下のものがあります。

有価証券に含まれないもの
① 船荷証券[*04]、倉荷証券、複合運送証券
② ゴルフ場利用株式、ゴルフ会員権

*04) 船荷証券は、引き換えを受ける貨物証憑としての性質を持つため、船荷証券の譲渡は有価証券の譲渡ではなく、引き換えを受ける貨物そのものの譲渡として捉えられ、有価証券の範囲には含まれません。

3. 支払手段の範囲（令9④、基通6－2－3）

支払手段の範囲は、主に以下のものがあります。

支払手段の範囲
① 銀行券、政府紙幣、小額紙幣及び硬貨（収集品及び販売用は除く。）
② 小切手（旅行小切手を含む。）、為替手形、郵便為替及び信用状
③ 約束手形
④ 電子マネー
⑤ 暗号資産
⑥ 上記に類するもの

設例2－2 有価証券等の譲渡

次の取引のうち、非課税取引に該当するものを選びなさい。なお、与えられた取引は国内取引の要件を満たしている。

⑴ 法人がＡ株式会社の株券を譲渡する行為

⑵ 法人が得意先に対して有する売掛金を譲渡する行為

⑶ 法人がゴルフ場利用株式を譲渡する行為

⑷ 法人が得意先から受け取った小切手を譲渡する行為

⑸ 法人がオリンピック記念貨幣をコインショップに譲渡する行為

解答 ⑴、⑵、⑷

解説

⑴ 株券は、有価証券に該当するため、その譲渡は非課税取引となります。

⑵ 売掛金は、有価証券に類するものであるため、その譲渡は非課税取引となります。

⑶ ゴルフ場利用株式は、有価証券から除かれるため、その譲渡は課税取引となります。

⑷ 小切手は、支払手段に該当するため、その譲渡は非課税取引となります。

⑸ オリンピック記念貨幣といった記念硬貨は収集品に該当するため、その譲渡は課税取引となります。

4 利子を対価とする金銭の貸付け、保険料を対価とする役務の提供等

理論 計算

利子を対価とする金銭の貸付けや保険料を対価とする役務の提供等に関しては非課税となります（基通６－３－１～６－３－３、６－３－５）*01)。

具体的には、以下のとおりです。

利子を対価とする金銭の貸付け
① **国債、地方債、社債、新株予約権付社債・貸付金、預金の利子**
② **集団投資信託等の収益の分配金**
③ 割引債（利付債を含む）の償還差益*02)
④ 抵当証券の利息
⑤ 手形の割引料
⑥ 前渡金等の利子
信用の保証としての役務の提供
① **信用の保証料***03)
② 物上保証料*04)
合同運用信託、公社債投資信託又は公社債等運用投資信託に係る信託報酬*05)を対価とする役務の提供
① 合同運用信託の信託報酬
② 公社債等運用投資信託の信託報酬
保険料を対価とする役務の提供*06)
① **保険料**（事務費用部分を除く）*07)
② **共済掛金**
その他
① 有価証券の賃貸料（ゴルフ場利用株式等を除く）
② 割賦販売等に準ずる方法により資産の譲渡等を行う場合の利子又は保証料相当額（その額が契約において明示されている部分に限る）
③ リース料のうち、利子又は保険料相当額（契約において利子又は保険料の額として明示されている部分に限る）

〈取引分類における貸付金の元本と利息の取扱い〉

貸付金（金銭の貸付け）は「お金」という「資産」を貸し付ける行為そのものを指し、利息は「お金」という「資産」を貸し付けたことによる「対価」です。

例えば、10万円を貸して利息が500円付いたとします。これは、「10万円（１万円札10枚という資産）を500円（をもらって）で貸してあげた」と考えます。そのため、「ＤＶＤ１枚レンタル料500円」というのと同じ関係です。

消費税の課税の対象はあくまでも「消費税法上の売上げは何か？」を見ているのですから、「（お金が動いた結果）収益が計上されるのか？」が分類を行う上で重要なのです。

*01) 資金の貸付けは金融取引であり、物又はサービスを消費しているわけではないため非課税とされます。
また、保険は預金と同様に資金運用であるため非課税とされます。

*02) 割引債とは利息の付かない債券をいい、利付債とは利息の付く債券をいいます。
割引債は利息が付かない分、額面金額よりも低い価額で発行するため、償還金額（額面金額）と発行価額との差額（償還差益）が実質的な利息となります。

*03) 信用の保証料とは、当社が他の者の借入金の保証人となることにより他の者から収受する代金をいいます。
なお、中小企業が銀行などの金融機関から融資を受ける際に、信用保証協会に保証料を支払い、その債務を保証してもらうことがあります。

*04) 物上保証料とは、当社が他の者の借入れに係る担保資産を他の者の代わりに提供することにより他の者から収受する代金をいいます。

*05) 信託報酬とは、信託の管理・運用を行う信託銀行等がその信託の管理・運用等の対価として受け取る手数料のことです。

*06) 保険会社が保険代理店に支払う代理店手数料は非課税取引には該当しません。

*07) 「保険金」の受取りは対価性がないため、不課税取引です。Chapter２を参照してください。

〈投資信託〉

投資信託とは、委託者から集めた資金を運用の専門家が債券や株式等で運用し、その成果に応じて収益を分配する金融商品のことです。

〈合同運用信託〉

合同運用信託とは、複数の委託者が信託した財産を、信託銀行等が合同して運用するものです。

設例２－３　利子を対価とする金銭の貸付け、保険料を対価とする役務の提供等

次の取引のうち、非課税取引に該当するものを選びなさい。なお、与えられた取引は国内取引の要件を満たしている。

⑴　法人が集団投資信託等から収益の分配金を受け取る行為

⑵　法人が被保証人から信用保証料を受け取る行為

⑶　法人が合同運用信託の信託報酬を受け取る行為

⑷　法人が保険契約者から損害保険料を受け取る行為（事務費用部分を除く。）

解答　⑴、⑵、⑶、⑷

解説

⑴　集団投資信託の収益の分配金を受け取る行為は、利子を対価とする資産の貸付けに該当するため、非課税取引となります。

⑵　信用保証料を受け取る行為は、信用の保証としての役務の提供に該当するため、非課税取引となります。

⑶　合同運用信託の信託報酬を受け取る行為は、合同運用信託に係る信託報酬を対価とする役務の提供に該当するため、非課税取引となります。

⑷　損害保険料を受け取る行為は、保険料を対価とする役務の提供に該当するため、非課税取引となります。

5　郵便切手類、印紙、証紙及び物品切手等の譲渡

日本郵便株式会社等が行う**郵便切手類**及び印紙、地方公共団体等が行う**証紙**、**物品切手等**の譲渡等に関しては非課税となります（基通６－４－１～６－４－６）[*01]。

具体的には、以下のとおりです。

*01) 消費税は、物品の販売や役務の提供に対して課税するものです。郵便切手類等の譲渡はその前提として行われるため非課税となります。

1．郵便切手類、印紙及び証紙[*02] の譲渡

譲　渡	譲渡する者	取扱い
郵便切手類[*03] の譲渡 印紙の譲渡	・日本郵便株式会社 ・郵便切手類販売所 ・印紙売りさばき所	非課税
証紙の譲渡	・地方公共団体 ・売りさばき人	非課税
郵便切手類の譲渡 印紙の譲渡 証紙の譲渡	上記以外のもの （金券ショップ等）	課　税

*02) 証紙とは、金銭の払込みを証明するものであり、地方自治体が発行するものです。

*03) 非課税とされる郵便切手類とは、「郵便切手」、「郵便葉書」及び「郵便書簡」の３つです。

2．物品切手等の譲渡[*04]

非課税取引	・**商品券** ・**ビール券** ・プリペイドカード ・映画鑑賞券

*04) 物品切手等とは、物品の給付請求権を表彰する証書のことです。

6　行政手数料等及び外国為替業務に係る役務の提供

計算

行政手数料等及び**外国為替業務に係る役務の提供**に関しては非課税となります（基通６－５－１～６－５－３）。

具体的には、以下のとおりです。

1．行政事務[*01]等に係る役務の提供（行政手数料等）

非課税取引	国、地方公共団体等が法令に基づき行う登記、登録、特許、免許、許可に関する手数料

*01) 行政事務に関する行政手数料は、税金によって負担すべき性格のものであるため非課税となります。

2．外国為替業務に係る役務の提供

非課税取引	・**外国為替取引** ・対外支払手段の発行 ・対外支払手段の売買又は債権の売買（両替業務）

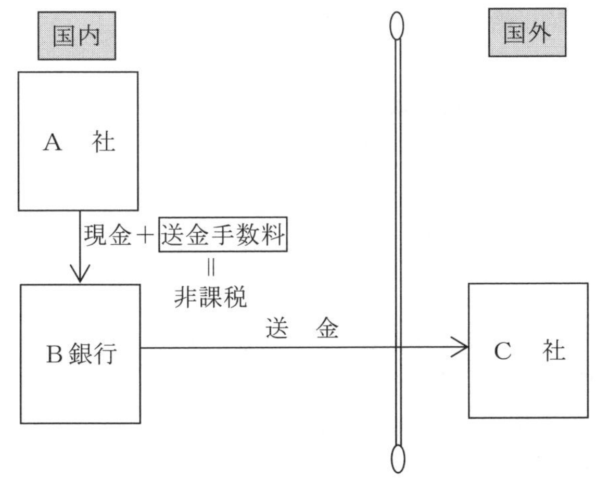

7 社会保険医療等

社会保険医療に関する物品の提供や役務の提供に関しては非課税となります（基通6－6－1～6－6－3）*01)。

具体的には、以下のとおりです。

非課税取引	保険診療報酬（健康保険法、国民健康保険法等の規定に基づく療養の給付及び入院時食事療養費等）*02)
課税取引	・自由診療報酬（予防接種、人間ドック、健康診断等） ・製薬会社等が医療機関等に販売する医薬品等

*01) 医療行為に関しては、健康の維持に不可欠なものであり、かつ医療行為を必要とする弱者の救済の観点から非課税とされます。

*02) 保険診療に係る患者の窓口負担分も含めて非課税売上げとなります。

＜非課税とされる取引＞

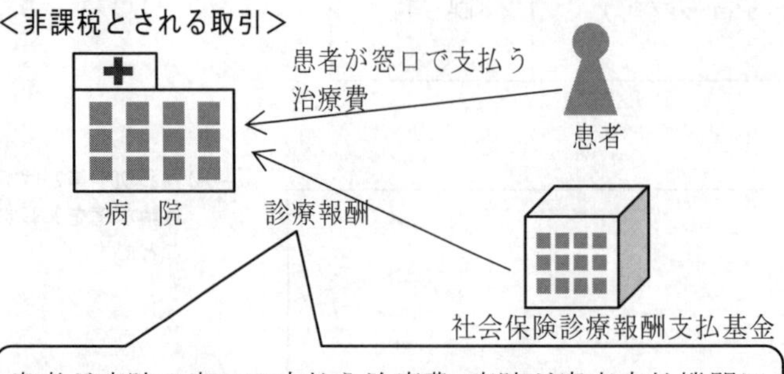

患者が病院の窓口で支払う治療費、病院が審査支払機関に請求し受け取る診療報酬いずれも非課税取引となる。

＜課税とされる取引＞

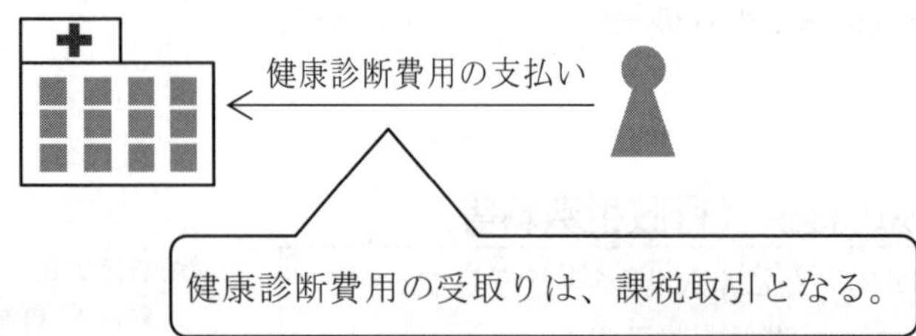

8 介護保険法による居宅サービス等及び社会福祉事業等

理論

介護保険法による**居宅サービス等**及び**社会福祉事業等**に関しては非課税となります（基通6－7－1～6－7－10）*01)。

具体的には、以下のとおりです。

非課税取引	・**介護保険法の規定に基づく特定のサービス**（居宅介護サービス費の支給に係る居宅サービス、施設介護サービス費の支給に係る施設サービス等） ・**社会福祉事業等に係る資産の譲渡等**
課税取引	・福祉用具の譲渡又は貸付け（身体障害者用物品の譲渡等に該当する場合を除く） ・生産活動に係る資産の譲渡等

*01) 介護保険法による各種サービスについては、公的医療サービスに準じるもののため非課税となります。

〈生産活動〉

生産活動とは、特定の事業において行われる身体上若しくは精神上又は世帯の事情等により、就業能力の限られている者（要援護者）の「自立」、「自活」及び「社会復帰」のための訓練、職業供与等の活動において行われる物品の販売、サービスの提供その他の資産の譲渡等をいいます。

9 助産に係る資産の譲渡等

理論

医師、助産師その他医療に関する施設の開設者による**助産に係る資産の譲渡等**に関しては非課税となります（基通６－８－１～６－８－３）[*01]。

具体的には、以下のとおりです。

非課税取引	検査、入院、新生児に係る検診及び入院等で医師、助産師その他医療に関する施設の開設者が行うもの。 なお、妊娠中の入院及び出産後の入院における差額ベッド料及び特別給食費並びに大学病院等の初診料についても全額が非課税となります。

*01) 助産に関しては、医療費に準じて非課税となります。

10 埋葬料、火葬料を対価とする役務の提供

理論

埋葬料、火葬料を対価とする役務の提供は非課税となります（基通６－９－１、６－９－２）。

具体的には、以下のとおりです。

非課税取引	・埋葬料、火葬料[*01] ・埋葬許可手数料[*02]
課税取引	その他の葬儀諸費用（葬儀費用、花輪代金等）

なお、お布施や戒名料等は、宗教活動に伴う実質的な喜捨金となるため、課税の対象には含まれず不課税となります。

*01) 「墓地、埋葬等に関する法律」により義務付けられている埋葬又は火葬のための費用のみが非課税となり、法律による義務のないその他の葬儀費用に関しては課税取引となります。

*02) 行政手数料に該当し、非課税となります。

11 身体障害者用物品に係る資産の譲渡等

理論　計算

身体障害者用物品[*01]の**譲渡、貸付け又は一定の修理**に関しては、非課税となります（基通６－10－１～６－10－４）。

具体的には、以下のとおりです。

非課税取引	・身体障害者用物品の譲渡、貸付け及び製作の請負 ・身体障害者用物品の修理のうち、厚生労働大臣が財務大臣と協議して指定するもの ・身体障害者用物品以外の物品を身体障害者用物品に改造する行為
課税取引	身体障害者用物品の一部を構成する部分品の譲渡、貸付け

*01) 身体障害者の使用に供するための特殊な性状、構造又は機能を有する物品をいいます。

12 学校等の教育として行う役務の提供

理論

学校教育法に基づく、**教育に関する役務の提供**に関しては非課税となります。（基通６－11－１～６－11－６）

具体的には、以下のとおりです。

非課税取引	・授業料 ・入学金及び入園料 ・施設設備費 ・入学又は入園のための試験に係る検定料 ・在学証明、成績証明その他学生、生徒、児童又は幼児の記録に係る証明に係る手数料及びこれに類する手数料
課税取引	・学習塾、予備校等における役務の提供 ・公開模擬学力試験

13 教科用図書の譲渡

学校教育法に基づく、教科用図書（検定済教科書等）の譲渡に関しては非課税となります（基通６－12－１～６－12－３）。

具体的には、以下のとおりです。

非課税取引	検定済教科書等、学校教育法で規定されている教科用図書
課税取引	・教科用図書の供給業者等が教科用図書の配送等の対価として収受する手数料 ・参考書又は問題集等で学校における教育を補助するためのいわゆる補助教材

14 住宅の貸付け

１．住宅の貸付け*01)の範囲

住宅（人の居住の用に供する家屋又は家屋のうち人の居住の用に供する部分）の**貸付け**に関しては非課税となります。

ただし、住宅の貸付けに係る**期間が１ヵ月に満たない場合**及び旅館業に係る**施設*02)の貸付けに該当**する場合は非課税とはなりません。

なお、住宅の譲渡は、課税取引となります。

住宅建物	譲渡			→ 課税
	貸付け	居住用以外	ホテル、旅館、貸別荘、保養所など	→ 課税
		居住用	貸付期間が１月未満	→ 課税
			貸付期間が１月以上	→ 非課税

*01) 住宅の貸付けは、人の生活の中心である住宅という観点から、賃借人の保護のため非課税としています。

*02) 旅館業法に規定するホテル、貸別荘、リゾートマンション等が該当します。

〈賃借人が転貸する場合〉(基通６－13－７)

会社(賃借人)が社宅や独身寮等を目的に住宅として転貸する場合は住宅の貸付けに該当し、いずれの立場においても非課税となります[*03]。

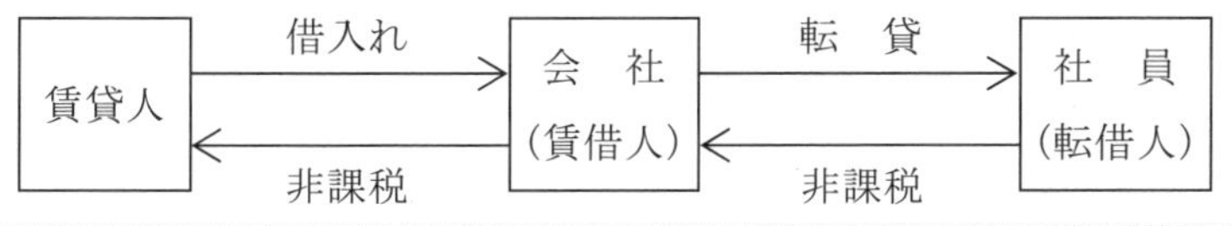

*03) 住宅の貸付けに該当するか否かの判定は、賃貸借契約書に記載されている用途が居住用か否かによって行うため、契約に係る当事者が法人の場合や、実態が居住の用に供していない場合においても契約上居住目的であることが明記されていれば非課税取引に該当します。

2．附属設備についての取扱い (基通6-13-1～6-13-3)

住宅の設備として、**住宅と一体となって貸付けられると認められるもの**については、住宅に含まれます[*04]。

*04) 附属設備とは、住宅の照明設備、冷暖房設備、駐車場、プール等です。

非課税取引	住宅の附属設備として、住宅と一体となって貸付けられると認められるもの
課税取引	住宅とは別の賃貸借の目的物として、住宅の貸付けの対価とは別に使用料等を収受している場合

〈その他の事項〉

⑴　**家賃の範囲(基通６－13－９)**

家賃には、月決め等の家賃の他、敷金、保証金、一時金等のうち返還しない部分や共同住宅における共用部分に係る費用を入居者が応分に負担するいわゆる共益費も含まれます。

⑵　**用途変更の場合の取扱い(基通６－13－８)**

貸付けに係る契約において住宅として貸し付けられた建物について、契約当事者間で住宅以外の用途に変更することについて契約変更した場合には、契約変更後のその建物の貸付けは、課税資産の譲渡等に該当することになります。

⑶　**住宅の貸付けと役務の提供が混合した契約の取扱い(基通６－13－６)**

有料老人ホームや食事付きの寄宿舎等、非課税となる住宅の貸付けと課税となる役務の提供を約している場合、住宅の貸付けに係る部分については非課税となり、役務の提供に係る部分については課税となります。

設例２－４　　その他

次の取引のうち、非課税取引となるものを選びなさい。なお、与えられた取引は国内取引の要件を満たしている。

⑴　日本郵便株式会社が行う郵便切手を譲渡する行為
⑵　法人が特許出願に係る手数料を特許庁に支払う行為
⑶　医療法人が自由診療報酬を受け取る行為
⑷　法人が居宅介護サービス費を受け取る行為
⑸　法人が妊娠中の入院に係る特別給食費を受け取る行為
⑹　法人が花輪代金を受け取る行為
⑺　法人が車椅子を販売する行為
⑻　学校法人が大学の授業料を受け取る行為
⑼　法人が参考書、問題集等の補助教材を販売する行為
⑽　法人が社宅を有償で貸付ける行為（貸付期間１ヵ月以上）
⑾　法人が保養所を有償で貸付ける行為

解答　⑴、⑵、⑷、⑸、⑺、⑻、⑽

解説

⑴　日本郵便株式会社が行う郵便切手を譲渡する行為は、非課税取引となります。なお、金券ショップといった日本郵便株式会社等以外の者が譲渡した場合は、課税取引となります。
⑵　特許権出願に係る手数料は、行政手数料等として非課税となります。
⑶　保険診療（健康保険法等に基づく療養の給付等）は、非課税取引となりますが、自由診療（予防接種、人間ドック等）は課税取引となります。
⑷　居宅介護サービスは非課税取引です。また、施設介護サービスも非課税取引となります。
⑸　助産に係る費用はすべて非課税取引となるため、妊娠中の入院に係る特別給食費を受け取る行為も非課税取引です。
⑹　葬儀費用に関しては、埋葬料、火葬料、埋葬許可手数料を受け取る行為は非課税取引となりますが、花輪代金等その他の葬儀費用を受け取る行為は課税取引となります。
⑺　身体障害者用物品を譲渡する行為は非課税取引となります。なお、身体障害者用物品の部分品の譲渡は課税取引となります。
⑻　学校の授業料を受け取る行為は非課税取引です。その他に学校の入学金、施設設備費を受け取る行為も非課税取引となります。
⑼　学校教育法で規定されている教科用図書の販売は非課税取引ですが、その参考書や問題集等の補助教材の販売は課税取引となります。
⑽　貸付期間が１ヵ月以上の社宅の貸付けは非課税取引です。ただし、貸付期間１ヵ月未満の場合には課税取引となります。
⑾　法人の保養所を貸付ける行為は課税取引です。保養所は居住用の建物ではない点に注意しましょう。

Section 3

輸入取引の非課税

Chapter２では輸入取引の課税の対象を学習しましたが、海外から輸入された外国貨物の中には、国内取引と同様に非課税となる貨物があります。

ここでは、非課税となる貨物を見ていきましょう。

1 輸入取引の非課税

理論

国内取引と輸入取引とのバランスを図るため、**保税地域から引き取られる外国貨物**のうち、**特定の貨物**については、非課税となります*01)。

なお、国内取引では非課税取引となる「取引」について規定していたのに対し、輸入取引では非課税取引となる「**貨物**」について規定しています。

*01) 外国貨物のうち、非課税となる貨物を非課税貨物といいます。

消費税法〈非課税〉

第６条②　保税地域から引き取られる外国貨物のうち、別表第二の二に掲げるものには、消費税を課さない。

非課税貨物	・有価証券等 ・郵便切手類 ・印紙 ・証紙 ・物品切手等 ・身体障害者用物品 ・教科用図書

Try it 非課税取引

事業者が行った、次の国内における資産の譲渡等のうち、消費税が非課税となるものを答えなさい。なお、以下の取引はすべて国内において事業者が行った取引である。

⑴ 土地の貸付けを行った。
⑵ 代物弁済により土地の譲渡を行った。
⑶ 使用人に対する貸付金の利子を受け取った。
⑷ 健康保険法に基づいて診療報酬を受け取った。
⑸ 自社の役員に対して商品（テレビ）を無償譲渡した。
⑹ 書店が図書カードを販売した。
⑺ ゴルフ場利用株式を譲渡した。
⑻ 損害保険会社が火災保険料を受け取った。
⑼ 買掛金を支払期日前に支払ったことにより仕入割引を受けた。
⑽ 郵便局（日本郵便株式会社の店舗）が郵便切手を販売した。
⑾ 負担付贈与により土地の譲渡を行った。
⑿ 取引先からの依頼により手形を割引いて、割引料を受け取った。
⒀ 団体保険の集金事務手数料を受け取った。
⒁ 事務所用建物の貸付けに係る権利金を受け取った。
⒂ 土地付建物（事務所用）を貸付けた。（契約において地代と家賃を明確に区分している。）
⒃ 学校教育法に規定する検定済教科書を販売した。
⒄ 公開模擬学力試験に係る検定料を受け取った。
⒅ 地方公共団体が法令に基づいて行う役務の提供で手数料の徴収が法令に基づくもの。
⒆ 社会福祉法に規定する社会福祉事業で生産活動に該当しないもの。
⒇ 旅館業法の適用を受けるリゾートマンションを貸付け対価を収受した。

解答

⑴、⑵、⑶、⑷、⑹、⑻、⑽、⑾、⑿、⒃、⒅、⒆

解説

⑴⑵ 土地の譲渡及び貸付けは、消費税の非課税取引となる。
⑶ 利子を対価とする金銭の貸付けは、消費税の非課税取引となる。
⑷ 健康保険法の規定に基づく療養の給付は、消費税の非課税取引となる。
⑸ 役員に対する資産の無償譲渡は、事業として対価を得て行われた資産の譲渡とみなされ消費税の課税対象となる。また、無償譲渡している資産がテレビであることから課税取引となる。
⑹ 図書カードは、物品切手等に該当し、物品切手等の譲渡は、消費税の非課税取引となる。
⑺ 有価証券の譲渡は、消費税の非課税取引となるが、ゴルフ場利用株式は、その有価証券の範囲から除かれ、ゴルフ場利用株式の譲渡は課税取引となる。
⑻ 保険料を対価とする役務の提供は、消費税の非課税取引となる。

(9) 支払期日前に買掛金等を支払った場合にその相手先から受ける仕入割引については、「仕入れに係る対価の返還等を受けた場合の仕入れに係る消費税額の控除の特例」に規定する仕入れに係る対価の返還等に該当するものとして取り扱う。

(10) 日本郵便株式会社の店舗における郵便切手の譲渡は、消費税の非課税取引となる。

(11) 土地の譲渡及び貸付けは、消費税の非課税取引となる。

(12) 利子を対価とする貸付金等の非課税の規定において、資産の貸付け又は役務の提供に類するものとして手形の割引料が規定されている。

(13) 保険料を対価とする役務の提供（一定の契約に係る保険料（事務費部分に限る。）を対価とする役務の提供を除く。）は、消費税の非課税取引となる。したがって、非課税取引から除かれる事務費（集金事務手数料）の受け取りは課税取引となる。

(14) 住宅（人の居住の用に供する家屋又は家屋のうち人の居住の用に供する部分をいう。）の貸付けは、消費税の非課税取引となるが、事務所用建物の貸付けは課税取引となる。

なお、家賃には、月決め等の家賃のほか、敷金、保証金、一時金のうち返還しない部分も含まれる。

(15) 建物その他の施設の貸付けに伴って土地を使用させた場合において、建物の貸付け等に係る対価と土地の貸付けに係る対価とに区分しているときであっても、その対価の額の合計額がその建物の貸付け等に係る対価の額となる。

(16) 学校教育法に規定する教科用図書の譲渡は、消費税の非課税取引となる。

(17) 公開模擬学力試験に係る検定料を対価とする役務の提供は、消費税の課税取引となる。

(18) 地方公共団体等が、法令に基づき行う行政事務に係る役務の提供で、その手数料、特許料、申立料その他の料金の徴収が法令に基づくものは、消費税の非課税取引となる。

(19) 社会福祉法に規定する社会福祉事業として行われる資産の譲渡等（生産活動としての作業に基づき行われるものその他一定のものを除く。）は、消費税の非課税取引となる。

(20) ホテル、旅館の他リゾートマンション、貸別荘等は、たとえこれらの施設の利用期間が1ヵ月以上となる場合であっても非課税とならない。

住宅の貸付けに係る非課税範囲の明確化

建物の貸付けにあたっては、実務上住宅の貸付け（人の居住用）か否かを明らかにして契約されており、課税関係の判断に迷うことはないと考えられますが、住宅の貸付けに係る契約においてその用途が特定されていないなどの場合も考えられるため、居住用賃貸建物の取得等に係る仕入税額控除制度の適正化にあわせて、契約において貸付けに係る用途が明らかにされていない場合の判断基準を明確化することとされました。

具体的には、住宅の貸付けに係る契約において、その貸付けに係る用途が明らかにされていない場合にその貸付け等の状況からみて人の居住の用に供されていることが明らかなときは、その住宅の貸付けについて消費税を非課税とすることとされました（消法別表第２十三）。この結果、契約において貸付けの用途が不明の場合については、その貸付けの状況、例えば、賃借人が個人であるか否かや、建物の転貸の状況、建物の構造や設備などから、人の居住の用に供されていることが明らかかどうかを、判断することとなる。（財務省 令和２年度税制改正の解説）

貸付け等の状況からみて人の居住の用に供されていることが明らかな場合（基通6−13−11）

住宅の貸付けに規定する「その契約においてその貸付けに係る用途が明らかにされていない場合にその貸付け等の状況からみて人の居住の用に供されていることが明らかな場合」とは、住宅の貸付けに係る契約においてその貸付けに係る用途が明らかにされていない場合にその貸付けに係る賃借人や住宅の状況その他の状況からみて人の居住の用に供されていることが明らかな場合をいうのであるから、例えば、住宅を賃貸する場合において、次に掲げるような場合が該当する。

⑴ 住宅の賃借人が個人であって、その住宅が人の居住の用に供されていないことを賃貸人が把握していない場合

⑵ 住宅の賃借人がその住宅を第三者に転貸している場合であって、その賃借人と入居者である転借人との間の契約において人の居住の用に供することが明らかにされている場合

⑶ 住宅の賃借人がその住宅を第三者に転貸している場合であって、その賃借人と入居者である転借人との間の契約において貸付けに係る用途が明らかにされていないが、その転借人が個人であって、その住宅が人の居住の用に供されていないことを賃貸人が把握していない場合

令和３年度（第71回）税理士試験問題

［問題］

２階以上の居住用部分に係る賃貸料収入のうち385,000円は、賃借人Ｖ社と８月より新たな賃貸借契約を締結したものである。Ｖ社はマンションの近隣に所在する法人であり、201号室をＶ社の従業員の社宅又はテレワーク用のスペースとして転貸したい旨を希望したため、契約書に用途の記載がない（用途を問わない）賃貸借契約を締結している。なお、甲（賃貸人）はＶ社と従業員との間における契約の内容及び当該従業員が201号室を居住の用に供していないことを把握していない。

［解答］

賃貸料収入のうち385,000円は、基通６−13−11⑶の規定に該当することから人の居住の用に供されていることが明らかな場合として非課税取引となる。

Chapter 4

免税取引Ⅱ

Chapter３で学習した「課税資産の譲渡等」となる取引の中でも一定のものには消費税を免除する特例が設けられています。Chapter４で学習する免税取引は、輸出などの主に海外の企業を相手に取引を行った場合などが対象となるため、聞きなれない言葉が多いですが、重要な項目ですので、取引の内容をイメージしながら考え方をしっかり押さえていきましょう。

Section 1 免税取引の概要

消費税法では、国外で消費されるものについては、たとえ課税資産の譲渡等に該当する取引であっても消費税の負担が免除される取引があります。それが、免税取引です。どのような取引が、免税取引に該当するのか、なぜ免税の規定が設けられているのかを確認していきましょう。

1 免税取引とは

免税取引[*01]とは、**消費地課税主義の原則**及び**国際競争力の低下防止**のために、課税取引でありながらも国外で消費されるものについては消費税を免除することとした取引のことです。

*01) 0％課税取引ともいいます。

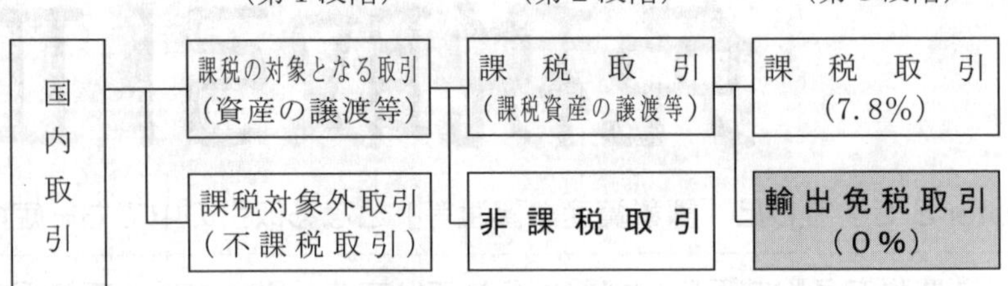

免税取引には、①**輸出取引等に係る免税**と②**輸出物品販売場における免税**があります[*02]。

*02) これらは、消費税法の規定による免税取引です。その他にも租税特別措置法の規定による免税取引がありますがSection４で学習します。

消費税法〈輸出免税等〉

第７条①　事業者（免税事業者を除く。）が国内において行う課税資産の譲渡等（特定資産の譲渡等に該当するものを除く。以下同じ。）のうち、次に掲げるものに該当するものについては、消費税を免除する。

一　本邦からの輸出として行われる資産の譲渡又は貸付け

二　外国貨物の譲渡又は貸付け

三　国内及び国内以外の地域にわたって行われる旅客若しくは貨物の輸送又は通信

四　専ら前号に規定する輸送の用に供される船舶又は航空機の譲渡若しくは貸付け又は修理で政令で定めるもの

五　前各号に掲げる資産の譲渡等に類するものとして政令で定めるもの

②　前項の規定は、その課税資産の譲渡等が同項各号に掲げる資産の譲渡等に該当するものであることにつき、財務省令で定めるところにより証明がされたものでない場合には、適用しない。

第８条①　輸出物品販売場を経営する事業者が、免税購入対象者に対し、政令で定める物品で輸出するため政令で定める方法により購入されるものの譲渡を行った場合には、その物品の譲渡については、消費税を免除する

Section 2 輸出取引等に係る免税

Section 1で学習したように、免税となる輸出取引には、様々な要件があります。
また、該当する取引も多岐にわたるため、正確な判定方法をマスターしましょう。

1 輸出取引等に係る免税の概要

1. 輸出免税の要件（法7①、基通7－1－1）

事業者が国内において行う課税資産の譲渡等のうち、**輸出取引等に該当する取引**については、消費税が免除されます。

国内取引である課税資産の譲渡等が輸出取引等として免税とされるには、以下の要件を満たす必要があります。

輸出免税の要件
①　その資産の譲渡等は、**課税事業者**[*01)]**によって行われる**ものであること
②　その資産の譲渡等は、**国内において**行われるものであること
③　その資産の譲渡等は、**課税資産の譲渡等**（特定資産の譲渡等に該当するものを除く）**に該当**するものであること
④　その資産の譲渡等は、**輸出取引等に該当**するものであること
⑤　その資産の譲渡等は、輸出取引等であることにつき**証明がなされた**ものであること

*01) 納税義務が免除されていない事業者をいいます。詳しくはChapter 6で学習します。

2. 輸出取引等の範囲（法7①、令17、基通7－2－1）

国内において行う課税資産の譲渡等のうち免税となる輸出取引等は、以下に掲げられているものなどです。

輸出取引等の範囲
①　本邦からの輸出として行われる資産の譲渡又は貸付け
②　外国貨物の譲渡又は貸付け
③　国際運輸、国際通信、国際郵便又は信書便
④　外航船舶等の譲渡、貸付け、修理
⑤　外国貨物に係る役務の提供
⑥　非居住者に対する無形固定資産等の譲渡又は貸付け
⑦　非居住者に対する役務の提供で国内において直接便益を享受するもの以外のもの

2 本邦からの輸出として行われる資産の譲渡又は貸付け

重要 計算

本邦からの輸出として行われる資産の譲渡又は貸付け*01) は、**一般的な輸出取引**です。すなわち、国内にある資産を外国に向かう船舶等に積み込み外国に送り出すことです。

*01) 役務の提供は含まれていない点に注意しましょう。

1. 輸出物品の下請加工等（基通7－2－2）

輸出免税の適用を受けられるのは、**自ら輸出を行う取引に限られる**ため、以下の取引については、免税取引に該当しません。

輸出物品の下請加工等
① 輸出する物品の製造のための下請加工
② 輸出取引を行う事業者に対して行う国内での資産の譲渡等*02)

*02) これらの取引は、すべて国内で完結しているため、消費地課税主義の観点からも課税取引であると言えます。

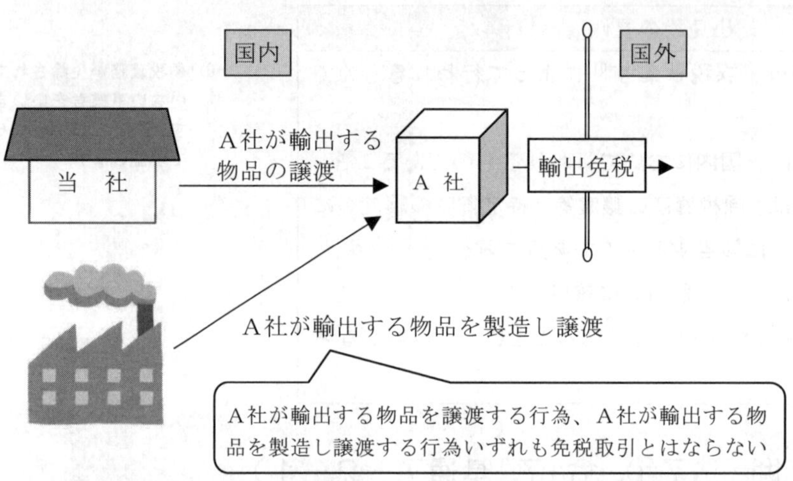

2. 国外で購入した貨物を国内の保税地域を経由して国外へ譲渡した場合の取扱い（基通7－2－3）

国外で購入した貨物を国内の保税地域に陸揚げし、**輸入手続を経ないで再び国外へ譲渡する場合**には、外国貨物*03) の積戻しの規定により内国貨物を輸出する場合の手続規定が準用され**輸出免税の対象**となります。

*03) 外国貨物については 3 を参照してください。

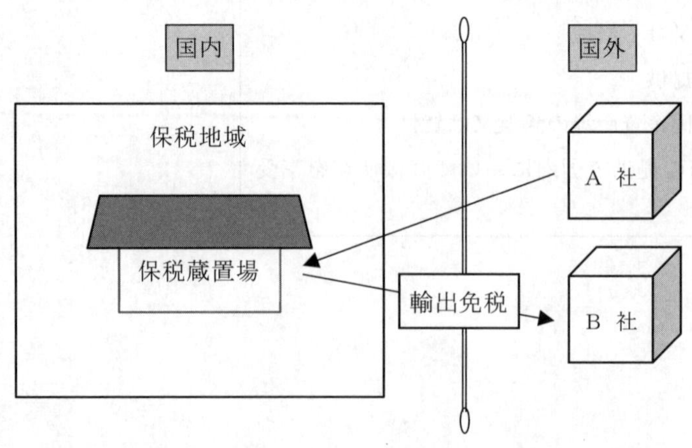

3 外国貨物の譲渡又は貸付け

計算

Chapter 2 課税の対象、Section 3 輸入取引の課税の対象で学習したように、外国貨物とは、「**輸入の許可を受ける前の貨物**」と「**輸出の許可を受けた後の貨物**」をいいます。

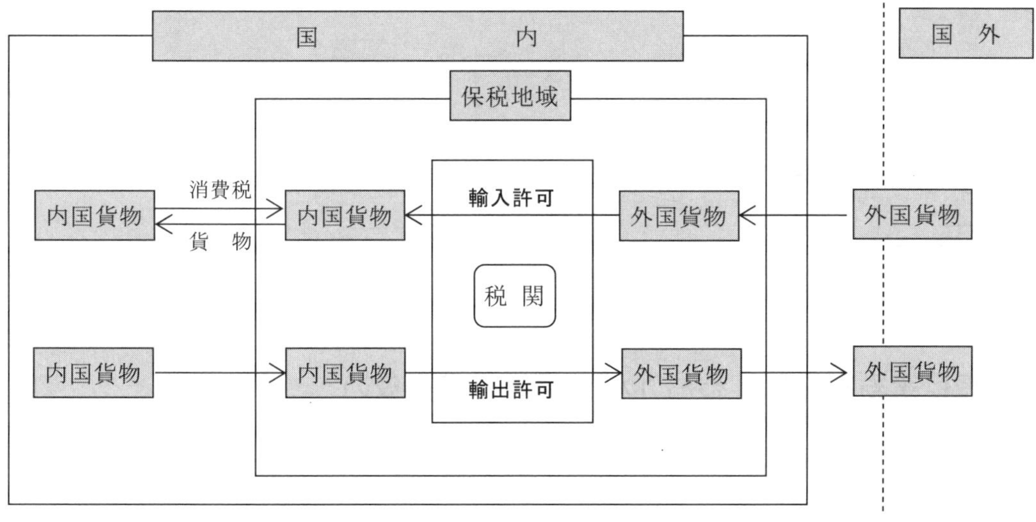

これらの貨物を国内の取引先に譲渡し又は貸付ける場合には、免税取引となります[*01]。

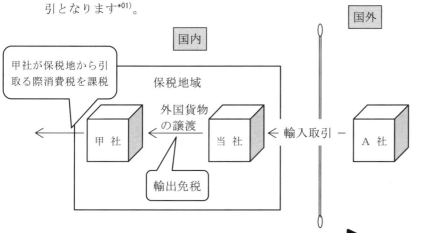

国内
国外
甲社が保税地から引取る際消費税を課税
保税地域
外国貨物の譲渡
甲　社
当　社
輸入取引
A　社
輸出免税

*01) Chapter 2 で学習したように外国貨物を購入した譲受人が国内に貨物を引き取る場合には、その輸入許可を受ける際に消費税が課税されるため、輸入許可を受ける前の貨物の売買等に関しては免税としています。

4 国際輸送、国際通信、国際郵便又は信書便

計算

国際輸送[*01]、**国際通信**[*02]、**国際郵便**[*03]又は**信書便**[*04]は、免税となる輸出取引等になります。

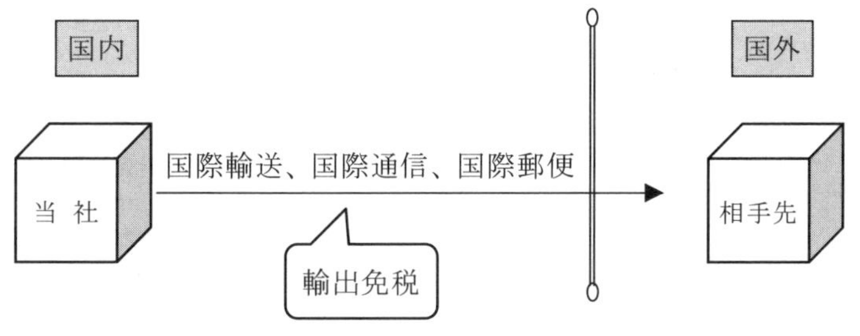

*01) 国際輸送には、旅客輸送や貨物の輸送があります。

*02) 国際通信は、国際電話をイメージして下さい。

*03) 国際郵便又は信書便は、エアメールをイメージして下さい。

*04) 信書とは、特定の受取人に対し、差出人の意思を表示し、又は、事実を通知する文書のことです。

1. 国内輸送が含まれている国際輸送(基通7－2－5)

国際輸送として行う貨物の輸送の一部に国内輸送が含まれている場合であっても、その**国内輸送が国際輸送の一環**としてのものであることが国際輸送に係る契約において明らかにされているときは、その国内輸送は**国際輸送に該当する**ものとして取扱います。

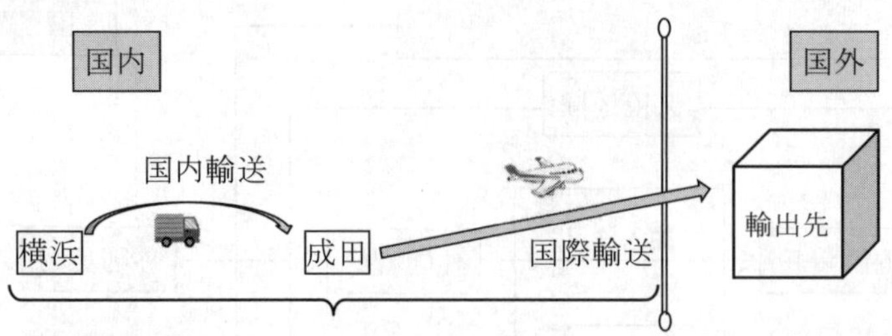

国内輸送が国際輸送の一環であるときは、すべて免税取引です

2. 旅行業者が主催する海外パック旅行の取扱い(基通7－2－6)

旅行業者が主催する海外パック旅行に係る役務の提供は、その旅行業者と旅行者との間の包括的な役務の提供契約に基づくものであり、国内における役務の提供及び国外において行う役務の提供に区分されます。そこで、次の区分に応じた取扱いをします。

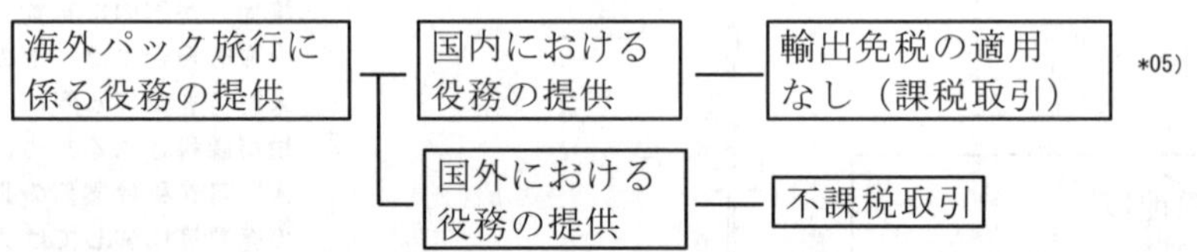

*05) 国内の空港における空港施設利用料も、国内の空港での役務の提供の対価であることから課税取引となります。

国内における役務の提供には、パスポート交付申請等の事務代行や国内における輸送、宿泊サービス等があります。また、国外における役務の提供には、国内から国外、国外から国内への移動に伴う輸送や国外における移動に伴う輸送、宿泊、観光案内サービス等があります。

5 外航船舶等の譲渡、貸付け、修理

船舶運航事業者等[*01)]に対する外航船舶等[*02)]の譲渡若しくは貸付け、又は船舶運航事業者等の求めに応じて行われる**外航船舶等の修理**については、輸出取引等に該当します。(基通7－2－1(4)、7－2－8)

ただし、外航船舶等の修理については、**船舶運航事業者等からの直接の求めに応じて行う修理に限られます。**そのため、船舶運航事業者等から修理の委託を受けた事業者の求めに応じて行う修理は輸出取引等に該当しません。(基通7－2－10)

*01) 船舶運航事業者等とは、「船舶運航事業を営む者」「船舶貸渡業を営む者」「航空運送業を営む者」をいいます。

*02) 外航船舶等とは、専ら国内及び国外にわたって、又は、国外間で行われる旅客又は貨物の輸送の用に供される船舶又は航空機をいいます。なお、日本国籍のものも含まれます。

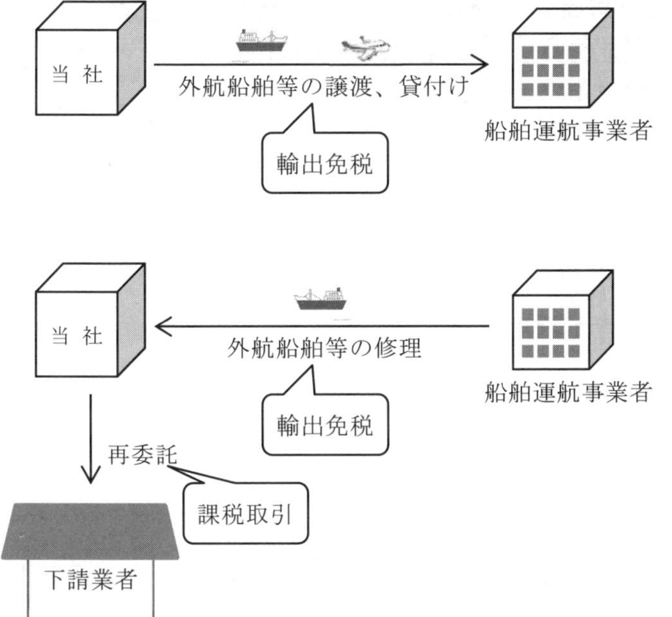

6 外国貨物に係る役務の提供

計算

外国貨物に係る役務の提供*01)には、**荷役、運送、保管、検数、鑑定等**があります。外国貨物に係る役務の提供に該当する場合には輸出取引等に該当します。

また、これらの役務の提供は、**指定保税地域内で内国貨物に対して行われた場合**にも免税取引となります。

輸出の許可を受ける前の貨物 ‖ 内国貨物	（保税地域） 税関	輸出の許可を受けた貨物 ‖ 外国貨物

外国貨物（内国貨物を含む。）に係る荷役、運送、保管、検数、鑑定等の役務の提供は輸出免税となる。

また、特例輸出貨物に対する役務の提供については、指定保税地域等におけるものその他一定の場合に輸出取引等に該当します。（基通７－２－13の２）。特例輸出貨物とは、特例輸出者が輸出貨物を保税地域に搬入することなく、税関長に対して輸出申告を行い、輸出の許可を受けた貨物をいいます。

*01) 輸出免税は、「貨物」に対する「役務の提供」が対象です。そのため、指定保税地域内にある倉庫の賃貸などの資産の貸付けは、国内に所在する資産の貸付けであるので、免税取引にはなりません。

7 非居住者に対する無形固定資産等の譲渡又は貸付け

計算

1. 非居住者に対する無形固定資産等の譲渡又は貸付け

非居住者に対する無形固定資産等[*01]**の譲渡又は貸付け**に関しては輸出取引等に該当します。

*01) 無形固定資産には、鉱業権、特許権、実用新案権、商標権、著作権等があります。

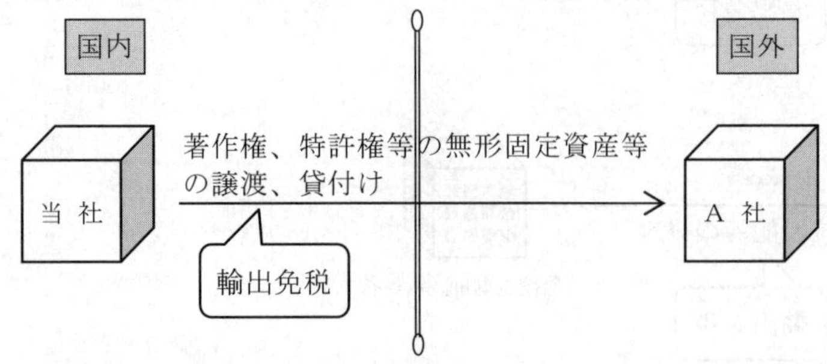

2. 非居住者[*02]の範囲（基通7－2－15）

非居住者とは、**国内に住所又は居所を有しない自然人**及び**国内に主たる事務所を有しない法人**がこれに該当し、非居住者の国内の支店、出張所その他の事務所は、法律上の代理権があるかどうかにかかわらず、その主たる事務所が外国にある場合においても居住者とみなされます。

*02) 要するに、外国に住んでいる人や外国にある本社、支店、事務所のことです。

8 非居住者に対する役務の提供

計算

1. 非居住者に対する役務の提供（基通7－2－16）

非居住者に対する役務の提供のうち、**非居住者が国内において直接便益を享受しないものが輸出取引等に該当**します。

そのため、同じく非居住者に対する役務の提供であっても国内において直接便益を享受するものは輸出取引等には該当しません。

免税となる取引	国内の事業者が非居住者からの依頼により国内で行う市場調査、広告宣伝等
免税とならない取引[*01]	① 国内に所在する資産に係る運送や保管 ② 国内に所在する不動産の管理や修理 ③ 建物の建築請負 ④ 電車、バス、タクシー等による旅客の輸送 ⑤ 国内における飲食又は宿泊 ⑥ 理容又は美容 ⑦ 医療又は療養 ⑧ 劇場、映画館等の興行場における観劇等の役務の提供 ⑨ 国内間の電話、郵便又は信書便 ⑩ 日本語学校等における語学教育等に係る役務の提供

*01) 免税とならない、国内で直接便益を享受する役務の提供とは、国内にあるお店で受けるサービスや国内にある資産に関するサービスなど国内で取引が完結するものをいい、消費地課税主義の観点から非居住者に対して行ったものであっても課税取引となります。
外国人旅行者が国内のレストラン等で食事をする場合をイメージしてみましょう。

2. 国内に支店等を有する非居住者に対する役務の提供（基通7−2−17）

事業者が、非居住者に対して役務の提供を行った場合に、非居住者が**国内に支店又は出張所等を有するとき**は、その役務の提供は、その**支店又は出張所等を経由して役務の提供を行った**ものとして、輸出取引等には該当しません。

ただし、以下の要件をすべて満たす場合には、非居住者に対する役務の提供に該当するものとして輸出取引等とすることができます。

要　　件	①　役務の提供が非居住者の**国外の本店等との直接取引**であり、その非居住者の国内の支店又は出張所等はこの役務の提供に**直接的にも間接的にもかかわっていない**こと ②　役務の提供を受ける非居住者の国内の支店又は出張所等の業務は、その**役務の提供に係る業務と同種**、あるいは、**関連する業務でない**こと

〈役務の提供を行った場合の非居住者の判定〉

上記のことから、非居住者に対する役務の提供が免税取引に該当するか否かの判定は、次のとおりとなります。

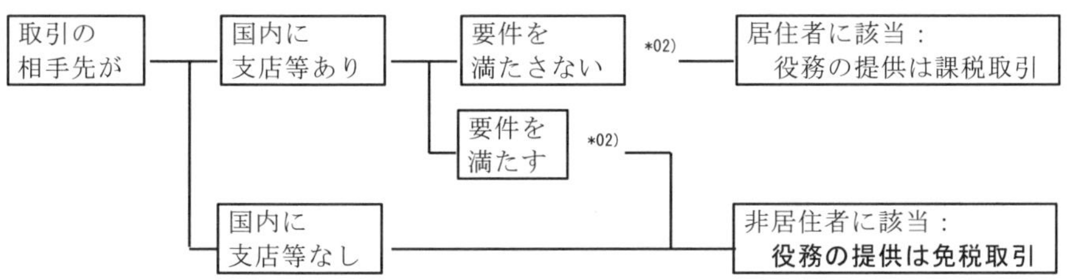

*02) 問題文に上記要件の内容の記載がない場合は、国内の支店等の有無のみで判断します。

〈無形固定資産等の譲渡、貸付けの場合〉

取引の相手方が外国法人か否かで判定します。

例えば、国内に支店を有する外国法人の場合、当社がその支店と無形固定資産の譲渡等を行う契約をしたとしても、契約による権利の帰属は、当社とその支店にあるのではなく、当社と外国法人（の本社）にあります。そのため、国内における支店の有無にかかわらず、取引の相手方が外国法人か否かで判定します。

9 輸出証明

1．内容（法7②）

輸出取引等に係る免税の規定は、その課税資産の譲渡等が**輸出取引等であることの証明**がなされていることを要件とします。

2．証明方法（規5①）

輸出の事実を記載した書類又は帳簿を課税資産の譲渡等を行った日の属する課税期間の末日の翌日から２月を経過した日から７年間、納税地又は事務所等の所在地に保存することにより証明します。

設例２－１　輸出免税取引の判定

次に掲げる取引のうち、免税取引に該当するものを選びなさい。なお、特に指示のあるものを除き、与えられた取引はすべて国内取引の要件を満たしている。また、譲渡及び貸付け並びに役務の提供については対価を収受している。

(1)　内国法人が商品（課税資産）を外国法人に輸出販売する行為
(2)　内国法人が国際電話料金を収受する行為
(3)　内国法人が国際郵便料金を収受する行為
(4)　内国法人が国際運送料金を収受する行為
(5)　外国法人が日本国内の支店で内国法人に対して商品（課税商品）を販売する行為
(6)　内国法人が国外の支店で外国法人に対して商品（課税商品）を販売する行為
(7)　内国法人が外国貨物（輸入許可前の貨物）を譲渡する行為
(8)　内国法人が外国貨物（輸入許可前の貨物）に対する役務の提供（荷役）を行う行為
(9)　内国法人が輸出する物品の製造のための下請加工をする行為
(10)　内国法人が商標権（日本で登録）を外国法人に売却する行為
(11)　内国法人が船舶運航事業者の依頼により外航船舶を修理する行為

解答　(1)、(2)、(3)、(4)、(7)、(8)、(10)、(11)

解説

(1)　本邦からの輸出として行われる資産の譲渡等は輸出取引等に該当するため、免税取引に該当します。
(2)(3)(4)　国際通信、国際郵便、国際輸送は輸出取引等に該当するため、免税取引に該当します。
(5)(6)　輸出取引等に該当しないため、免税取引には該当しません。
(7)(8)　外国貨物の譲渡、貸付け、役務の提供は、輸出取引等に該当するため、免税取引に該当します。
(9)　輸出免税を受けられる取引は、自ら輸出を行う取引に限られるため、輸出物品の製造のための下請加工は免税取引とならず、7.8％課税取引に該当します。
(10)　登録地が日本国内である商標権（無形固定資産）の非居住者に対する譲渡は、輸出取引等に該当するため免税取引に該当します。
(11)　船舶運航事業者等の求めに応じて行われる外航船舶等の修理は輸出取引等に該当するため免税取引に該当します。

Section 3

輸出物品販売場における免税

外国人観光客などの非居住者が来日し、いわゆる免税店でお土産などの買い物を行い自国へ持ち帰って使用等した場合には、消費税が免除されます。これは、自国で使用することを前提とした場合には消費地課税主義の観点から輸出取引等となんら変わらないためです。

ここでは、免税店（輸出物品販売場といいます）における免税取引の取扱いについて見ていきましょう。

1 輸出物品販売場における免税

理論

輸出物品販売場を経営する事業者が、免税購入対象者[*01]に対し、免税対象物品（金又は白金の地金その他通常生活の用に供しないもの並びに一定の消耗品にあっては、一定の合計額が50万円を超えるもの以外の物品をいう。）で輸出するため一定の方法により購入されるものの譲渡を行った場合には、その物品の譲渡については**消費税が免除されます**。

1. 輸出物品販売場とは（法８⑥）

輸出物品販売場[*02]とは、事業者が経営する販売場で、**免税購入対象者に対し免税で購入されるものの譲渡をすることができるものとして納税地の所轄税務署長の許可を受けた販売場**をいいます。

2. 輸出物品販売場で譲渡する免税対象物品の範囲（令18②⑭）

免税対象物品	①　輸出するために購入される物品のうち通常生活の用に供するもの[*03]であること ②　税抜対価の額の合計額が一般物品、消耗品それぞれ５千円以上[*04]であること

ただし、食品類、飲料類、薬品類、化粧品類その他の消耗品（以下「消耗品」という。）については、同一の輸出物品販売場で同一の日に譲渡するその消耗品の税抜対価の額の合計額が50万円までの範囲内のものに限ります。

3. 免税購入対象者の免税手続（令18③）

以下の手続を経て購入された物品が免税の対象となります。

一般物品	①　旅券等又は旅券等に係る情報が表示されたその免税購入対象者の使用する通信端末機器の映像面[*05]を輸出物品販売場を経営する事業者に提示し、かつ、旅券等に係る情報を事業者に提供すること。

*01) 非居住者であって、上陸の許可を受けて在留する者、外交若しくは公用の在留資格又は短期滞在の在留資格をもって在留する者その他一定の者をいう。

*02) 輸出物品販売場は、いわゆる免税店のことです。
輸出物品販売場は、家電量販店やデパートなどの、私たちが日常的に利用する小売店が、単にこの規定の適用を受けるための許可を受けているにすぎないので、「免税購入対象者（外国人旅行者など）ではない者」が利用した場合の取引は、原則として課税取引となります。

*03) 金又は白金の地金その他通常生活の用に供しないものは除かれます。

*04) 一般物品を指定された方法により包装して販売する場合は、その包装された一般物品と消耗品の額を合計して５千円の判定を行います。

*05) デジタル庁が提供する「Visit Japan Web」に事前に取り込んだ旅券に係る情報（氏名、国籍、生年月日、在留資格、上陸年月日、旅券の種類及び番号）が記録された二次元コードを通信端末機器の画面で提示し、その二次元コードを当該輸出物品販売場を経営する事業者が読み取る方法

一般物品	② 日本国籍を有する者であって、国外に引き続き２年以上住所等を有することにつき一定の書類により確認された者にあっては、その書類を輸出物品販売場を経営する事業者に提示[*06]し、かつ、書類に記載された情報をその事業者に提供すること又は書類の写しをその事業者に提出すること。
消耗品	① 一般物品の①②の要件を満たす。 ② 消耗品が一定の方法により包装されている。

*06) 日本国籍を有する者は旅券のみで非居住者か否かを判定することが困難であるため、旅券に加えて在留証明又は戸籍の附票の写しにより確認ができるよう見直しが行われました。

4．購入者に対する説明義務（令18⑩、規6の3）

輸出物品販売場を経営する事業者は、免税購入する免税購入対象者に対して、次の事項を説明しなければならない。

⑴ その免税購入した物品が輸出するため購入されるものである旨

⑵ 出国する際に、その出港地を所轄する税関長にその所持する旅券等を提示しなければならない旨

⑶ 免税購入した物品を出国する際に所持していなかった場合には、その免除された消費税等相当額を徴収される旨

5．書類の保存（法8②）

免税の規定は、輸出物品販売場を経営する事業者が、**3.の方法により購入されたことを証する書類**又は**電磁的記録**を保存[*07]しない場合には、適用しない。

ただし、①**輸出しなかった場合等の規定により消費税が徴収された場合**（下記7.⑴に該当する場合）、②**災害その他やむを得ない事情により保存することができなかったことを証明した場合**は、この限りでない。

*07) 輸出物品販売場が許可を受けた一般の販売店であるため、事業者が免税の適用を受けるために、販売した相手が非居住者であることを証明する必要があるからです。

6．海外旅行者が出国に際して携行する物品の輸出免税（基通7－2－20）[*08]

輸出物品販売場に係る免税は免税購入対象者に対する譲渡を対象としています。しかし、海外旅行者（居住者）が、渡航先で贈答するために、出国に際して携帯する（単価）１万円超の物品で、**帰国若しくは再入国時に携帯しないことが明らかなもの**は、海外旅行者にその物品を譲渡した事業者（輸出物品販売場の許可を受けている事業者に限る）が輸出したものとします。

そのため、**その物品の譲渡は免税取引として取扱います。**

ただし、海外旅行者が免税となった物品を携帯して２年以内に帰国又は再入国した場合には、帰国時又は再入国時に消費税が課税されます。

*08) 海外旅行に行く際に、免税店で購入した物品を海外の取引先にお土産品としてあげる場合をイメージしてください。

7．輸出しない場合等の取扱い

⑴ 輸出しない場合（法８③）

輸出物品販売場において免税により物品を購入した**免税購入対象者が、その物品を輸出しない場合**は、出港地の所轄税関長は、以下の場合を除き、その免税購入対象者から直ちに消費税を徴収します。

徴収を免除される事項	① 輸出物品販売場を経営する事業者が、書類又は電磁的記録を保存していないことで、既に消費税が課されている場合 ② 国内で免税により購入した物品を譲渡したことで、既に消費税が課されている場合 ③ 災害その他やむを得ない事情*09)により物品を亡失したため輸出しないことにつき税関長の承認を受けた場合

*09) 天災又は火災等の人為的災害で自己の責任によらないものに起因したものです。

⑵ 国内で譲渡した場合（法８④⑤）

免税購入対象者が輸出物品販売場で購入した免税物品は、原則として、**国内において譲渡することはできません**。しかし、やむを得ない事情がある場合には、**物品の所在場所を所轄する税務署長が承認**することにより、国内での譲渡を認めています。国内でその承認を受けた物品の譲渡があった場合には、税務署長は、**承認を受けた者から購入時に免除された消費税を徴収**します。

なお、**承認を受けないでその譲渡又は譲受けがされたとき**は、その**物品を譲り渡した者から免除された消費税を徴収**します。

⑶ 連帯納付の義務*10)（法８⑥）

⑵において**承認を受けないで国内において免税物品の譲渡又は譲受けがされたとき**、その**物品を譲り受けた者**は、その物品を譲り渡した者と連帯してその物品の譲渡について**免除された消費税額に相当する消費税を納付する義務を負います**。

*10) 免税店における不適切な免税販売や免税購入した者による免税購入品の不正な横流し等が疑われる事案が相次いだことから令和５年の税制改正で規定されました。

2 輸出物品販売場の許可 理論

1．輸出物品販売場の種類（令18の2②）

⑴ 一般型輸出物品販売場（⑶を除く。）

その販売場において免税購入対象者に対して譲渡する免税対象物品に係る免税販売手続が、その販売場においてのみ行われる輸出物品販売場

⑵ 手続委託型輸出物品販売場

その販売場において免税購入対象者に対して譲渡する免税対象物品に係る免税販売手続が、その販売場の所在する特定商業施設内*01)に一の承認免税手続事業者*02)が設置する免税手続カウンターにおいてのみ行われる輸出物品販売場

*01) 商店街、ショッピングセンター、テナントビルのことです。

*02) 他の事業者が経営する輸出物品販売場における免税販売手続を代理しようとする事業者

〈手続委託型輸出物品販売場における免税の流れ〉

⑴ 免税店になろうとする事業者は、輸出物品販売場の許可をとり、承認免税手続事業者と免税手続の代理契約を結びます。

⑵ ⑴の許可を受けて輸出物品販売場となった事業者は、税込価額で免税購入対象者に対し免税対象物品を販売します。

〈手続委託型輸出物品販売場における免税の流れ（続き）〉

⑶　免税対象物品を購入した免税購入対象者は、承認免税手続事業者が設置する免税手続カウンターで、免税手続（①購入した免税対象物品及び旅券等を提示、②出国時の手続説明）を行い、⑵で支払った消費税額の返金を受けます。

⑶　**自動販売機型輸出物品販売場**[*03]

その販売場において免税購入対象者に対して譲渡する免税対象物品に係る免税販売手続が、その販売場に設置する自動販売機によってのみ行われる輸出物品販売場

*03）免税販売手続を行う機能を備えた自動販売機

2．輸出物品販売場の許可

許可要件は、一般型輸出物品販売場、手続委託型輸出物品販売場及び自動販売機型輸出物品販売場で異なります。

事業者（免税事業者は除く。）が経営する販売場について、一般型輸出物品販売場、手続委託型輸出物品販売場又は自動販売機型輸出物品販売場としての許可を受けるためには、それぞれ次の要件のすべてを満たすことが必要です。

一般型輸出物品販売場	手続委託型輸出物品販売	自動販売機型輸出物品販売場
現に国税の滞納（その滞納税額の徴収が著しく困難であるものに限る。）がないこと		
輸出物品販売場の許可を取り消され、その取消しの日から3年を経過しない者でないこと		
輸出物品販売場を経営する事業者として特に不適当と認められる事情がないこと		
現に免税購入対象者が利用する場所又は免税購入対象者の利用が見込まれる場所に所在する販売場であること		
免税販売手続に必要な人員を配置[*04]し、かつ、免税販売手続を行うための設備[*05]を有する販売場であること	販売場を経営する事業者とその販売場の所在する特定商業施設内に免税手続カウンターを設置する一の承認免税手続事業者との間において次の要件のすべてを満たす関係があること ①　販売場において譲渡する免税対象物品に係る免税販売手続につき、代理に関する契約が締結されていること ②　販売場において譲渡した免税対象物品と免税手続カウンターにおいて免税販売手続を行う免税対象物品とが同一であることを確認するための措置が講じられていること ③　免税販売手続につき必要な情報を提供するための措置が講じられていること	

*04）免税販売の際に必要となる手続を免税購入対象者に対して説明できる人員の配置を求めているもので、外国語については、母国語のように流ちょうに話せることまでを必要とせず、パンフレット等の補助材料を活用して、免税購入対象者に手続を説明できる程度で差し支えない。

*05）免税購入対象者であることの確認など免税販売の際に必要となる手続を行うためのカウンター等の設備をいう。

3．承認免税手続事業者の承認申請手続（令18の2⑦）

他の事業者が経営する販売場における免税販売手続を代理しようとする事業者（免税事業者を除く。）は、その販売場が所在する特定商業施設ごとに、免税手続カウンターを設置することにつき**納税地の所轄税務署長の承認**を受け、承認免税手続事業者となる必要があります。承認免税手続事業者の承認を受けるためには、次の要件のすべてを満たすことが必要です。

承認要件	① 現に国税の滞納（その滞納税額の徴収が著しく困難であるものに限る。）がないこと ② 免税手続カウンターに免税販売手続に必要な人員を配置すること ③ 輸出物品販売場の許可を取り消され又は承認免税手続事業者若しくは承認送信事業者*06)の承認を取り消され、かつ、その取消しの日から３年を経過しない者でないことその他免税手続カウンターを設置する承認免税手続事業者として特に不適当と認められる事情がないこと。

*06) 3 3.で学習していきます。

4．免税手続カウンターにおける手続等の特例（令18の3）

一の承認免税手続事業者が免税販売手続を行う一の特定商業施設に所在する複数の手続委託型輸出物品販売場において同一の日に同一の免税購入対象者に対して譲渡する免税対象物品の対価の額（税抜価額）を合計している場合には、その複数の手続委託型輸出物品販売場を一の販売場とみなして、一般物品と消耗品それぞれ免税販売の対象となる下限額である５千円以上かどうか判定できます。

なお、承認免税手続事業者は、各手続委託型輸出物品販売場の販売額の合計により免税販売の対象となる下限額を超えたことなどについての記録を保存しなければなりません。

〈一の特定商業施設内での免税対象物品の販売〉

Ａ店での販売：一般物品8,000円、消耗品4,000円

Ｂ店での販売：一般物品6,000円、消耗品3,000円

■ Ａ店、Ｂ店が一般型輸出物品販売場である場合

Ａ店	一般物品	8,000円 ≧ 5,000円	∴ 該当
	消耗品	4,000円 ＜ 5,000円	∴ 該当しない
Ｂ店	一般物品	6,000円 ≧ 5,000円	∴ 該当
	消耗品	3,000円 ＜ 5,000円	∴ 該当しない

■ Ａ店、Ｂ店が手続委託型輸出物品販売場であり、複数の手続委託型輸出物品販売場の販売金額を一般物品、消耗品の別に合計している場合

一般物品　8,000円＋6,000円＝14,000円 ≧ 5,000円　∴ 該当

消耗品　4,000円＋3,000円＝7,000円 ≧ 5,000円　∴ 該当

3 電子的方法による購入記録情報の送信 

1．購入記録情報の提供（令18⑥）

[1] 3.の規定により旅券等に記載された情報の提供を受けた輸出物品販売場を経営する事業者は、購入記録情報*01)を、あらかじめその納税地の所轄税務署長に届け出て行う電子情報処理組織*02)を使用する方法として一定の方法により、免税販売手続の際、遅滞なく国税庁長官に提供しなければならない。

*01) 免税対象物品を購入する免税購入対象者から提供を受けた旅券等に記載された情報及びその免税購入対象者の免税対象物品の購入の事実を記録した電磁的記録をいう。

*02) 国税庁の使用に係る電子計算機と事業者の使用に係る電子計算機とを電気通信回線で接続した電子情報処理組織をいう。

災害その他やむを得ない事情がある場合（令18⑧）

輸出物品販売場を経営する事業者は、購入記録情報の提供につき、災害その他やむを得ない事情により国税庁長官に提供することができなかった場合には、その災害その他やむを得ない事情がやんだ後速やかにその購入記録情報を国税庁長官に提供しなければならない。

2．購入記録情報の保存（規7①）

輸出物品販売場を経営する事業者は、国税庁長官に提供した購入記録情報を整理して、免税販売を行った日の属する課税期間の末日の翌日から2月を経過した日から7年間、その納税地又は免税販売を行った輸出物品販売場の所在地に保存しなければならない。

3．承認送信事業者制度

⑴ 内　容

承認送信事業者制度は、本来輸出物品販売場を経営する事業者が国税庁長官に提供しなければならない購入記録情報を、その輸出物品販売場を経営する事業者との間でその提供につき承認送信事業者が提供することに関する契約を締結しており、かつ、その承認送信事業者が購入記録情報を国税庁長官に提供することにつき、契約を締結した輸出物品販売場を経営する事業者との間で必要な情報を共有するための措置が講じられている場合において、その承認送信事業者がその輸出物品販売場を経営する事業者に代わり提供することができることとする制度をいう。

⑵ 承認送信事業者（令18の4④）

承認送信事業者とは、次に掲げる要件の全てを満たす事業者（免税事業者を除く。）で、購入記録情報を提供することにつき、その納税地の所轄税務署長の承認を受けた者をいう。

① 現に徴収が著しく困難である国税の滞納がないこと。

② 契約を締結した輸出物品販売場を経営する事業者との間で必要な情報を共有するための措置が講じられ、購入記録情報を電子情報処理組織を使用して適切に国税庁長官に提供できること。

③　輸出物品販売場の許可又は承認免税手続事業者若しくは承認送信事業者の承認の取消しの日から３年を経過しない者でないことその他購入記録情報を国税庁長官に提供する承認事業者として特に不適当と認められる事情がないこと。

(3)　申請書の提出（令 18 の４⑤）

承認送信事業者の承認を受けようとする事業者は、その旨を記載した申請書[*03)]に必要書類[*04)]を添付して、その納税地の所轄税務署長に提出しなければならない。

(4)　購入記録情報の保存（規 10 の６①）

承認送信事業者は、契約を締結した輸出物品販売場ごとに、国税庁長官に提供した購入記録情報を整理し、その提供を行った日の属する課税期間の末日の翌日から２月を経過した日から７年間、納税地又は事務所等に保存しなければならない

*03) ①申請者の氏名等、納税地及び法人番号、②申請者の電子メールアドレス、③その他参考となるべき事項

*04) 購入記録情報の提供に使用する電子計算機及びプログラムの概要を記載した書類、②購入記録情報の提供に関する事務手続の概要を明らかにした書類、③その他参考となるべき書類

4　臨時販売場に係る届出制度（法８⑧）

理論

1．内容

臨時販売場[*01)]を設置しようとする輸出物品販売場を経営する事業者で納税地の所轄税務署長の承認を受けた者が、その臨時販売場を設置する日の前日までに、その臨時販売場を設置しようとする期間のその他一定の事項を記載した届出書に一定の書類を添付して、納税地の所轄税務署長に提出したときは、その期間に限り、その臨時販売場を輸出物品販売場とみなして、輸出物品販売場における免税の規定を適用する。

*01) 免税購入対象者に対し、免税対象物品を譲渡するために７月以内の期間を定めて設置する販売場をいう。

2．承認申請手続

(1)　申　請

承認を受けようとする事業者は、一定事項を記載した申請書に一定の書類を添付して納税地の所轄税務署長に提出しなければなりません。

(2)　事業者の要件

①　臨時販売場において行った免税販売手続について検証を行うための必要な体制[*02)]が整備されていること。

②　手続委託型輸出物品販売場のみを経営する事業者にあっては、臨時販売場において自ら免税販売手続を行うための必要な体制が整備されていること。

③　輸出物品販売場の許可を取り消され、又は臨時販売場の承認を取り消され、かつ、その取消しの日から３年を経過しない者でないことその他臨時販売場を設置する事業者として特に不適当と認められる事情がないこと。

*02) 臨時販売場を設置していた期間中の免税販売の記録等が臨時販売場を閉鎖した後においても適切に保存され、確認できるような体制をいう。

Section 4 租税特別措置法による免税

Section１から３で学習した消費税法における免税以外に、諸外国における政策的配慮等の理由から、租税特別措置法において免税取引として規定しているものがあります。

ここでは、租税特別措置法における免税規定を見ていきましょう。

1 外航船舶等に積み込む物品の譲渡等に係る免税

消費税法では原則として、**外国籍の外航船舶等に貨物を積み込むための資産の譲渡**は輸出免税の規定が適用されます。一方、日本国籍の外航船舶等に貨物を積み込むために資産を譲渡する場合は免税取引とはなりません(基通７－２－18)。

しかし、政策的配慮から租税特別措置法で指定物品[*01)]の譲渡を行う者、又は、指定物品を保税地域から引き取る者が、日本国籍の外航船舶等に**船用品又は機用品として積み込むため、税関長の承認を受けた指定物品 を譲渡する場合には消費税が免除されます。**(措法85)

*01) 指定物品には、酒類、製造たばこ、一定の船用品又は機用品があります。

2 外国公館等に対する課税資産の譲渡等に係る免税

事業者が、国内にある外国の大使館等又は外国の大使等に対し、外交等の任務を遂行するために必要な課税資産の譲渡等を一定の方法により行った場合には、消費税が免除されます[*01)]。(措法86)

*01) 例えば、大使館の大使等が日本で駐車場を賃借した場合の賃貸料等で、賃貸人が一定の証明を受ける等の手続を行っている場合にはこの規定を適用します。

3 海軍販売所等[*01)]に対する物品の譲渡に係る免税

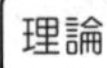

輸出物品販売場における免税取引と同様に海軍販売所等に対して合衆国軍隊の構成員やその家族が輸出する目的でこれらの機関から購入する物品で一定のものを譲渡する場合には、消費税が免除されます。(措法86の２)

*01) 在日米軍基地内にある販売店等です。
これらの施設は、法施行地外であり、施設内の事業者への譲渡は、国外へ輸出販売しているのと同じ状況となるため、免税が適用されます。

Try it　**輸出免税等**

次に掲げる取引のうち、免税取引に該当するものを選びなさい。なお、特に指示のあるものを除き、与えられた取引はすべて国内取引の要件を満たしており、資産の譲渡及び貸付け並びに役務の提供については対価を収受している。

⑴　国内の工場で製造した製品を国外の商社に販売するために輸出した。

⑵　旅行業者が主催する海外パック旅行に係るパスポート交付申請等の事務代行に係る役務の提供を行った。

⑶　国外で購入した貨物を国内の保税地域に陸揚げし、輸入手続を経ず再び国外へ譲渡した。

⑷　船舶運航事業者等の求めに応じて、外航船舶等の修理を行った。

⑸　輸出取引を行う国内に所在する事業者に対して資産の譲渡を行った。

⑹　国内の事業者に対して、海外情報の提供を行った。

⑺　国外の事業者（日本国内に支店等を有していない。）に対して国内で登録されている特許権の譲渡を行った。

⑻　非居住者の依頼で、その非居住者が国内に有する資産の保管を行っている。

⑼　国外の事業者に対して国内市場の情報の提供を行った。

⑽　船舶運航事業者等から外航船舶等の修理の委託を受けた事業者の求めに応じて役務の提供を行った。

⑾　国外での工事の請負を行った。

⑿　国際電話事業免許を受けた事業者が国際電話料金を受取った。

⒀　国内における広告宣伝のため、国外の事業者（日本国内に支店等を有していない。）から広告料を受取った。

⒁　国際輸送の一環（その契約において明らかにされている。）として貨物の国内輸送を行った

解 答

⑴、⑶、⑷、⑺、⑼、⑿、⒀、⒁

解 説

⑴　本邦からの輸出として行われる資産の譲渡（輸出）は、輸出免税の規定により輸出免税取引となる。

⑵　パスポート交付申請等の事務代行に係る役務の提供については、国内において行う課税資産の譲渡等に該当するが、輸出免税等の規定の適用を受けることができない。

⑶　国外で購入した貨物を国内の保税地域に陸揚げし、輸入手続を経ないで再び国外へ譲渡する場合には、関税法の規定により内国貨物を輸出する場合の手続規定が準用されることから、その貨物の譲渡は、輸出免税の規定により輸出免税の対象となる。

⑷　外航船舶等の修理で船舶運航事業者等の求めに応じて行われるものは、輸出免税の規定により輸出免税取引となる。

⑸　輸出取引を行う事業者に対して行う国内での資産の譲渡等については、輸出免税の規定の適用はない。

⑹　非居住者に対して行われる役務の提供で「国内に所在する資産に係る運送又は保管」、「国内における飲食又は宿泊」、「その他国内において直接便益を享受するもの」以外のものは輸出免税の規定の適用があるが、国内の事業者に対するものについては輸出免税の規定の適用はない。

⑺　非居住者に対する特許権の譲渡は、輸出免税の規定により輸出免税取引となる。

(8)　非居住者に対する役務の提供で国内に所在する資産に係る保管は、輸出免税の規定から除かれ7.8%課税取引となる。

(9)　非居住者に対して行われる役務の提供で「国内に所在する資産に係る運送又は保管」、「国内における飲食又は宿泊」、「その他国内において直接便益を享受するもの」以外のものは、輸出免税の規定により輸出免税取引となる。

(10)　外航船舶等の修理の規定の適用に当たって、「船舶運航事業者等」の求めに応じて行われる修理は、船舶運航事業者等からの直接の求めに応じて行う修理に限られるのであるから、船舶運航事業者等から修理の委託を受けた事業者の求めに応じて行う修理は、輸出免税の規定から除かれ7.8%課税取引となる。

(11)　役務の提供が国外で行われていることから国外取引に該当し、課税対象外取引となる。

(12)　国内及び国内以外の地域にわたって行われる通信は、輸出免税の規定により輸出免税取引となる。

(13)　非居住者に対して行われる役務の提供で「国内に所在する資産に係る運送又は保管」、「国内における飲食又は宿泊」、「その他国内において直接便益を享受するもの」以外のものは、輸出免税の規定により輸出免税取引となる。

(14)　国際輸送として行う貨物の輸送の一部に国内輸送が含まれている場合であっても、その国内輸送が国際輸送の一環としてのものであることが国際輸送に係る契約において明らかにされているときは、その国内輸送は国際輸送に該当するものとして輸出免税の規定により輸出免税取引となる。

Chapter 5

課税標準及び税率Ⅱ

Chapter 1で学習したように、消費税の計算では、まず、「預かった消費税」を求めることから始まります。預かった消費税は、売上げに対する税金であるため、対象となる売上げの金額の正確な把握が必要です。

このChapterでは、これまで見てきた取引を「金額」という側面から見ていきましょう。

Section 1

課税標準の概要

消費税に限らず、税額を計算する場合には、まず「課税標準」というものを求めます。取引を表現する際、例えば「りんごが1つ売れた」など、様々な表現方法があります。しかし、税金はあくまでも「納付税額」という金額で捉えられるため、「りんごを1つ」では計算ができないのです。そこで、税金を計算する際には、行われた取引を「金額」で捉える必要があります。この取引を金額で捉えたものが課税標準です。

1 課税標準とは

理論

課税標準とは、**税額を計算するための基礎となる金額**のことであり、課税資産の譲渡等となる取引を金額で表したものです。この課税標準に基づき消費税額を計算します。

消費税法〈課税標準〉 *01)

第28条① 課税資産の譲渡等（特定資産の譲渡等に該当するものを除く。以下同じ。）に係る消費税の課税標準は、課税資産の譲渡等の対価の額（対価として収受し、又は収受すべき一切の金銭又は金銭以外の物若しくは権利その他経済的な利益の額とし、課税資産の譲渡等につき課されるべき消費税額及びその消費税額を課税標準として課されるべき地方消費税額に相当する額を含まないものとする。）とする。ただし、法人が資産を法人税法に規定する役員に譲渡した場合において、その対価の額がその譲渡の時における当該資産の価額に比し著しく低いときは、その価額に相当する金額をその対価の額とみなす。

第28条④ 保税地域から引き取られる課税貨物に係る消費税の課税標準は、その課税貨物につき関税定率法の規定に準じて算出した価格にその課税貨物の保税地域からの引取りに係る消費税以外の消費税等の額及び関税の額（附帯税の額に相当する額を除く。）に相当する金額を加算した金額とする。

*01) 特定課税仕入れについては、応用編でみていきます。

Section 2 国内取引の課税標準

国内取引の消費税の納付税額の計算を行う上で、まず始めに「預かった消費税」である「課税標準額に対する消費税額」を求めます。
Section 1 で学習したように、課税標準は、取引を金額で捉えていきますが、ここでは具体的な計算方法や金額の捉え方について学習していきます。

1 国内取引の課税標準の概要

理論 計算

課税資産の譲渡等に係る消費税の課税標準は、**課税資産の譲渡等の対価の額（税抜）**とします。

・課税標準額

国内課税売上合計（税込）× $\frac{100}{110}$ ＝×××→××,000円（千円未満切捨）

・課税標準額に対する消費税額[*01)]

課税標準額×税率（7.8%）＝課税標準額に対する消費税額（預かった消費税額）

*01) この計算方法を「割戻し計算」といいます。他に「積上げ計算」があり、Section 5で見ていきます。

2 課税資産の譲渡等の対価の額（法28①、基通10−1−1）

理論 計算

「課税資産の譲渡等の対価の額」とは、課税資産の譲渡等となる取引につき、対価として**収受し、又は収受すべき**一切の金銭又は金銭以外の物若しくは権利その他経済的利益の額をいい、**消費税額等を含まない金額**です。

また、この場合の「収受すべき」とは、その課税資産の譲渡等を行った場合のその課税資産等の価額[*01)]をいうのではなく[*02)]、その譲渡等に係る**当事者間で授受することとした対価の額**をいいます。

商　品 （販売価額 10,000円）	対価の額 10,000円 ‖ 10,000円で販売 → A
	対価の額 3,000円 ‖ 3,000円で安売り → B

*01) 「価額」とは時価を指します。

*02) 資産そのものの価格ではなく実際に取引された金額です。
バーゲンをイメージすると、値引前の値札ではなく、実際に受け取った値引後の金額が対価の額となります。

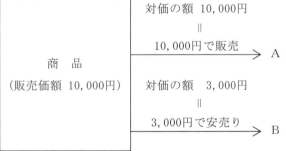

〈経済的利益〉（基通10−1−3）

課税標準で規定されている「金銭以外の物若しくは権利その他経済的な利益」とは、例えば、課税資産の譲渡等の対価として金銭以外の物若しくは権利の給付を受け、又は金銭を無償若しくは通常の利率よりも低い利率で借受けをした場合のように、実質的に資産の譲渡等の対価と同様の経済的効果をもたらすものをいいます。

設例２－１　　課税標準

次の【資料】により、当社の当課税期間（令和７年４月１日～令和８年３月31日）の課税標準額及び課税標準額に対する消費税額を求めなさい。なお、当社は当課税期間まで継続して課税事業者であり、金額は税込みである。また、課税標準額に対する消費税額は割戻し計算の方法による。

【資料】

⑴　国内の事業者への商品売上高：21,900,000円

①　商品（衣料品）売上高の中には、定価5,250,000円の商品を値下販売した商品売上高5,100,000円が含まれている。

②　上記の商品売上高の他に、社内販売により従業員に対し、一律定価の40%引きで販売した際の売上高が600,000円ある。

⑵　固定資産売却益：500,000円

帳簿価額4,500,000円の車両を5,000,000円で売却し、固定資産売却益500,000円を計上したものである。

解答

課税標準額	25,000,000	円
課税標準額に対する消費税額	1,950,000	円

解説　（単位：円）

⑴　課税標準額

21,900,000＋600,000＋5,000,000＝27,500,000

$27,500,000 \times \frac{100}{110} = 25,000,000$（千円未満切捨）

⑵　課税標準額に対する消費税額

25,000,000×7.8%＝1,950,000

〈対価の額とは〉

Chapter２で学習した課税の対象となる４要件で、「対価を得て行われる」という要件を学習しました。

ここでいう対価とは、物などを対価として受け取った場合のように金銭に限らず、資産の譲渡等に対して何らかの「見返り」がある場合に、この見返りを「対価」といいました。

したがって、「対価の額」とは、この「対価」を金額で表したものということになります。

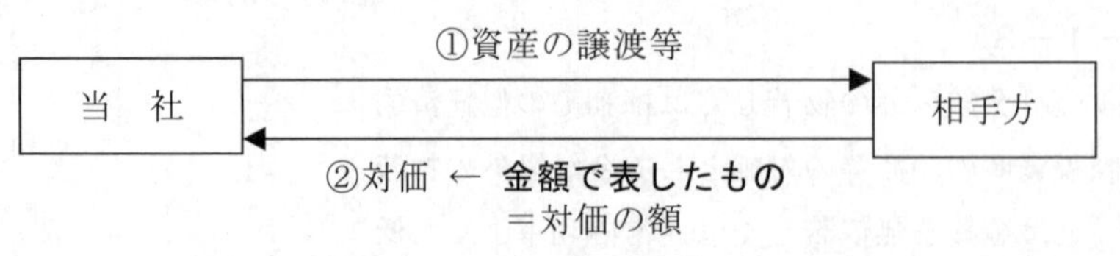

3 低額譲渡とみなし譲渡

2 で学習したように、消費税では原則的に「対価の額」に着目しており、その商品等の時価がいくらであったかは考慮されません。

しかし、対価の額を用いることにより、意図的に消費税を少なく納付する課税回避行為が生じることを防ぐため、以下の２つの取引に関しては、例外的に実際の対価の額がいくらであるかにかかわらず、**時価で計上**することとしています。

1．低額譲渡（法28①、基通10－1－2）

(1) 法人の役員に対する低額譲渡

法人が資産を自社の役員に譲渡した場合で、その対価の額がその譲渡の時におけるその資産の価額と比較して著しく低いときは、**その資産の価額相当額がその対価の額とみなされます。**

低額譲渡に該当するか否かの判定は、以下の要件を満たすか否かにより判断し、低額譲渡に該当する場合は、**通常の販売価額（時価）に相当する金額を課税標準額とします。**

棚卸資産	譲渡対価 ＜ 課税仕入れに係る金額 又は 譲渡対価 ＜ 通常の販売価額×50%
棚卸資産以外の資産	譲渡対価 ＜ 譲渡時の価額（時価）×50%

(2) 適用除外

法人が資産を役員に対し著しく低い価額により譲渡した場合においても、その資産の譲渡が、役員及び使用人の全部につき一律に又は勤続年数等に応ずる合理的な基準により普遍的に定められた値引率に基づいて行われた場合は、低額譲渡に該当しません。

設例2－2　低額譲渡

次の【資料】により、当社の当課税期間（令和７年４月１日～令和８年３月31日）の課税標準額を求めなさい。なお、当社は当課税期間まで継続して課税事業者であり、資料の金額は税込みである。また、商品はいずれも衣料品（課税資産）に該当するものとする。

【資料】

(1) 国内の事業者への商品売上高　22,000,000円

(2) 当社の役員への商品売上高　1,200,000円

なお、当社役員へ販売した商品の通常販売価額は2,100,000円であり、課税仕入れの金額は1,500,000円である

(3) 得意先の役員への商品売上高　630,000円

なお、得意先の役員へ販売した商品の通常販売価額は1,000,000円であり、課税仕入れの金額は700,000円である。

(4) 当社の役員への車両売却高　350,000円

なお、当社の役員へ売却した車両は帳簿価額720,000円、譲渡時の価額840,000円であった。

解答　課税標準額　23,245,000　円

解説　（単位：円）

⑴　課税標準額

商品売上（22,000,000＋630,000）＋役員低額（2,100,000＊1＋840,000＊2）

＝25,570,000

＊1　1,200,000 ＜ 1,500,000　∴ 低額譲渡に該当　2,100,000を計上

＊2　350,000 ＜ 840,000×50％＝420,000　∴ 低額譲渡に該当　840,000を計上

$25,570,000\times\frac{100}{110}$ ＝23,245,454 → 23,245,000（千円未満切捨）

計算過程欄は、問題文のどの計算を行っているのかを、計算過程を読んだだけで判断できるように記載する必要があります。低額譲渡やみなし譲渡の判定は、解答の計算根拠となる部分ですので、実際に答案用紙に記載します。

2．みなし譲渡（法4⑤、法28③、基通10－1－18）

個人事業者が家事消費を行った場合又は**法人が資産をその役員に対して贈与を行った場合**はみなし譲渡に該当し、課税の対象となります。

- 個人事業者が棚卸資産等の事業用資産を家事のために消費し、又は使用した場合
- 法人が資産をその役員に対して贈与した場合

なお、みなし譲渡に該当する場合の課税標準は、以下のようになります。

棚卸資産	課税仕入れに係る金額 通常の販売価額×50％	**いずれか大きい方の金額**
棚卸資産以外の資産	譲渡時の価額（時価）	

設例2－3　みなし譲渡⑴

次の【資料】により、当社の課税標準額を求めなさい。なお、当社は当課税期間（令和7年4月1日～令和8年3月31日）まで継続して課税事業者であり、資料の金額は税込みである。また、商品はいずれも衣料品（課税資産）に該当するものである。

【資料】

⑴　国内の事業者への商品売上高　22,000,000円

⑵　当社の役員へ商品（仕入価額140,000円、販売価額200,000円）を贈与している。

⑶　当社の従業員へ商品（仕入価額200,000円、販売価額300,000円）を贈与している。

⑷　当社の役員へ備品（購入価額1,000,000円、時価3,000,000円）を贈与している。

⑸　得意先の役員へ備品（購入価額500,000円、時価700,000円）を贈与している。

解答　課税標準額　22,854,000　円

解説（単位：円）

⑴　課税標準額

商品売上22,000,000＋みなし譲渡（140,000*[1]＋3,000,000）＝25,140,000

＊1　　140,000 ＞ 200,000×50％＝100,000　　∴　140,000を計上

$25,140,000 \times \frac{100}{110}$ ＝22,854,545 → 22,854,000（千円未満切捨）

⑶当社の従業員に対する贈与、⑸得意先の役員に対する贈与は、みなし譲渡に該当しません。

設例２−４　　みなし譲渡⑵

次の【資料】により、個人事業者Ｎ氏の当課税期間（令和７年１月１日〜令和７年12月31日）の課税標準額を求めなさい。なお、Ｎ氏は当課税期間まで継続して課税事業者であり、資料の金額は税込みである。また、商品はいずれも電化製品（課税資産）に該当するものである。

【資料】

⑴　国内の消費者への商品売上高　　2,000,000円

⑵　商品（仕入価額100,000円、販売価額240,000円）を自家消費している。

解答　課税標準額　1,927,000　円

解説（単位：円）

⑴　課税標準額

商品売上2,000,000＋みなし譲渡120,000*[1]＝2,120,000

＊1　　100,000 ＜ 240,000×50％＝120,000　　∴　120,000を計上

$2,120,000 \times \frac{100}{110}$ ＝1,927,272 → 1,927,000（千円未満切捨）

4　資産の譲渡等に類する行為に係る対価の額

資産の譲渡等に類する行為に係る対価の額としては、主に以下のようなものがあります。

1．代物弁済による資産の譲渡（令45②一）

代物弁済とは、債務者が本来弁済することとなっている給付に代えて、他の給付をすることにより債務を弁済することです*01)。

代物弁済による資産の譲渡の場合は、**代物弁済により消滅する債務の額**（その代物弁済により譲渡される資産の価額がその債務の額を超える額に相当する金額につき支払を受ける場合は、その支払を受ける金額を加算した金額）に相当する金額をもって対価の額とします。

*01) 例えば、金銭債務を、現金の代わりに土地を引き渡して弁済することです。

対価の額	・差金の受取りがある場合 代物弁済により消滅する債務の額 ＋ **受け取った金銭の額** ・差金の支払がある場合 代物弁済により消滅する債務の額 − **支払った金銭の額**

設例２－５　　代物弁済による資産の譲渡

次の【資料】により、当社の当課税期間（令和７年４月１日～令和８年３月31日）の課税標準額を求めなさい。なお、当社は当課税期間まで継続して課税事業者であり、資料の金額は税込みである。また、商品はいずれも電化製品（課税資産）に該当するものである。

【資料】

⑴　得意先からの借入金500,000円の返済にあたり、商品（通常販売価額700,000円）を得意先に引き渡し、100,000円を得意先より受け取った。

⑵　得意先からの借入金1,000,000円の返済にあたり、絵画（時価900,000円）を得意先に引き渡し、150,000円を得意先に支払った。

解答

課税標準額　1,318,000　円

解説　（単位：円）

⑴　課税標準額

（500,000＋100,000）＋（1,000,000－150,000）＝1,450,000

$1,450,000 \times \frac{100}{110}$ ＝1,318,181 → 1,318,000（千円未満切捨）

2．負担付き贈与による資産の譲渡（令45②二）

負担付き贈与とは、受贈者に一定の債務を負担させることを条件にした財産の贈与をいいます*02)。

負担付き贈与による資産の譲渡の場合は、その**負担付き贈与に係る負担の価額**に相当する金額をもって対価の額とします。

*02) 例えば、土地を譲り受ける代わりに、土地の譲渡人の債務もあわせて引き受けることです。

対価の額	その負担付き贈与に係る負担の価額に相当する金額

設例２－６　　負担付き贈与による資産の譲渡

次の【資料】により、当社の当課税期間（令和７年４月１日～令和８年３月31日）の課税標準額を求めなさい。なお、当社は当課税期間まで継続して課税事業者であり、資料の金額は税込みである。

【資料】

得意先に対し、銀行からの借入金500,000円を肩代わりしてもらうことを条件に、車両（帳簿価額520,000円、時価550,000円）を贈与した。

解答

課税標準額　454,000　円

解説　（単位：円）

⑴　課税標準額

$500,000 \times \frac{100}{110}$ ＝454,545 → 454,000（千円未満切捨）

3. 金銭以外の資産の出資（令45②三）

金銭以外の資産の出資（現物出資）とは、株式会社の設立、新株発行の際、金銭以外の財産をもって出資に充てることをいいます。

金銭以外の資産の出資による資産の譲渡の場合は、その**出資により取得する株式（出資を含む）の取得の時における価額に相当する金額**をもって対価の額とします。

対価の額	その出資により取得する株式の取得時における価額

設例2－7　金銭以外の資産の出資

次の【資料】により、当社の当課税期間（令和７年４月１日～令和８年３月31日）の課税標準額を求めなさい。なお、当社は当課税期間まで継続して課税事業者であり、資料の金額は税込みである。

【資料】

当社は、仕入先Ｌ社に建物（帳簿価額35,000,000円）を出資し、Ｌ社株式（時価40,000,000円）を取得した。

解答　課税標準額　36,363,000 円

解説　（単位：円）

⑴　課税標準額

$40,000,000 \times \frac{100}{110}$ ＝36,363,636 → 36,363,000（千円未満切捨）

4. 特定受益証券発行信託、法人課税信託の委託者が金銭以外の資産の信託をした場合におけるその資産の移転等（令45②五）

その資産の移転等の時の資産の価額*03)

*03) 詳しくは、応用編で学習します。

5. 資産の交換（令45②四）

資産の交換とは、所有している金銭以外の資産と、他の者が所有している金銭以外の資産を交換する取引のことをいいます。

交換による資産の譲渡等の場合は、その**交換により取得する資産の取得の時における価額**（その交換により譲渡する資産の価額とその交換により取得する資産の価額との差額を補うための金銭を取得するときは、その取得する金銭の額を加算した金額とし、その差額を補うための金銭を支払うときは、その支払う金銭の額を控除した金額とする。）に相当する金額をもって対価の額とします。

対価の額	・交換差金の受取りがある場合 取得資産の時価＋**受け取った金銭の額** ・交換差金の支払いがある 取得資産の時価－**支払った金銭の額**

〈資産の交換の仕入計上金額について〉 

交換による資産の譲渡は、自己所有の資産を譲渡すると同時に、資産を取得しているので、売上げと仕入れが同時に発生することになります。[*04)]

仕入計上金額	・交換差金の受取りがある場合 引渡資産の時価－受け取った金銭の額 ・交換差金の支払がある 引渡資産の時価＋支払った金銭の額

*04) 詳しくはChapter 7 仕入税額控除で学習します。

設例２－８　資産の交換

次の【資料】により、当社の当課税期間（令和７年４月１日～令和８年３月31日）課税標準額を求めなさい。なお、当社は当課税期間まで継続して課税事業者であり、資料の金額は税込みである。

【資料】

⑴ 当社は、当社が保有する建物（帳簿価額30,000,000円、時価32,000,000円）とＡ社保有する建物（時価34,000,000円）を交換し、交換差金2,000,000円を支払った。

⑵ 当社は、当社が保有する機械装置（帳簿価額360,000円、時価400,000円）とＢ社が保有する機械装置(時価370,000円)を交換し、交換差金30,000円を受け取った。

解答　課税標準額　29,454,000 円

解説（単位：円）

⑴ 課税標準額

(34,000,000－2,000,000)＋(370,000＋30,000)＝32,400,000

$32,400,000 \times \frac{100}{110}$ ＝29,454,545 → 29,454,000（千円未満切捨）

5 一括譲渡

1．一括譲渡の意義（令45③）

一括譲渡とは、事業者が課税資産の譲渡等に係る資産（課税資産）と課税資産の譲渡等以外の資産の譲渡等に係る資産（非課税資産）とを**同一の者に対して同時に譲渡すること**です。[*01)]。

*01) 例えば、土地付建物を譲渡する場合等が該当します。

2．一括譲渡の計算方法

(1) **合理的に区分されている場合**

課税資産と非課税資産が**合理的に区分されている場合**には、**その区分された金額をもって対価の額**とします[*02)]。

*02) 合理的に区分されている場合とは、例えば売買契約書等にそれぞれの資産の金額の内訳が記載されている場合をいいます。

(2) **合理的に区分されていない場合**

課税資産と非課税資産が**合理的に区分されていない場合**には、その課税資産の譲渡等に係る消費税の課税標準は、次の算式により計算した金額となります。

$$\text{一括譲渡の対価の額} \times \frac{\text{課税資産の価額}}{\text{課税資産の価額}+\text{非課税資産の価額}}$$

合理的に区分されている場合	その区分された金額	課税資産に係る部分	課税売上げ
		非課税資産に係る部分	非課税売上げ
合理的に区分されていない場合	時価に基づき合理的に区分する	課税資産に係る部分	課税売上げ
		非課税資産に係る部分	非課税売上げ

〈平成25年度第65回税理士試験出題問題〉

課税資産と非課税資産の合計金額の記載しかない場合においても、その金額に含まれる消費税額の記載がある場合には、消費税額から逆算して課税資産の譲渡等の対価の額が求められるため、区分されていない場合に該当しない。

（例）譲渡対価1,000万円（うち消費税額50万円）

課税資産の譲渡等の対価の額

50万円÷10％＝500万円

500万円＋50万円＝550万円

非課税資産の譲渡等の対価の額

1,000万円－550万円＝450万円

設例２－９ 一括譲渡

次の【資料】により、それぞれの場合の課税売上高と非課税売上高を求めなさい。

【資料】

⑴　当社は、当社が保有する土地付建物を12,000,000円で売却した。なお、売買契約書に建物の売却価額5,000,000円、土地売却価額7,000,000円が明記されている。

⑵　当社は、当社が保有する土地付建物を20,000,000円で売却した。なお、売却した建物と土地の時価の比は２：８である。

解答

⑴	課税売上高	5,000,000	円
	非課税売上高	7,000,000	円
⑵	課税売上高	4,000,000	円
	非課税売上高	16,000,000	円

解説　（単位：円）

⑴　合理的に区分されている場合

建物：5,000,000（課税売上高）　　土地：7,000,000（非課税売上高）

⑵　合理的に区分されていない場合

建物：$20,000,000\times\frac{2}{2+8}=4,000,000$（課税売上高）

土地：$20,000,000\times\frac{8}{2+8}=16,000,000$（非課税売上高）

6　その他の事項　計算

上記のほかに、課税標準額には、以下の留意点があります。

1．印紙税等に充てられるため受け取る金銭等（基通10－1－4）

事業者が課税資産の譲渡等に関連して受け取る金銭等のうち、その事業者（売り手側）が国又は地方公共団体に対して本来納付すべき印紙税、手数料等に相当する金額が含まれているときは、その印紙税、手数料等に相当する金額は、その**課税資産の譲渡等の金額から控除することはできません。**[*01]。

なお、課税資産の譲渡等を受ける者（買い手側）が本来納付すべき登録免許税、自動車重量税、自動車取得税及び手数料等について登録免許税等として受け取ったことが明らかな場合は、**課税資産の譲渡等の金額に含まれません。**

対価の額に含める	印紙税	売り手（課税資産の譲渡等を行った者）が納付すべきもの
対価の額に含めない	登録免許税 自動車重量税 自動車取得税 行政手数料	買い手（課税資産の譲渡等を受けた者）が納付すべきもの（立替金等として区分が明確にされているもの）

*01）印紙税については、飲食店で収入印紙を貼られた領収書を受け取るときなどのように、通常印紙代は売り手が負担すべきものなので、本来は、税金の負担分を相手に請求することはできません。
したがって、印紙の負担分として別途収受している場合には、この部分も販売代金の一部を構成するものと捉え、売り手側の課税標準に含めます。
これに対して、自動車取得税等は、自動車の所有者が負担すべき税金であるため、販売会社の請求書にこれらの税金の金額が記載されていても、所有者の払うべき税金を立替払いした分の請求にすぎず、売り手側の課税標準には含めません。

2．未経過固定資産税等の取扱い（基通10－1－6）

固定資産税等の課税の対象となる資産の譲渡に伴ってその資産に対して課された固定資産税等に、譲渡時において未経過分がある場合、その未経過分に相当する金額をその資産の譲渡について収受する金額とは別に収受している場合であっても**未経過分に相当する金額はその資産の譲渡の金額に含まれます**。

なお、固定資産税等がその資産の名義変更をしなかったこと等により資産の譲渡をした事業者に対して課された場合に、その事業者が資産を購入した者からその固定資産税等に相当する金額を収受するときは、その金額は資産の譲渡等の対価に該当しません。

対価の額に含める	固定資産税 自動車税 等	**譲渡時において未経過分がある場合**
対価の額に含めない		名義変更をしなかったこと等により資産の譲渡をした事業者に対して課された場合*02)

*02) 譲渡が行われた後、本来は名義変更により納税義務者が変わるはずだが、名義変更をしなかったため、元の所有者に引き続き固定資産税の請求が来てしまったケースです。
このケースの場合には、実質的な納税義務者は、変更されていますので、当事者間での精算額は税金そのものの精算とみなされます。

〈未経過固定資産税とは〉

固定資産税の納税義務者は、**課税年度の１月１日における固定資産の所有者**であり、課税年度の途中で取得した場合には、その年度においては**購入した者には納税義務は発生しません**。

しかし、不動産売買の慣例上、譲渡した者が負担した固定資産税のうち、売却日以後の期間に相当する部分の金額を「固定資産税精算金」等の名目で不動産の購入代金に上乗せすることにより、当事者間で精算をする場合があります。

この際に、売却日以後の精算金として譲渡対価に上乗せされた部分を「未経過固定資産税」といいます。

この「未経過固定資産税」は、当事者間での単なる契約上の価格調整にすぎず、税金の返還分にはあたらないため、課税標準に含めます。

設例2－10　印紙税等・未経過固定資産税

次の【資料】により、当社の課税売上げの金額を求めなさい。

【資料】

(1)　当社は、得意先に販売価額1,000,000円の乗用車を販売し、得意先から自動車取得税50,000円とともに1,050,000円を現金で受け取った。

(2)　当社は、当社が保有する建物を10,000,000円で売却し、未経過の固定資産税50,000円とともに現金で受け取った。

解答　課税売上げ　11,050,000 円

解説　（単位：円）

乗用車販売1,000,000＋建物売却（10,000,000＋50,000）＝11,050,000

3. 個別消費税の取扱い（基通10－1－11）

課税資産の譲渡等の対価の額には、酒税、たばこ税、揮発油税、石油石炭税、石油ガス税等が含まれます。

一方、**軽油引取税**、**ゴルフ場利用税**及び**入湯税**は、利用者等が納税義務者となっているので**対価の額には含まれません**。

ただし、その税額に相当する金額について明確に区分されていない場合は、対価の額に含まれます。

対価の額に含める	酒税 たばこ税 揮発油税 石油石炭税 石油ガス税	
対価の額に含めない	軽油引取税*03) ゴルフ場利用税*03) 入湯税*03)	※　金額が明確に区分されていない場合には、対価の額に含まれます。

*03) この3つの税金の名称だけ押さえましょう。

設例2－11　個別消費税等の取扱い

次の【資料】により、当社の課税売上げの金額を求めなさい。

【資料】

当社（ゴルフ場経営）は、ゴルフ場利用者からゴルフプレー代100,000円（うち、ゴルフ場利用税3,500円）を受け取った。

解答　課税売上げ　96,500 円

解説　（単位：円）

プレー代金100,000－ゴルフ場利用税3,500＝96,500

4. 源泉所得税がある場合の課税標準（基通10－1－13） 

事業者が課税資産の譲渡等に際して収受する金額が、源泉所得税に相当する金額を控除された残額である場合でも、**源泉所得税控除前の金額を対価の額**とします。

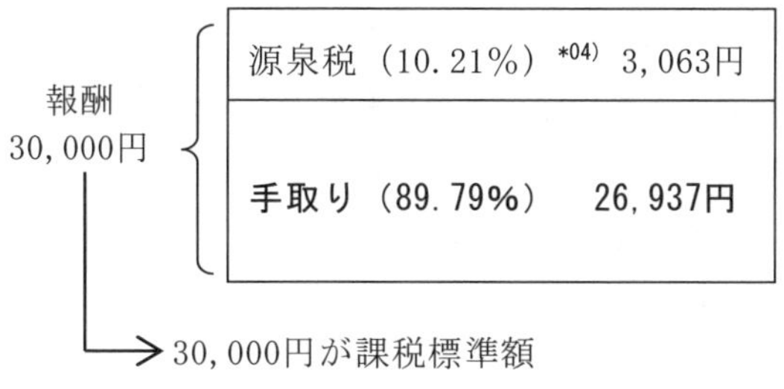

*04) 源泉所得税（10%）に併せて復興特別所得税（源泉所得税の2.1%）が源泉徴収されるため、合計で10.21%の所得税が控除されます。

5. 資産の貸付けに伴う共益費（基通10－1－14）

建物等の資産の貸付けに際し賃貸人がその賃借人から収受する電気、ガス、水道料等の実費に相当する共益費は、**建物等の資産の貸付けに係る対価に含まれます**[*05)]。

*05) 家賃の一部と捉えます。

6. 下取り（基通10－1－17）

課税資産の譲渡等に際して資産の下取りを行った場合、その課税資産の譲渡等の金額について、その**下取りに係る資産の価額を控除した後の金額とすることはできません。**

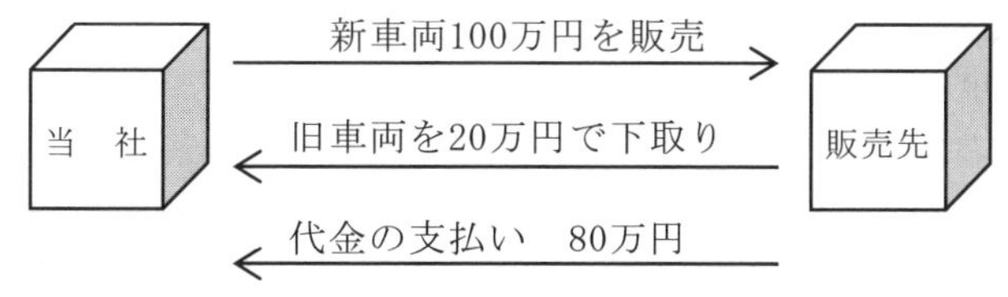

	売り手側（当社）	買い手側（販売先）
新車両の販売金額 100万円	課税売上高 （課税標準）	課税仕入れ （仕入税額控除）*06)
旧車両の下取り金額 20万円	課税仕入れ （仕入税額控除）*06)	課税売上高 （課税標準）

*06) 仕入税額控除についてはChapter 7で学習していきます。

設例2－12　下取り

次の【資料】により、当社及び得意先の課税売上げの金額をそれぞれ求めなさい。

【資料】

当社は、得意先より中古車両を500,000円で下取りし、得意先に対し新車両を1,200,000円で販売した。新車両販売価額と中古車両下取価額との差額700,000円については現金で受け取った。

解答

当社の課税売上げ	1,200,000	円
得意先の課税売上げ	500,000	円

7．家事共用資産の譲渡（基通10－1－19）

個人事業者が、事業と家事の用途に共通して使用するものとして取得した資産を譲渡した場合には、その譲渡に係る金額を**事業としての部分と家事使用に係る部分に合理的に区分**します。この場合、事業としての部分に係る対価の額が資産の譲渡等の対価の額となります[*07]。

*07) 詳しくは応用編で学習します。

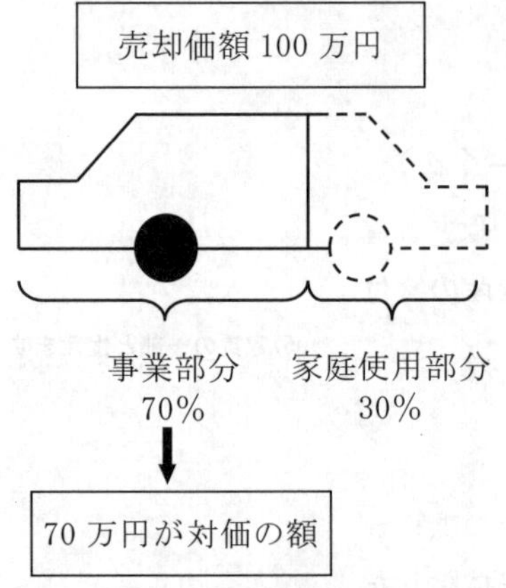

対価の額に含める	事業としての部分
対価の額に含めない	家事使用に係る部分

設例2－13　家事共用資産の譲渡

次の【資料】により、個人事業者Nの課税売上げの金額を求めなさい。

【資料】

個人事業者Nは、3階建の店舗兼住宅を3,000,000円（建物部分相当額）で譲渡した。

この店舗兼住宅について、購入時より1階店舗部分のみを事業の用に供しており、2階、3階部分は、Nの自宅として使用している。

なお、各階の床面積は同一である。

解答　課税売上げ　1,000,000　円

解説　（単位：円）

$$3,000,000 \times \frac{1}{1+2} = 1,000,000$$

8．譲渡等に係る対価が確定していない場合の見積り（基通10－1－20）

事業者が資産の譲渡等を行った場合において、その資産の譲渡等をした日の属する課税期間の末日までにその対価の額が確定していないときは、その金額を適正に見積ります*08)。

この場合、**その後確定した対価の額が見積額と異なるときは、その差額は、その確定した日の属する課税期間における資産の譲渡等の対価の額に加算し、又は対価の額から減算します。**

*08) 見積額が記載された適格請求書の交付を行います。

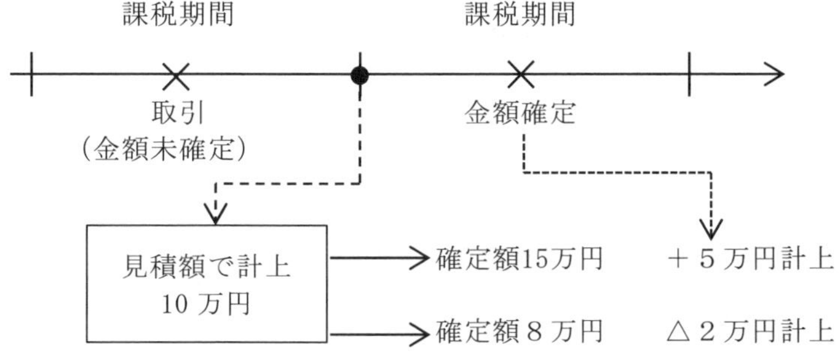

設例２－14　譲渡等に係る対価が確定していない場合の見積り

次の【資料】により、当社の当課税期間（令和７年４月１日～令和８年３月 31 日）及び翌課税期間（令和８年４月１日～令和９年３月 31 日）の課税売上げの金額を求めなさい。

【資料】

⑴　当社は、当課税期間中に得意先に販売し代金が未確定であった課税資産につき、課税期間末日に 300,000 円と販売価額を見積もった適格請求書を得意先に交付した。

⑵　上記⑴の課税資産の販売代金につき、翌課税期間になって 325,000 円と確定したため確定額が記載された適格請求書を交付し、得意先から販売代金を受け取った。

解答

当課税期間の課税売上げ	300,000	円
翌課税期間の課税売上げ	25,000	円

解説　（単位：円）

当課税期間：課税期間の末日に適正に見積もられた金額を課税売上げとします。

翌課税期間：見積額と確定した対価の額との差額を計上します。

325,000－300,000＝25,000（追加計上）

Section 3

輸入取引の課税標準

Chapter２で輸入取引は「保税地域から引き取られる外国貨物」を課税の対象としていることを学習しました。

それでは、輸入取引の課税標準はどのように求めるのでしょうか？

1 輸入取引に係る課税標準（法28④）

保税地域から引き取られる課税貨物に係る消費税の課税標準は、**課税貨物の引取価格に、課税貨物の保税地域からの引取りに係る消費税以外の消費税等の額及び関税の額に相当する金額を加算した金額**とします。

具体的には、以下のように計算します。

> **輸入取引に係る課税標準*01)**
>
> **輸入取引に係る課税標準＝関税課税価格＋個別消費税額＋関税額**

*01) 輸入取引の課税標準は、国内の保税地域に陸揚げするまでにかかった費用のすべての合計金額となります。

2 関税課税価格（CIF価格）*01)

理論　計算

関税課税価格とは、売り手に対する**支払価格に運賃や保険料等の諸費用を加算した金額**です。

具体的には、以下のように計算します。

> **関税課税価格**
>
> **関税課税価格＝支払価格＋輸入港までの運賃＋保険料等**

*01) ＣＩＦ価格とは
・Cost（価格）
・Insurance（保険料）
・Freight（運賃）
の合計額という意味です。輸入した貨物が日本の港に到着するまでにかかった費用の合計金額です。

3 個別消費税額

計算

個別消費税額とは、酒税、たばこ税、揮発油税、石油石炭税、石油ガス税等をいいます。

これらの個別消費税額は、国内取引と同様に、**課税標準額に含めて計算**します*01)。

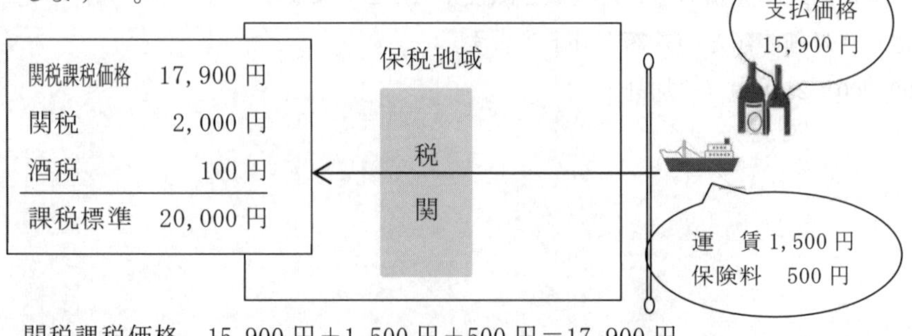

関税課税価格　15,900円＋1,500円＋500円＝17,900円
課税標準　17,900円＋2,000円＋100円＝20,000円
消費税　20,000円×7.8%＝1,560円

*01) これらの税金は、対象となる商品が国内で製造される際には製造したメーカーが出荷時に納める税金であり、Section２で学習したように小売店においては販売価格の一部を構成するため、課税標準に含まれますが、対象となる商品を輸入した場合には、輸入した者が引取り時に納付しなければならず、消費税や関税とともに申告し、納付します。
この際に、納付された個別消費税も国内取引と同様に課税標準を構成します。

Section 4

税率

私たちが普段支払っている消費税10%という税率は、正確には国税と地方税で構成されている税率だということをChapter1で学習しました。
ここでは、もう一度、消費税の税率について学習します。

1 消費税の税率（法29）

理論 計算

消費税の税率は7.8%[*01]です。

また、地方消費税は7.8%の税額に対する$\frac{22}{78}$、すなわち2.2%（7.8%×$\frac{22}{78}$）とされています。

国税部分	7.8%
地方税部分	7.8%×$\frac{22}{78}$ ＝2.2%

*01) 令和元年10月1日以後の取引について適用されます。
令和元年9月30日以前の税率は、6.3%（地方消費税1.7%）です。

消費税法〈税率〉
第29条　消費税の税率は、次の各号に掲げる区分に応じ当該各号に定める率とする。
一　課税資産の譲渡等（軽減対象課税資産の譲渡等を除く。）、特定課税仕入れ及び保税地域から引き取られる課税貨物（軽減対象課税貨物を除く。）　7.8%
二　軽減対象課税資産の譲渡等及び保税地域から引き取られる軽減対象課税貨物　6.24%

2 軽減税率

計算

1．軽減税率（法29）

	国税	地方消費税	合　計
標準税率	7.8%	2.2%	10%
軽減税率	**6.24%**	**1.76%**	**8%**

2．軽減税率対象資産（法2①九の二）

(1) **国内取引**

国内取引に係る軽減税率の適用対象は，課税資産の譲渡等のうち，次の①又は②に該当するものです。

① **飲食料品**（食品表示法に規定する食品[*01]（酒税法に規定する酒類を除く。以下「食品」という。）をいい、食品と食品以外の資産が一の資産を形成し，又は構成しているもののうち一定の資産[*02]

*01) 工業用原材料として取引される塩、観賞用・栽培用として取引される植物及びその種子は、飲食が可能なものであっても「食品」に該当しない。
なお、人の飲用又は食用に供されるものとして譲渡した食品が，購入者により他の用途に供されたとしても，その食品の譲渡は、「飲食料品の譲渡」に該当する。

を含む。）**の譲渡**（次に掲げる課税資産の譲渡等は、**含まないもの**とする。）

イ　**飲食店業その他の一定の事業を営む者が行う食事の提供**（テーブル、椅子、カウンターその他の飲食に用いられる設備の場所において飲食料品を飲食させる役務の提供*03)をいう。）

ロ　**課税資産の譲渡等の相手方が指定した場所において行う加熱、調理又は給仕等の役務を伴う飲食料品の提供***04) *05)

*02) 食品と食品以外の資産が一の資産を形成し、又は構成しているもののうち、その対価の額（税抜）が1万円以下であり、かつ、その一体資産の価額のうちにその一体資産に含まれる食品部分の価額の占める割合として合理的な方法により計算した割合が3分の2以上のもの

*03) 飲食料品を持帰りのための容器に入れ、又は包装を施して行う譲渡は、含みません

*04) いわゆる「ケータリング」のことです。

*05) 有料老人ホームその他の人が生活を営む場所として一定の施設において行う一定の飲食料品の提供は除きます。

②　一定の題号を用い、政治、経済、社会、文化等に関する一般社会的事実を掲載する**新聞**（１週に２回以上発行する新聞に限る。）**の定期購読契約に基づく譲渡**

⑵　**輸入取引**

輸入取引に係る軽減税率の適用対象は，保税地域から引き取られる課税貨物のうち，上記①の**飲食料品**に該当するものです。

3. 軽減税率が適用される場合の課税標準額及び課税標準額に対する消費税額の計算

・課税標準額

⑴　標準税率適用分

国内課税売上合計（税込）$\times\frac{100}{110}$ ＝×××→××,000円(A)（千円未満切捨）

⑵　軽減税率適用分

国内課税売上合計（税込）$\times\frac{100}{108}$ ＝×××→××,000円(B)（千円未満切捨）

⑶　合　計

⑴＋⑵＝××,000円

・課税標準額に対する消費税額

⑴　標準税率適用分

(A)×税率（7.8%）＝××,×××円

⑵　軽減税率適用分

(B)×税率（6.24%）＝××,×××円

⑶　合　計

⑴＋⑵＝××,×××円

設例4－1 軽減税率がある場合の課税標準額に対する消費税額

次の【資料】により、食料品販売業を営む当社の当課税期間（令和7年4月1日～令和8年3月31日）の課税標準額に対する消費税額を求めなさい。なお、当社は税込経理方式を採用している。また、課税標準額に対する消費税額は割戻し計算の方法によるものとする。

【資料】

当社の当課税期間の売上高の内訳は、次のとおりであった。

⑴	食品表示法に規定する食品の売上高	24,560,000円
⑵	お酒の売上高	18,734,000円
⑶	雑貨類の売上高	6,248,900円

解答 課税標準額に対する消費税額 3,190,434 円

解説 （単位：円）

1．課税標準額

⑴ 標準税率適用分

18,734,000＋6,248,900＝24,982,900

$24,982,900 \times \frac{100}{110} = 22,711,727$ → 22,711,000（千円未満切捨）

⑵ 軽減税率適用分

$24,560,000 \times \frac{100}{108} = 22,740,740$ → 22,740,000（千円未満切捨）

⑶ 合計

⑴＋⑵＝45,451,000

2．課税標準額に対する消費税額

⑴ 標準税率適用分

22,711,000×7.8％＝1,771,458

⑵ 軽減税率適用分

22,740,000×6.24％＝1,418,976

⑶ 合計

⑴＋⑵＝3,190,434

4．一括譲渡の計算方法

事業者が次に掲げる資産の区分のうち異なる2以上の区分の資産を同一の者に対して同時に譲渡した場合の対価の額は、次のとおりとします。

イ 課税資産の譲渡等（軽減対象課税資産の譲渡等に該当するものを除く。）に係る資産

ロ 軽減対象課税資産の譲渡等に係る資産

ハ 非課税資産の譲渡等に係る資産

(1)　合理的に区分されている場合

合理的に区分されている場合には、その**区分された金額をもって対価の額とします。**

(2)　合理的に区分されていない場合

合理的に区分されていない場合には、対価の額は次の算式により計算した金額とします。

①　課税資産の譲渡等（軽減対象課税資産の譲渡等に該当するものを除く。）に係る資産の譲渡対価の額

$$一括譲渡対価の額 \times \frac{イの資産の価額}{イ〜ハの資産の価額の合計額}$$

②　軽減対象課税資産の譲渡等に係る資産の譲渡対価の額

$$一括譲渡対価の額 \times \frac{ロの資産の価額}{イ〜ハの資産の価額の合計額}$$

③　非課税資産の譲渡等に係る資産の譲渡対価の額

$$一括譲渡対価の額 \times \frac{ハの資産の価額}{イ〜ハの資産の価額の合計額}$$

設例４－２　一括譲渡の場合の課税標準額に対する消費税額

次の【資料】により、食料品販売業を営む当社の当課税期間（令和７年４月１日〜令和８年３月31日）の課税標準額に対する消費税額を求めなさい。なお、当社は税込経理方式を採用している。また、課税標準額に対する消費税額は割戻し計算の方法によるものとする。

【資料】

当社は以下の商品を同一の者に対して同時に譲渡し、譲渡対価として30,000円を受取った。

(1)　お酒（通常販売価額19,200円）

(2)　お酒のおつまみセット（食料品に該当するもの。通常販売価額9,600円）

(3)　ビール券（通常販売額3,200円）

解答　**課税標準額に対する消費税額**　1,747　円

解説　（単位：円）

1．課税標準額

(1)　標準税率適用分

$$30,000 \times \frac{19,200}{19,200+9,600+3,200} = 18,000$$

$$18,000 \times \frac{100}{110} = 16,363 \rightarrow 16,000$$（千円未満切捨）

(2)　軽減税率適用分

$$30,000 \times \frac{9,600}{19,200+9,600+3,200} = 9,000$$

$$9,000 \times \frac{100}{108} = 8,333 \rightarrow 8,000$$（千円未満切捨）

(3)　合計

(1)＋(2)＝24,000

2．課税標準額に対する消費税額

(1) 標準税率適用分

16, 000×7. 8%＝1, 248

(2) 軽減税率適用分

8, 000×6. 24%＝499

(3) 合計

(1)＋(2)＝1, 747

Section 5 課税標準額に対する消費税額の計算の特例

課税標準額に対する消費税額の計算は、今迄見てきました「割戻し計算」を原則としますが、適格請求書発行事業者については、適格請求書に記載のある消費税額等を積み上げて計算する「積上げ計算」を行うことができます。

ここでは、「積上げ計算」について学習していきましょう。

1 税額計算の方法

1. 原則法（割戻し計算）

税率の異なるごとに区分した課税標準額につき、税率の異なるごとに標準税率又は軽減税率を乗じて算出した金額を合計する方法により算出する方法

・課税標準額

(1) 標準税率適用分

国内課税売上合計（税込）$\times \frac{100}{110}$ ＝×××→××,000円(A)（千円未満切捨）

(2) 軽減税率適用分

国内課税売上合計（税込）$\times \frac{100}{108}$ ＝×××→××,000円(B)（千円未満切捨）

(3) 合　計

(1)＋(2)＝××,000円

・課税標準額に対する消費税額

(1) 標準税率適用分

(A)×税率（7.8%）＝××,×××円

(2) 軽減税率適用分

(B)×税率（6.24%）＝××,×××円

(3) 合　計

(1)＋(2)＝××,×××円

2. 特例（積上げ計算）[*01)]

課税期間中に国内において行った課税資産の譲渡等につき交付した適格請求書又は適格簡易請求書の写しを保存している場合には、その適格請求書に記載した消費税額等の金額を基礎として一定の方法により計算する方法

*01) 取引先ごと又は事業ごとにそれぞれ別の方式によるなど、割戻し計算と積上げ計算を併用することができます。

・課税標準額

(1) 標準税率適用分

（国内課税売上合計（税込））－（適格請求書等に記載した消費税額等の合計額）＝×××→××,000円（千円未満切捨）

(2) 軽減税率適用分

（国内課税売上合計（税込））－（適格請求書等に記載した消費税額等の合計額）＝×××→××,000円（千円未満切捨）

(3) 合　計

(1)＋(2)＝××,000円

・課税標準額に対する消費税額

(1) 標準税率適用分

適格請求書等に記載した消費税額等の合計額×$\frac{78}{100}$ [*02)]

(2) 軽減税率適用分

適格請求書等に記載した消費税額等の合計額×$\frac{78}{100}$ [*02)]

(3) 合　計

(1)＋(2)

*02) 消費税額等の中に消費税の占める割合です。

標準税率 $\frac{7.8\%}{10\%}=\frac{78}{100}$

軽減税率 $\frac{6.24\%}{8\%}=\frac{78}{100}$

設例5－1　割戻し計算と積上げ計算

次の【資料】により、食料品販売業を営む当社の当課税期間（令和7年4月1日～令和8年3月31日）の課税標準額に対する消費税額を⑴割戻し計算、⑵積上げ計算それぞれの方法により求めなさい。なお、当社は税込経理方式を採用している。

【資料】

当社が交付した適格請求書の写しの記載事項

①	標準税率適用課税売上高の合計額	25,000,000円
②	①に係る消費税額及び地方消費税額の合計額	2,272,720円
③	軽減税率適用課税売上高の合計額	24,000,000円
④	③に係る消費税額及び地方消費税額の合計額	1,777,770円

解答　⑴　割戻し計算の方法による課税標準額に対する消費税額　3,159,358 円

⑵　積上げ計算の方法による課税標準額に対する消費税額　3,159,381 円

解説（単位：円）

⑴　割戻し計算

1．課税標準額

⑴　標準税率適用分

$25,000,000\times\frac{100}{110}=22,727,272$ → 22,727,000（千円未満切捨）

⑵　軽減税率適用分

$24,000,000\times\frac{100}{108}=22,222,222$ → 22,222,000（千円未満切捨）

⑶　合計

⑴＋⑵＝44,949,000

2．課税標準額に対する消費税額

⑴　標準税率適用分

22,727,000×7.8％＝1,772,706

⑵　軽減税率適用分

22,222,000×6.24％＝1,386,652

⑶　合計

⑴＋⑵＝3,159,358

⑵　積上げ計算

1．課税標準額

⑴　標準税率適用分

25,000,000－2,272,720＝22,727,280 → 22,727,000（千円未満切捨）

⑵　軽減税率適用分

24,000,000－1,777,770＝22,222,230 → 22,222,000（千円未満切捨）

⑶　合計

⑴＋⑵＝44,949,000

2．課税標準額に対する消費税額

⑴　標準税率適用分

$2,272,720\times\frac{78}{100}=1,772,721$

⑵　軽減税率適用分

$1,777,770\times\frac{78}{100}=1,386,660$

⑶　合計

⑴＋⑵＝3,159,381

Try it　**納付税額の計算**

株式会社甲社は、食料品小売業を営んでいる法人であり、甲社の令和７年４月１日から令和８年３月31日までの課税期間に関連する取引の状況は、次のとおりである。

これに基づき、当課税期間における確定申告により納付すべき消費税額をその計算過程を示して計算しなさい。なお、【資料】の金額は税込みであり、課税標準額に対する消費税額の計算は割戻し計算で行うこととし、控除対象仕入税額の計算は課税仕入れに係る消費税額の全額を控除する。

【資料】

1　当課税期間の収入

⑴　営業収益に係るもの

①　食料品（食品表示法に規定する食品に該当するもの）売上高　71,790,500円

上記金額には、甲社の役員に食料品（課税仕入れに係る金額690,000円、通常販売価額1,150,000円）を販売した販売代金560,000円が含まれている。

②　食料品以外の売上高　35,895,200円

⑵　営業外収益に係るもの

①　受取利息　30,000円

②　保有株式に係る配当金　50,000円

③　有価証券売却益　100,000円

甲社が保有していた株式（帳簿価額400,000円）を500,000円で売却したことによるものである。

⑶　特別利益に係るもの

①　固定資産売却益　300,000円

甲社が保有する建物を4,000,000円（帳簿価額3,700,000円）で売却したことにより計上したものである。なお、建物の売却にあたり固定資産税の未経過分として10,000円を受け取り仮受金勘定に計上している。

⑷　その他事項

借入金3,000,000円の返済を現金で行う代わり債権者の了解を得て保有する動産（機械装置、帳簿価額1,800,000円、時価2,800,000円）で返済している。

2　当課税期間の支出

当課税期間の課税仕入れの金額は、82,000,000円である。なお、軽減税率が適用されるものは含まれていない。

3　中間納付税額

甲社が当課税期間中に中間納付した消費税額は960,000円である。

解答欄

I　課税標準額に対する消費税額の計算

〔課税標準額〕

計　算　過　程　(単位：円)	
金額	円

〔課税標準額に対する消費税額〕

計　算　過　程　(単位：円)	
金額	円

Ⅱ　仕入れに係る消費税額の計算等

〔控除対象仕入税額〕

計　算　過　程　(単位：円)	
金額	円

Ⅲ　納付税額の計算

〔納付税額〕

計　算　過　程　（単位：円）		
	金額	円

解答

Ⅰ　課税標準額に対する消費税額の計算

〔課税標準額〕

計　算　過　程　（単位：円）
⑴　標準税率適用分 売上高35,895,200＋建物売却（4,000,000＋10,000）＋代物弁済3,000,000＝42,905,200 $42,905,200\times\frac{100}{110}$ ＝39,004,727 → 39,004,000（千円未満切捨） ⑵　軽減税率適用分 売上高71,790,500－560,000＋（※1）1,150,000＝72,380,500 （※1）　役員に対する低額譲渡 560,000 ＜ 690,000 ∴　低額譲渡に該当　1,150,000を計上 $72,380,500\times\frac{100}{108}$ ＝67,018,981 → 67,018,000（千円未満切捨） ⑶　合計 ⑴＋⑵＝106,022,000
金額　106,022,000 円

〔課税標準額に対する消費税額〕

計　算　過　程　（単位：円）
⑴　標準税率適用分 39,004,000×7.8％＝3,042,312 ⑵　軽減税率適用分 67,018,000×6.24％＝4,181,923 ⑶　合計 ⑴＋⑵＝7,224,235
金額　7,224,235 円

Ⅱ　仕入れに係る消費税額の計算等

〔控除対象仕入税額〕

計　算　過　程　（単位：円）
$82,000,000\times\frac{7.8}{110}$ ＝5,814,545
金額　5,814,545 円

Ⅲ　納付税額の計算

〔納付税額〕

計　算　過　程		(単位：円)
(1)　差引税額 7,224,235－5,814,545＝1,409,690 → 1,409,600（百円未満切捨） (2)　納付税額 1,409,600－960,000＝449,600	金額	円 449,600

解説

(1)　役員に対する低額譲渡（譲渡対価 < 課税仕入れに係る価額、又は、譲渡対価 < 通常販売価額の50%相当額）は、通常販売価額を売上高として計上する。

(2)　建物に係る未経過固定資産税は、建物の売却代金の一部とする。

(3)　代物弁済による資産の譲渡の対価の額は、代物弁済により消滅する債務の額とする。

(4)　食料品売上高には軽減税率が適用される。

軽減税率の対象品目

飲食料品

飲食料品とは、食品表示法に規定する食品（酒類を除きます。）をいい、一定の要件を満たす一体資産を含みます。外食やケータリング等は、軽減税率の対象品目には含まれません。

※　食品表示法に規定する「食品」とは、全ての飲食物をいい、人の飲用又は食用に供されるものです。また、「食品」には、「医薬品」、「医薬部外品」及び「再生医療等製品」が含まれず、食品衛生法に規定する「添加物」が含まれます。

軽減税率の対象となる新聞とは、一定の題号を用い、政治、経済、社会、文化等に関する一般社会的事実を掲載する週２回以上発行されるもので、定期購読契約に基づくものをいいます。

《軽減税率の対象となる飲食料品の範囲》

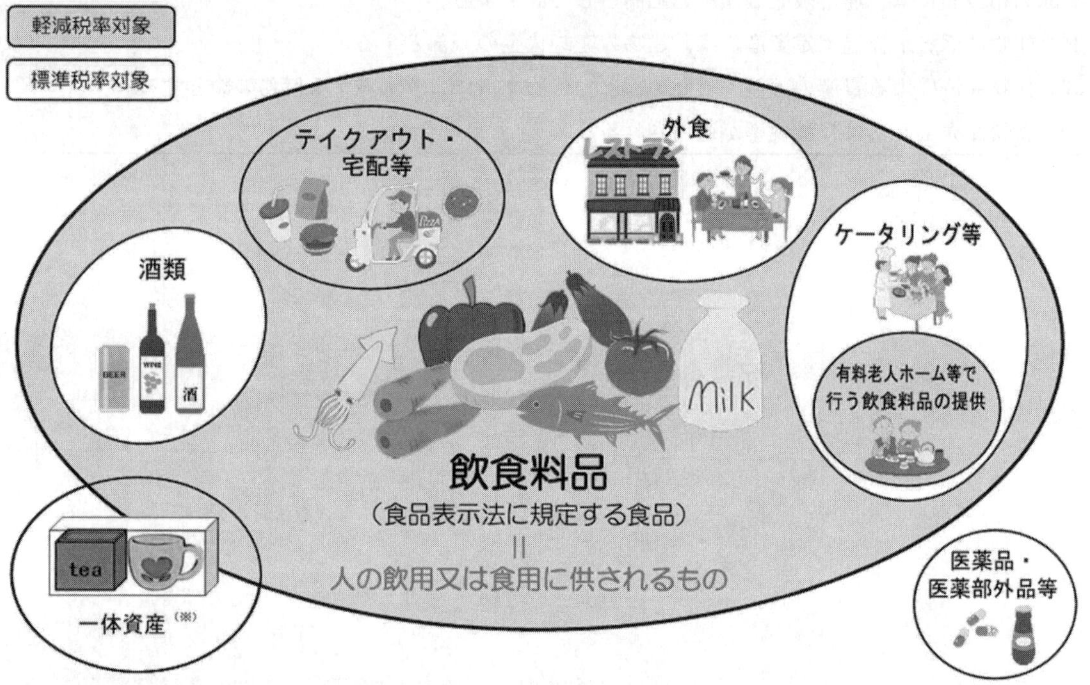

軽減税率対象

標準税率対象

テイクアウト・宅配等

外食

ケータリング等

酒類

有料老人ホーム等で行う飲食料品の提供

飲食料品
（食品表示法に規定する食品）
＝
人の飲用又は食用に供されるもの

一体資産（※）

医薬品・医薬部外品等

※　一定の要件を満たす一体資産は、飲食料品として軽減税率の対象となります

（国税庁ホームページより）

Chapter 6

納税義務者Ⅱ

税金を納付する義務を負う者を「納税義務者」といいます。

Chapter１で学習したように、消費税の納税義務者は、実際に税金を負担する私たち消費者ではなく、私たち消費者が税金を預けている事業者です。しかし、消費税という税金の『広く、浅く』という性質上、さまざまな規模の事業者が納税義務者となるため、すべての事業者を納税義務者とするのではなく、一定の基準を設けています。

このChapterでは、納税義務者のうち、基本的な項目を見ていきましょう。

Section 1 納税義務者の原則

Chapter１で学習したように、消費税は商品を購入したり、サービスを受ける消費者が負担する税金ですが、実際の納付は、商品の販売等を行った事業者が納税義務者となり、消費者から預かった消費税の納付を行います。

ここでは、具体的に納税義務者の規定について確認しましょう。

1 納税義務者の原則（法５）

理論

国内取引の納税義務者は、**事業者**（すなわち、個人事業者及び法人）であり、**国内で行った課税資産の譲渡等（特定資産の譲渡等に該当するものを除く**[*01]**。）**及び特定課税仕入れ[*01]**につき納税義務者となります**。

したがって、事業者以外の者が国内取引の消費税の納税義務者となることはありません。

また、輸入取引では、これとは異なり保税地域から引き取られる外国貨物を課税の対象としていることから、**外国貨物を保税地域から引き取るすべての者を納税義務者とし**、事業者であるか否かを問いません[*02]。

*01) 特定資産の譲渡等と特定課税仕入れについては、応用編で学習していきます。

*02) 「外国貨物の保税地域からの引取り」については、Chapter２を参照して下さい。

> 消費税法〈納税義務者〉
>
> 第５条①　事業者は、国内において行った課税資産の譲渡等（特定資産の譲渡等に該当するものを除く。）及び特定課税仕入れにつき、この法律により、消費税を納める義務がある。
>
> ②　外国貨物を保税地域から引き取る者は、課税貨物につき、この法律により、消費税を納める義務がある。

<納税義務者の範囲>

		国内取引	輸入取引
事業者	個人事業者	納税義務者	納税義務者
事業者	法人	納税義務者	納税義務者
事業者以外（消費者）		納税義務者でない	納税義務者

2 課税資産の譲渡等を行った者の実質判定（法13）

理論

課税資産の譲渡等を行った者が誰であるのかについては、実質的な判定を行います。つまり、法律上、資産の譲渡等を行ったとみられる者が単なる名義人であって、その者以外の者がその資産の譲渡等に係る対価を享受する場合には、その資産の譲渡等は、**実際に対価を享受する者が行ったものとされ**、**対価を享受する者が納税義務者**となります。

Section 2 小規模事業者に係る納税義務の免除

Section 1で学習したように、国内取引の消費税では課税資産の譲渡等を行った事業者を納税義務者として規定していますが、一定の理由から事業規模の比較的小さい事業者に関しては、納税義務を免除することとしています。
ここでは、国内取引の納税義務の免除の対象となる者について確認しましょう。

1 意　義（法9①）

理論

消費税では、「**基準期間における課税売上高**[*01)]**が1,000万円以下の事業者**」については、Section 1で学習した納税義務者の原則の規定にかかわらず、国内取引の消費税の納税義務を免除しています。

*01) 詳しくは3で学習します。

この消費税の納税義務の免除の対象となる事業者のことを「**免税事業者**」といいます。

したがって、問題を解く上では、まず**計算の冒頭でこの納税義務の有無の判定を行う必要**があります。

なお、輸入取引については納税義務の免除の規定は設けられていませんので、Section 1で学習したように、外国貨物を保税地域から引き取るすべての者が納税義務者になるので注意しましょう。

> **消費税法〈小規模事業者に係る納税義務の免除〉**
> 第９条①　事業者のうち、その課税期間に係る基準期間における課税売上高が1,000万円以下である者（適格請求書発行事業者を除く。）については、納税義務の原則の規定にかかわらず、その課税期間中に国内において行った課税資産の譲渡等（特定資産の譲渡等に該当するものを除く。）及び特定課税仕入れにつき、消費税を納める義務を免除する。ただし、この法律に別段の定めがある場合は、この限りでない。

2 趣　旨

理論

例えば、その年の売上げが1,000万円の事業者があったとします。この事業者が消費者から預かった消費税額は年間78万円となります。消費税の納付税額は、この預かった消費税から仕入れの際に支払った消費税を控除して求めますので、この事業者の納付税額は年間数万円から数十万円規模ということになります[*01)]。

*01) 仮に1,000万円を365日で割ってみると1,000万円÷365日≒27,397円となります。
これを１杯800円のラーメンを売るラーメン屋さんだと考えると１日の販売数が27,397円÷800円≒34杯となり、ここにいう小規模事業者の事業規模がかなり小さい規模を指していることが伺えます。

このような小規模事業者が、消費税の計算を行うことは**納税事務負担が大きい**と考えられます。

また、他方でこれらの事業者の納付税額の規模を考えると、免除したとしても税収への影響は少ないため、**税務執行面への配慮**からも免税事業者とすることが妥当であると捉えられています。

3 納税義務の有無の判定

1．納税義務の有無の判定（法９①）

［判定式］

基準期間における課税売上高（税抜）＞1,000万円　∴納税義務あり
　　　　　　　　　　　　　　　　　　≦1,000万円　∴納税義務なし

2．基準期間（法２①十四）

基準期間とは、原則として、**個人事業者の場合は前々年、法人の場合は前々事業年度**[*01]が該当します。

個人事業者：その年の前々年[*02]

1/1	前々年	12/31	前年	12/31	当年	12/31
基準期間				当課税期間		

法人：その事業年度の前々事業年度[*03]

4/1	前々事業年度	3/31	前事業年度	3/31	当事業年度	3/31
基準期間				当課税期間		

3．基準期間における課税売上高（法９②一）

基準期間における課税売上高は、以下のように計算します。なお、いずれの計算も基準期間の金額を使用します。

① 総課税売上高（税抜）

課税売上げの合計額（税込）$\times\frac{100}{110}$＋免税売上げの合計額

② 課税売上げに係る返還等の金額（税抜）[*04]

$\left(\text{国内課税売上げに係る返還等の金額（税込）} - \text{国内課税売上げに係る返還等の金額（税込）}\times\frac{7.8}{110}\times\frac{100}{78}\ ^{*05)}\right)$＋免税売上げに係る返還等の金額

③ 基準期間における課税売上高（税抜）

①－②

上記②の課税売上げに係る返還等の金額（税抜き）は、次の算式により計算することもできます。[*06]

国内課税売上げに係る返還等の金額（税込）$\times\frac{100}{110}$＋免税売上げに係る返還等の金額

なお、**基準期間において免税事業者であった場合**には、基準期間の課税売上高に消費税が含まれていません。そのため、課税売上高を計算する際には、課税売上げの合計額及び国内課税売上げに係る返還等の金額について**税抜処理をしない**点に注意が必要です。（基通１－４－５）

*01）消費税の課税事業者となる場合には、消費税額を販売価格に反映させる必要があるため、対象となる課税期間の開始の日において、納税義務が生じているか否かを事業者自身が把握しておく必要があります。
しかし、消費税の申告は、課税期間が終了してから２ヵ月以内に行われ、前課税期間の課税売上高が課税期間開始の日に把握できないため前々年又は前々事業年度を基準期間とすることとしています。

*02）特例はないため、常に前々年が基準期間となります。

*03）特殊な場合の特例があります。詳しくは④で学習します。

*04）売上げに係る返還等とは、売上げに係る返品や値引き・割戻し等を指します。

*05）地方消費税は、国税である消費税7.8％の税額の22/78であるため、国税7.8％の税額の100/78（78/78＋22/78）で10％分の税額を表します。なお、計算は7.8/110を乗じた後、100/78を乗じた後のそれぞれで円未満の端数を切捨てます。

*06）この教科書ではこの計算方法で計算します。

① **総課税売上高（税抜処理不要）**

課税売上げの合計額＋免税売上げの合計額

② **課税売上げに係る返還等の金額（税抜処理不要）**

国内課税売上げに係る返還等の金額 ＋ 免税売上げに係る返還等の金額

③ **基準期間における課税売上高**

①－②

設例２－１　納税義務の有無の判定(1)

次の【資料】に基づいて基準期間（令和５年４月１日～令和６年３月31日）における課税売上高を計算し、当課税期間（令和７年４月１日～令和８年３月31日）の納税義務の有無を判定しなさい。

なお、基準期間は課税事業者に該当しており、資料の金額は税込みである。

【資料】

(1)	課税商品売上高	11,950,000円
	（うち輸出免税売上高	1,450,000円）
(2)	売上返還等	1,267,000円
	（うち輸出免税売上高に係るもの	187,000円）
(3)	有価証券の売却額	500,000円
(4)	住宅の貸付けによる賃貸料収入	252,000円
	（貸付期間１ヵ月未満）	

解答

基準期間における課税売上高	10,055,727	円
納税義務の有無の判定	(あり)・なし	

解説（単位：円）

1．基準期間における課税売上高

(1)　総課税売上高

$$\underbrace{(11,950,000-1,450,000+252,000)}_{\text{課税売上げの合計額}}\times\frac{100}{110}+\underbrace{1,450,000}_{\text{免税売上げの合計額}}=11,224,545$$

有価証券の売却額500,000は、非課税売上げであるため、課税売上げの合計額に含めません。

住宅の貸付けは、原則として非課税取引ですが、貸付期間１ヵ月未満の場合には、課税取引となります。

なお、(1)のうち輸出免税売上高1,450,000は消費税が含まれていないため、税抜処理の際、一旦差し引いた後、改めて合算します。

(2)　課税売上げに係る返還等の金額

$$\underbrace{(1,267,000-187,000)}_{\text{国内課税売上げに係る返還等の金額}}\times\frac{100}{110}+\underbrace{187,000}_{\text{免税売上げに係る返還等の金額}}=1,168,818$$

総課税売上高の計算と同様に輸出免税売上高に係る返還等についても税抜処理が不要であるため、注意が必要です。

(3) 基準期間における課税売上高

11, 224, 545－1, 168, 818＝10, 055, 727

2．納税義務の有無の判定

10, 055, 727 ＞ 10, 000, 000　　∴納税義務あり

4 特殊なケース

計算

1．前々事業年度が1年未満の法人の場合

(1) 基準期間（法2①十四）

その事業年度開始の日の2年前の日の前日から同日以後1年を経過する日までの間に開始した各事業年度を合わせた期間を基準期間とします。

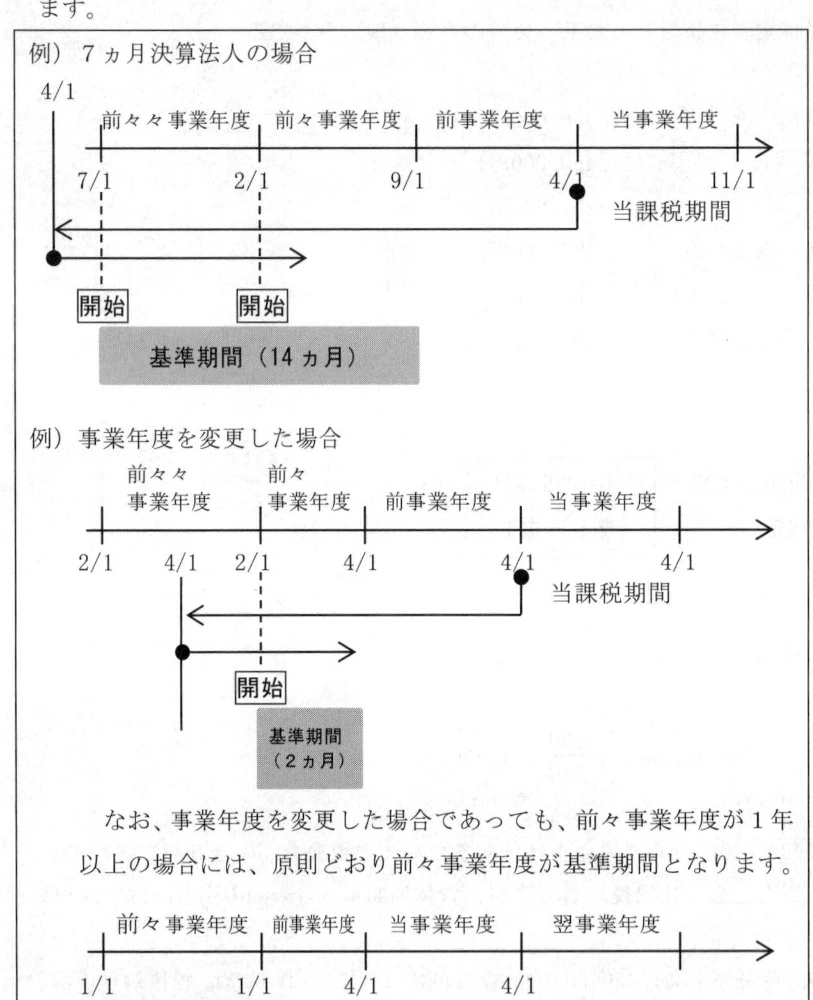

(2) 基準期間における課税売上高（法９②二）

納税義務の有無の判定は、１年間（12ヵ月）の課税売上高を基準にして行います。基準期間が１年超又は１年未満の法人の場合、基準期間中の課税売上高が１年（12ヵ月）の金額となりません。そこで、**課税売上高を１年（12ヵ月）に換算することが必要**となります[*01]。

$$\frac{\text{基準期間中の課税売上高（税抜）}}{\text{基準期間の月数}} \times 12$$

*01) 個人事業者は年の中途開業であっても基準期間は常に前々年であるため、売上高を１年に換算する必要はありません。

2．当課税期間が設立第１期・第２期の場合の基準期間（基通１－４－６）

当課税期間が設立第１期・第２期の場合、前々事業年度が存在せず、基準期間がありません。そのため、**原則として自動的に免税事業になります**[*02]。

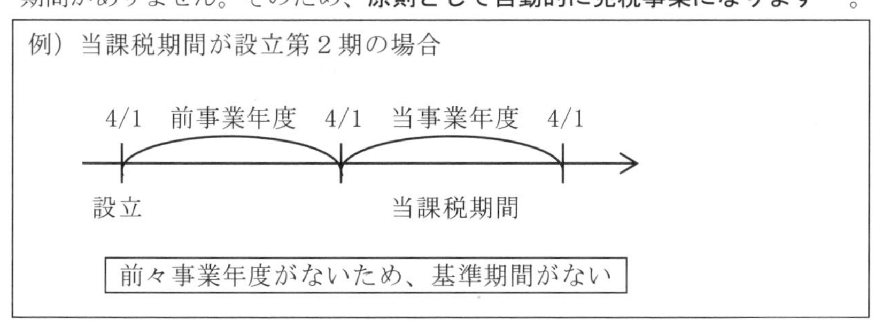

*02) 新設法人の納税義務の免除の特例の適用を受ける場合には納税義務は免除されません。詳しくはSection５を確認してください。

3．組織変更があった場合の基準期間（基通３－２－２）

合同会社から株式会社へ組織変更した場合のように、組織変更により法律上、別法人となった場合であっても、実質的には組織変更前後の法人は同一法人であることから、基準期間がないことを理由に免税事業者とすることは適切ではありません。

そこで、この場合には、**組織変更による法人の解散・設立はなかったもの**として、基準期間を決定します。

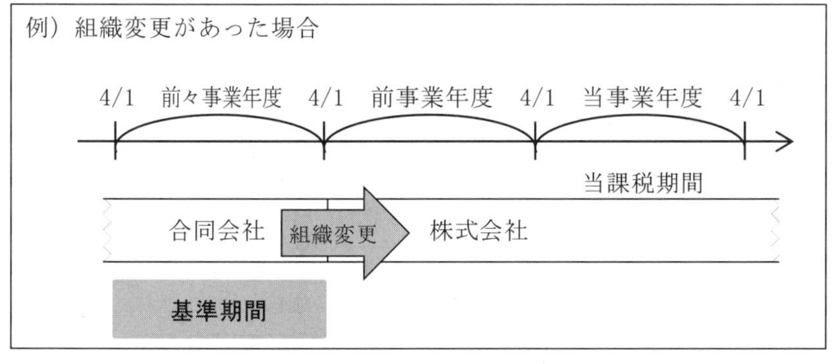

設例２－２　納税義務の有無の判定⑵

次の各ケースにおける当課税期間（×４期）の基準期間における課税売上高を計算し、納税義務の有無の判定を行いなさい。なお、問題文から免税事業者であることが判明する場合を除き基準期間は課税事業者に該当する。また、資料から判断できない事由については考慮する必要はない。

事業年度	課税売上高（税込）
［ケース①］	
×１期　令和５年２月１日～令和５年９月30日	7,350,000円
×２期　令和５年10月１日～令和６年５月31日	8,400,000円
×３期　令和６年６月１日～令和７年１月31日	9,975,000円
×４期　令和７年２月１日～令和７年９月30日	10,500,000円
［ケース②］	
×１期　令和５年１月１日～令和５年12月31日	9,450,000円
×２期　令和６年１月１日～令和６年３月31日	2,625,000円
×３期　令和６年４月１日～令和７年３月31日	13,650,000円
×４期　令和７年４月１日～令和８年３月31日	15,750,000円
［ケース③］	
×１期　令和４年４月１日～令和５年３月31日	10,185,000円
×２期　令和５年４月１日～令和６年３月31日	10,290,000円
×３期　令和６年４月１日～令和７年３月31日	11,760,000円
×４期　令和７年４月１日～令和８年３月31日	14,700,000円
㈱　令和４年４月１日に資本金500万円で設立されている。	
［ケース④］	
×１期　令和４年４月１日～令和５年３月31日	9,185,400円
×２期　令和５年４月１日～令和６年３月31日	10,206,000円
×３期　令和６年４月１日～令和７年３月31日	11,340,000円
×４期　令和７年４月１日～令和８年３月31日	12,600,000円
㈱　令和６年４月１日に合同会社から株式会社へ組織変更している。	

解答

	基準期間における課税売上高	納税義務の有無の判定
［ケース①］	10,738,632 円	(あり)　なし
［ケース②］	9,545,448 円	あり　(なし)
［ケース③］	10,290,000 円	(あり)　なし
［ケース④］	9,278,181 円	あり　(なし)

解説 （単位：円）

［ケース①］ 8ヵ月決算法人の場合

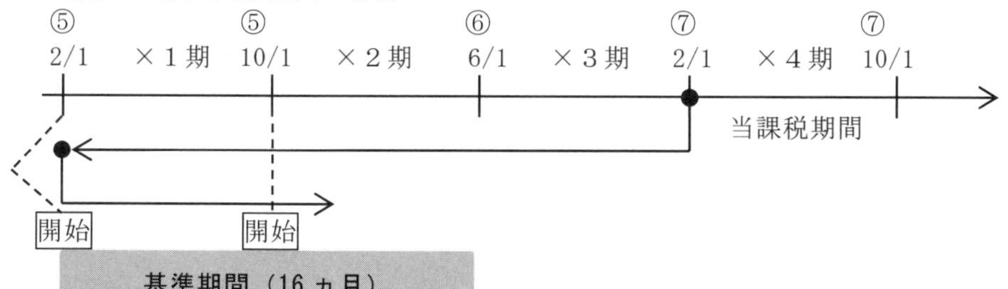

⑴ 基準期間における課税売上高

$(7,350,000+8,400,000)\times\frac{100}{110}=14,318,181$

$\frac{14,318,181}{16}$（円未満切捨）×12＝10,738,632

前々事業年度が1年未満であるため、×4期事業年度開始の日の2年前の日の前日（令和5年2月1日）から同日以後1年を経過する日（令和6年1月31日）までの間に開始した各事業年度を合わせた期間を基準期間とします。したがって、×1期（令和5年2月1日～令和5年9月30日）と×2期（令和5年10月1日～令和6年5月31日）が基準期間となります。

また、基準期間が16ヵ月であるため、基準期間における課税売上高を計算する際には、×1期と×2期の課税売上高を12ヵ月の金額に換算する必要があります。

⑵ 納税義務の有無の判定

10,738,632 ＞ 10,000,000 ∴ 納税義務あり

［ケース②］ 事業年度を変更した場合

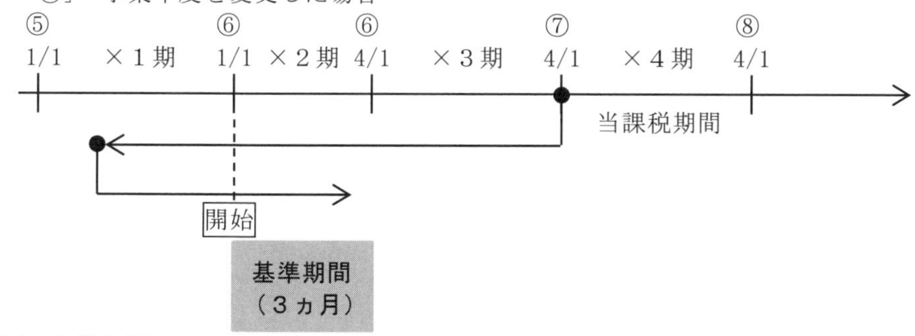

⑴ 基準期間における課税売上高

$2,625,000\times\frac{100}{110}=2,386,363$

$\frac{2,386,363}{3}$（円未満切捨）×12＝9,545,448

前々事業年度に事業年度を変更しているため、×4期事業年度開始の日の2年前の日の前日（令和5年4月1日）から同日以後1年を経過する日（令和6年3月31日）までの間に開始した各事業年度を合わせた期間を基準期間とします。したがって、×2期（令和6年1月1日～令和6年3月31日）が基準期間となります。

また、基準期間が3ヵ月であるため、基準期間における課税売上高を計算する際には、×2期の課税売上高を12ヵ月の金額に換算する必要があります。

⑵ 納税義務の有無の判定

9,545,448 ≦ 10,000,000 ∴ 納税義務なし

［ケース③］　当課税期間が設立4期目の場合

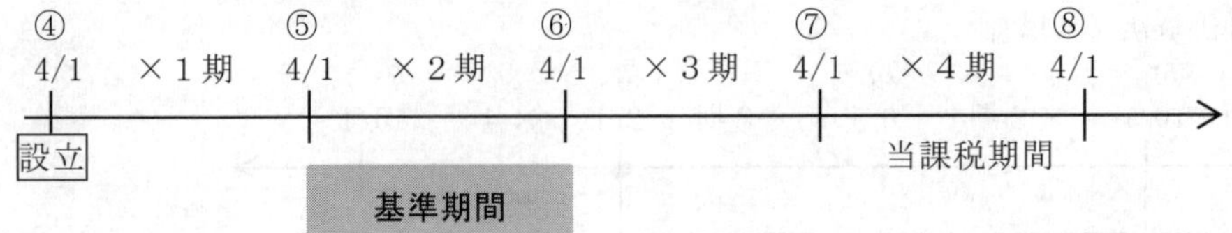

⑴　基準期間における課税売上高

10,290,000

設立2期目の×2期事業年度が免税事業者に該当(注)しているため、×2期の課税売上高に消費税は含まれていません。したがって、課税売上高を税抜処理する必要はありません。

（注）　×2期事業年度は基準期間がない事業年度であり、かつ、期首資本金（500万円）が1,000万円未満のため、新設法人に該当せず、免税事業者となります。（Section5で学習。）

⑵　納税義務の有無の判定

10,290,000 ＞ 10,000,000　　∴　納税義務あり

［ケース④］　組織変更があった場合

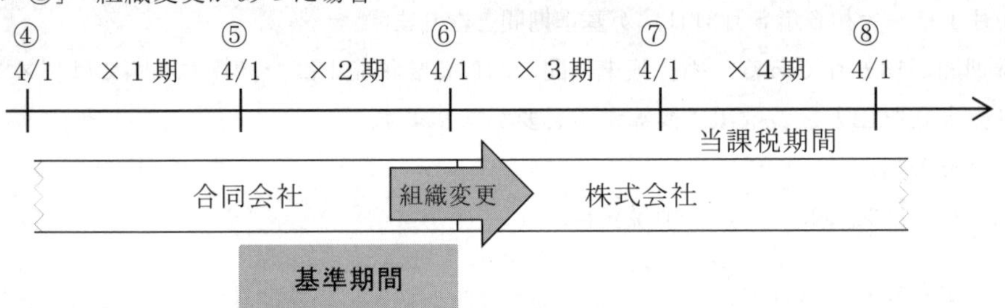

⑴　基準期間における課税売上高

$10,206,000\times\frac{100}{110}=9,278,181$

×3期事業年度期首において合同会社から株式会社へと組織変更していますが、実質的には組織変更前後の法人は同一です。したがって、×2期事業年度をそのまま基準期間とします。

⑵　納税義務の有無の判定

9,278,181 ≦ 10,000,000　　∴　納税義務なし

Section 3

課税事業者の選択

基準期間の課税売上高が1,000万円以下の免税事業者は、消費税の納税義務がなく、確定申告書を提出する義務がありません。その反面、消費税の還付を受けた方が有利な場合であっても、申告義務がないため、消費税の還付を受けることができません。そこで、還付申告書の提出を可能とするために、事業者自らが課税事業者を選択できる特例制度が設けられています。

1 課税事業者選択届出書

理論

1．選択届出書の提出（法9④）

基準期間における課税売上高が1,000万円以下であり、免税事業者と判定された事業者で、課税事業者選択の規定の適用を受けようとするときは、あらかじめ納税地の所轄税務署長に「**課税事業者選択届出書**[*01]」を提出します。

*01) 正式名称は「消費税課税事業者選択届出書」です。
理論問題でこの届出書の名称を問われた際はこの正式名称で解答します。

2．届出の効力の発生（法9④、令20）

原　　則	提出した日の属する課税期間の翌課税期間以後の課税期間
即時適用される場合	提出した日の属する課税期間が次の課税期間に該当する場合には、その提出をした日の属する課税期間 ・事業を開始した日の属する課税期間 ・相続があった日の属する課税期間[*02] ・吸収合併があった日の属する課税期間[*02] ・吸収分割があった日の属する課税期間[*02]

*02) 被相続人、被合併法人、分割法人が課税事業者を選択していた場合に限ります。

2 課税事業者選択不適用届出書

理論

1．不適用届出書の提出（法9⑤⑥）

課税事業者選択届出書を提出した事業者が、課税事業者選択の規定の適用を受けることをやめようとするとき、又は、事業を廃止したときは、納税地の所轄税務署長に「**課税事業者選択不適用届出書**[*01]」を提出することにより、その規定の適用をやめることができます。

ただし、事業を廃止した場合を除き、課税事業者の**選択が適用された課税期間の初日から2年を経過する日の属する課税期間の初日以後**でなければ、不適用届出書を提出することはできません。

*01) 正式名称は「消費税課税事業者選択不適用届出書」です。

2. 不適用の届出の効力発生時期（法９⑧）

提出した日の属する課税期間の末日の翌日以後

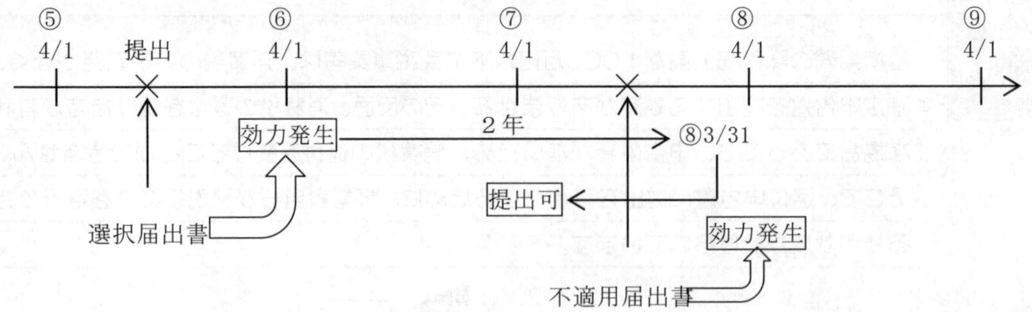

3 届出に関する特例（法９⑨、令20の２） 理論

課税事業者選択の適用又は不適用の規定の適用を受けようとする場合、その**適用又は不適用の規定の適用を受けようとする課税期間の初日の前日までに届出書を提出**しなければ適用できません。ただし、**届出に関する特例に該当**すれば、これに間に合わなかった場合でも、**期限までに届出書を提出したものとみなされる**ため、適用を受けることができます

要件	・**やむを得ない事情**[*01)]により届出書を提出できず ・その事情がやんだ後相当の期間内（２ヵ月以内[*02)]）に**特例承認申請書を提出** ・その申請につき**税務署長の承認**を受けた
効力	適用を受けようとする課税期間の初日の前日において届出書の提出があったものとみなされる。

*01) やむを得ない事情とは、災害等の事業者の責任によらないものをいいます。

*02) 基通１－４－17

Section 4 前年等の課税売上高による納税義務の免除の特例

納税義務の有無の判定の基礎となる「基準期間における課税売上高」は、当課税期間の概ね２年前の売上げをもとに算定されるため、事業者の現時点での事業規模が必ずしも反映されているとは限りません。そこで、基準期間の判定に加え、前年（又は前事業年度）の半期の実績でも納税義務の有無の判定を行うこととされています。

1 概要

Section 2 で判定したその課税期間の基準期間における課税売上高が1,000万円以下である場合に、「**特定期間における課税売上高**」で判定し、その金額が**1,000万円を超える**ときは、その個人事業者のその年、又は、法人のその事業年度については、納税義務は免除されません。

納税義務の有無の判定における「基準期間における課税売上高による判定」と「特定期間における課税売上高による判定」は、以下の順で行います。

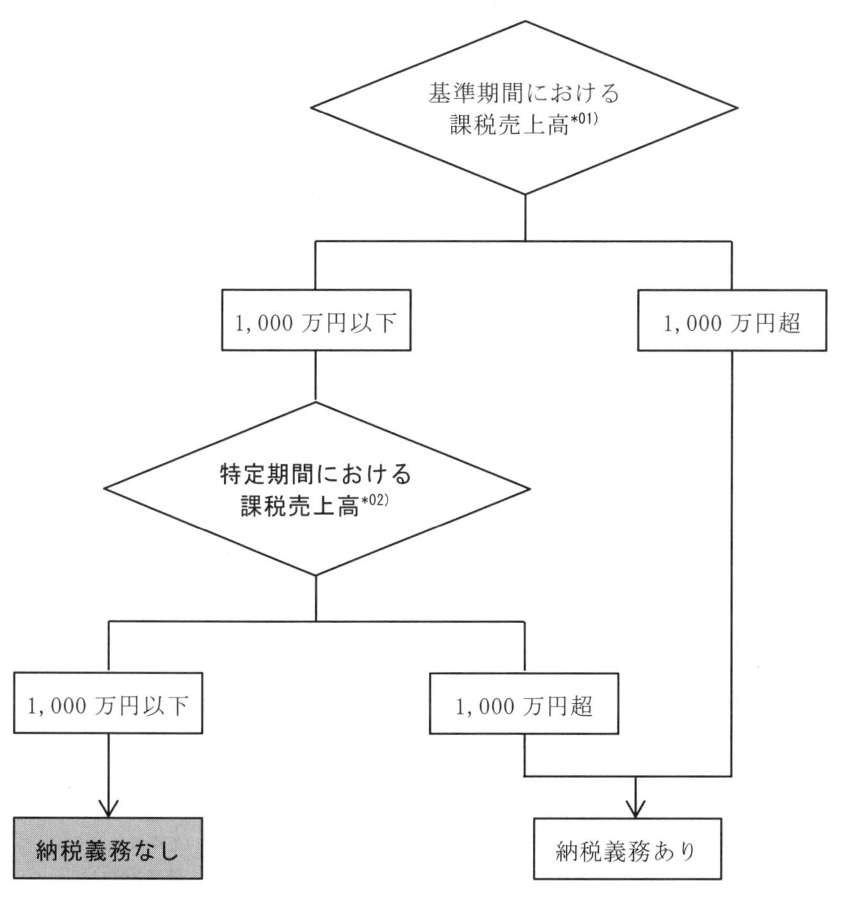

*01) 基準期間における課税売上高が1,000万円を超える場合には、特定期間における課税売上高による判定は行いません。

*02) 課税事業者の選択の適用を受ける場合には、特定期間における課税売上高による判定よりも優先的に適用を受けるため、この判定は行いません。

消費税法〈前年又は前事業年度等における課税売上高による納税義務の免除の特例〉

第９条の２①　個人事業者のその年又は法人のその事業年度の基準期間における課税売上高が1,000万円以下である場合において、その個人事業者又は法人（課税事業者選択届出書の提出により消費税を納める義務が免除されないものを除く。）のうち、その個人事業者のその年又は法人のその事業年度に係る特定期間における課税売上高が1,000万円を超えるときは、その個人事業者のその年又は法人のその事業年度における課税資産の譲渡等（特定資産の譲渡等に該当するものを除く。）及び特定課税仕入れについては、納税義務は免除されない。

2 特定期間における課税売上高による判定

1．納税義務の有無の判定（法９の２①）

［判定式］

特定期間における課税売上高 ＞ 1,000万円　∴ **納税義務あり**

≦ 1,000万円　∴ 納税義務なし

2．特定期間（法９の２④）

特定期間とは、次の期間を指します。

(1) 個人事業者の場合

個人事業者の特定期間は、その年の**前年１月１日から６月30日までの期間**となります。

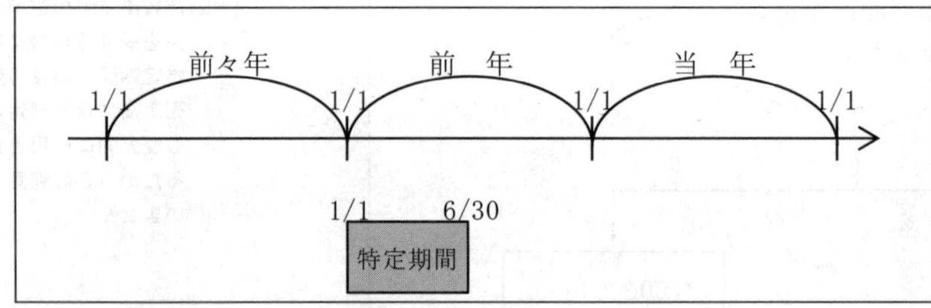

(2) 法人の場合

法人の特定期間は、原則としてその事業年度の**前事業年度**[*01)] **開始の日以後６月の期間**となります。

*01) 前事業年度を採らない場合の特例については、3 を参照してください。

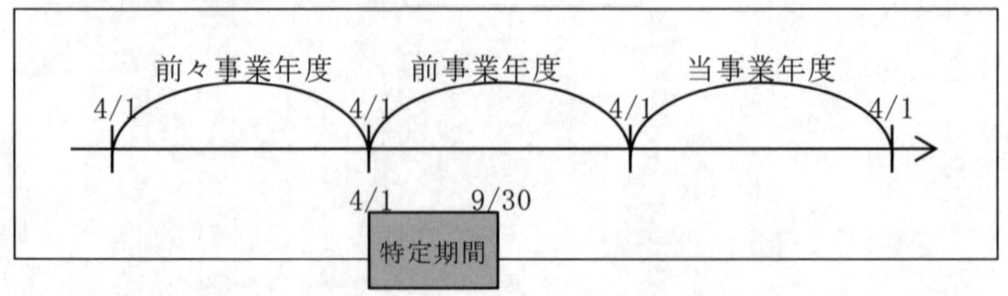

3. 特定期間における課税売上高（法９の２②）

特定期間における課税売上高は、以下のように計算しますが、基準期間における課税売上高の計算と異なり、特定期間が６月以下である場合でも**按分計算は行いません**[*02]。

*02) 計算のやり方は基準期間における課税売上高の計算と全く同じです。

① 総課税売上高（税抜）

課税売上げの合計額（税込）$\times \frac{100}{110}$ ＋免税売上げの合計額

② 課税売上げに係る返還等の金額（税抜）

$\left(\text{国内課税売上げに係る返還等の金額（税込）} - \text{国内課税売上げに係る返還等の金額（税込）} \times \frac{7.8}{110} \times \frac{100}{78}\right) + \text{免税売上げに係る返還等の金額}$

③ 特定期間における課税売上高（税抜）

①－②

上記②の課税売上げに係る返還等の金額（税抜き）は、次の算式により計算することもできます。[*03]

$\text{国内課税売上げに係る返還等の金額（税込）} \times \frac{100}{110} + \text{免税売上げに係る返還等の金額}$

*03) この教科書ではこの計算方法で計算します。

なお、特定期間が免税事業者であった場合には、基準期間における課税売上高の計算と同様に①の総課税売上高や②の課税売上げに係る返還等の金額を計算する際、税抜処理を行いません。

① 総課税売上高（税抜処理不要）

課税売上げの合計額＋免税売上げの合計額

② 課税売上げに係る返還等の金額（税抜処理不要）

国内課税売上げに係る返還等の金額＋免税売上げに係る返還等の金額

③ 特定期間における課税売上高

①－②

設例４－１　特定期間における課税売上高による判定⑴

次の資料に基づいて当社の当課税期間（令和７年４月１日～令和８年３月31日）の納税義務の有無を判定しなさい。

なお、当社は前課税期間まで継続して課税事業者に該当しており、【資料】の金額は税込みである。

【資料】

⑴　前々事業年度（令和５年４月１日～令和６年３月31日）の取引

課税商品売上高　10,200,000円

⑵　前事業年度の上半期（令和６年４月１日～令和６年９月30日）の取引

①　課税商品売上高　12,000,000円

（うち、輸出免税売上高　700,000円）

②　売上返還等（前々事業年度に売上げた課税商品に係るもの）　320,000円

（うち、輸出免税売上高に係るもの　104,000円）

解答　(単位：円)

(1)　基準期間における課税売上高

$$10,200,000 \times \frac{100}{110} = 9,272,727 \leqq 10,000,000$$

(2)　特定期間における課税売上高

①　総課税売上高

$$(12,000,000 - 700,000) \times \frac{100}{110} + 700,000 = 10,972,727$$

②　課税売上げに係る返還等の金額

$$(320,000 - 104,000) \times \frac{100}{110} + 104,000 = 300,363$$

③　特定期間における課税売上高

①－②＝10,672,364

10,672,364 ＞ 10,000,000　　∴　納税義務あり

解説

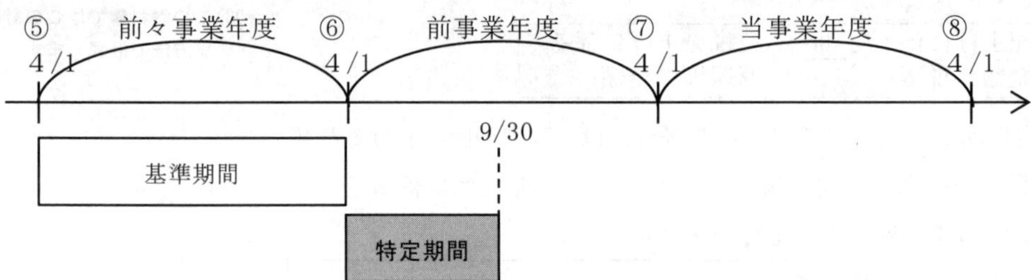

基準期間がある場合には、先ずは通常どおり、基準期間における課税売上高を使って判定します。これが、1,000万円以下である場合には、次に特定期間における課税売上高で判定します。

特定期間は、前事業年度開始の日以後６月の期間であるため、令和６年４月１日から令和６年９月30日までとなります。

3　前事業年度が短期事業年度である場合（法９の２④）

理論　計算

法人の特定期間は、原則として前事業年度開始の日以後６月の期間となりますが、その前事業年度が「**短期事業年度**」に該当する場合には、特例があります。

1．短期事業年度（令20の5①）

法人の短期事業年度とは、原則として、**前事業年度が７ヵ月以下である場合**をいいます。

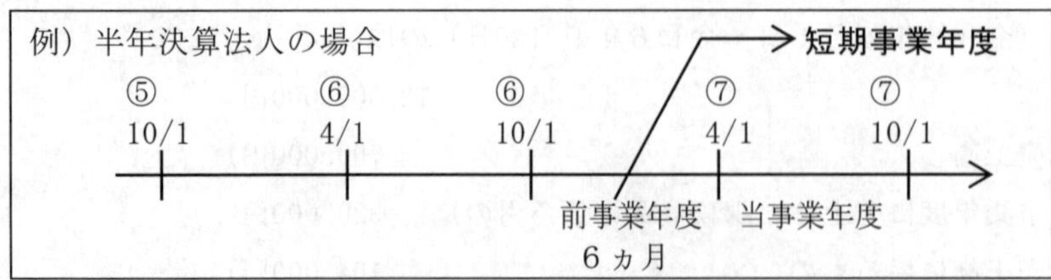

2．前事業年度が短期事業年度である場合の特定期間

前事業年度が短期事業年度である場合の特定期間は、原則としてその**事業年度の前々事業年度開始の日以後６月の期間**となります。

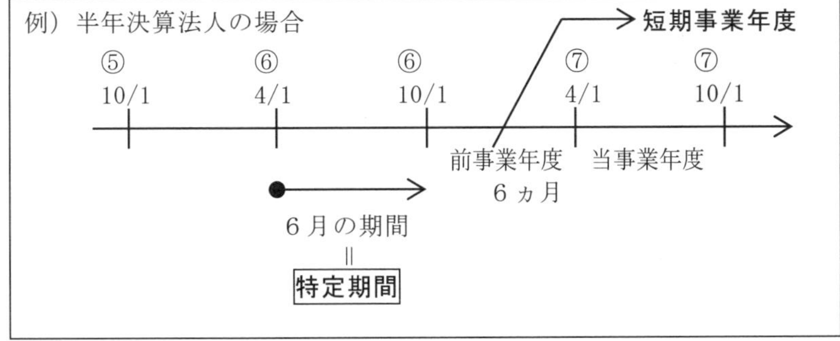

なお、その前々事業年度が６ヵ月以下の場合には、その前々事業年度がそのまま特定期間となります*01)。

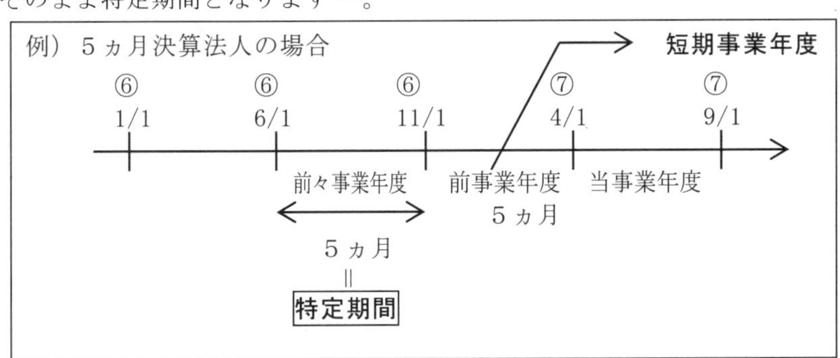

*01) 特定期間が６ヵ月未満の期間である場合においても、その６ヵ月未満の売上げを換算せず、そのまま判定に用います。

設例４－２　　特定期間における課税売上高による判定⑵

次の資料に基づいて当社の当課税期間（令和７年４月１日～令和８年３月31日）の納税義務の有無を判定しなさい。

なお、当社は前課税期間まで継続して課税事業者に該当しており、【資料】の金額は税込みである。

【資料】

⑴　前々々事業年度（令和５年４月１日～令和６年３月31日）の課税売上高　9,750,000円

⑵　前々事業年度（令和６年４月１日～令和６年９月30日）の課税売上高　5,800,000円

⑶　前事業年度（令和６年10月１日～令和７年３月31日）の課税売上高　6,250,000円

⑷　当事業年度（令和７年４月１日～令和８年３月31日）の課税売上高　13,000,000円

解答　（単位：円）

⑴　**基準期間における課税売上高**

$9,750,000\times\frac{100}{110}=8,863,636 \leqq 10,000,000$

⑵　**特定期間における課税売上高**

$5,800,000\times\frac{100}{110}=5,272,727$

$5,272,727 \leqq 10,000,000$　∴　納税義務なし

解説

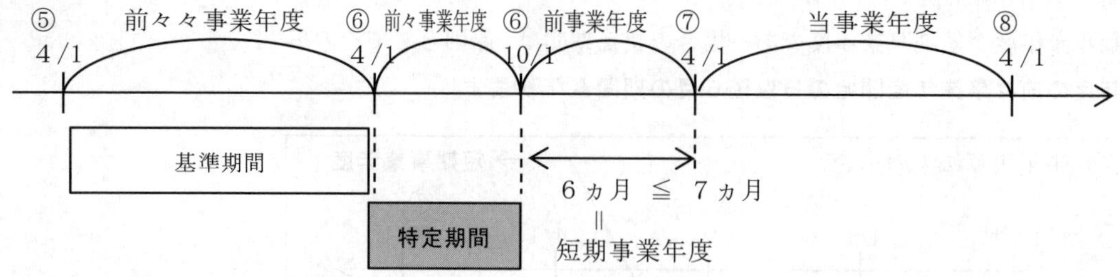

⑴　基準期間

前々事業年度が1年でないため、その事業年度開始の日（令和7年4月1日）の2年前の日の前日（令和5年4月1日）から同日以後1年を経過する日（令和6年3月31日）までの間に開始した各事業年度を合わせた期間を基準期間とします。したがって、前々々事業年度（令和5年4月1日～令和6年3月31日）が基準期間となります。

⑵　特定期間

前事業年度（令和6年10月1日～令和7年3月31日）が6ヵ月であり短期事業年度となるため、前々事業年度開始の日から6月の期間が特定期間となります。なお、前々事業年度が6月以下であるため、前々事業年度がそのまま特定期間となります。（また、この場合には、按分計算は行わず、その6ヵ月の課税売上高が特定期間における課税売上高となります。）

4 特定期間がない場合（令20の5②）　計算

前事業年度が7ヵ月以下である場合には、前々事業年度開始の日以後6月の期間が特定期間となりますが、下記のように**前々事業年度が基準期間に含まれる場合**[*01]には、特定期間に該当しません。そのため、特定期間における課税売上高の判定の適用がないこととなり、他の納税義務の免除の特例の適用を受けない場合には、免税事業者となります。

*01) この規定は、基準期間における課税売上高が1,000万円以下であることが前提となっているため、前々事業年度が基準期間に含まれている場合には、その期間の課税売上げは、当然1,000万円以下であることから、特定期間における課税売上高を計算することに合理性がないからです。

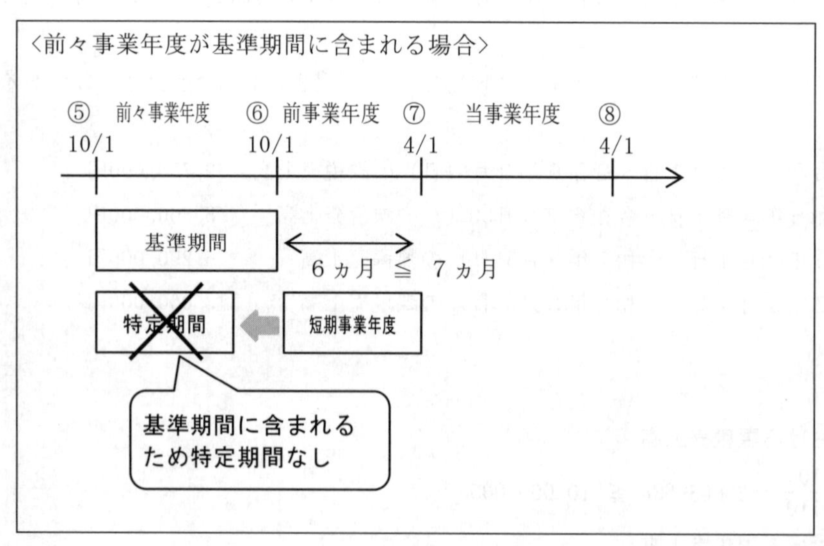

設例４－３　特定期間における課税売上高による判定(3)

次の資料に基づいて当社の当課税期間（令和７年４月１日～令和８年３月31日）の納税義務の有無を判定しなさい。

なお、当社は前課税期間まで継続して課税事業者に該当しており、【資料】の金額は税込みである。

【資料】

(1)　前々事業年度（令和５年10月１日～令和６年９月30日）の課税売上高　　10,100,000円

内訳

①　令和５年10月１日～令和６年３月31日　　6,300,000円

②　令和６年４月１日～令和６年９月30日　　3,800,000円

(2)　前事業年度（令和６年10月１日～令和７年３月31日）の課税売上高　　5,200,000円

(3)　当事業年度（令和７年４月１日～令和８年３月31日）の課税売上高　　12,000,000円

解答　（単位：円）

(1)　基準期間における課税売上高

$$10,100,000 \times \frac{100}{110} = 9,181,818$$

9,181,818 ≦ 10,000,000　∴　納税義務なし

解説

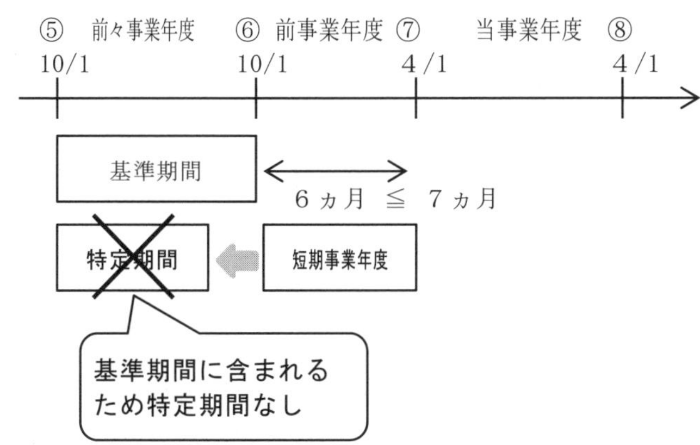

(1)　基準期間における課税売上高

①前々事業年度（令和５年10月１日～令和６年９月30日）が１年であるため、通常どおり前々事業年度が基準期間となります。基準期間における課税売上高が1,000万円以下であるため、次に特定期間における課税売上高の判定を行います。

(2)　特定期間における課税売上高

特定期間は、通常、前事業年度開始の日以後６月の期間ですが、②前事業年度（令和６年10月１日～令和７年３月31日）が短期事業年度であるため、③前々事業年度開始の日以後６月の期間（令和５年10月１日～令和６年３月31日）となります。しかし、この期間が④基準期間に含まれる期間であるため、特定期間はないこととなり、当課税期間は免税事業者となります。

5 給与等の合計額を用いる場合（法9の2③）

1．概要

特定期間における課税売上高は、通常、前事業年度の売上高を用いて計算するため、決算による売上げの金額が確定される前に納税義務の有無の判定を行うこととなります。そのため、事業者が仮決算を組むなどの方法により、**前事業年度の上半期の売上げを前もって把握しておく必要**がありますが、事業の規模によっては、決算前に売上げを把握することが困難な事業者もいることから、特定期間中に支払った**支払明細書**[*01]**に記載すべき給与等の金額の合計額をもって、特定期間における課税売上高とすることができます**。なお、給与等の金額の合計額をもって、特定期間における課税売上高とすることができる事業者は、**国内事業者に限られます**。[*02]

*01）所得税法第231条第１項に規定する支払明細書をいいます。

*02）国外事業者の本拠は国外にあるため、国内における居住者への給与等の金額で事業規模を測ることはできず、特例の適用に用いる指標として給与等を用いることは適当でないと考えられます。

2．金額に係る有利判定

給与等の金額を用いる特例は、任意に適用することができる特例です。したがって、特定期間における課税売上高を把握している場合であっても、納税者に有利な場合には、この規定を適用し納税義務の有無を判定することも可能です。

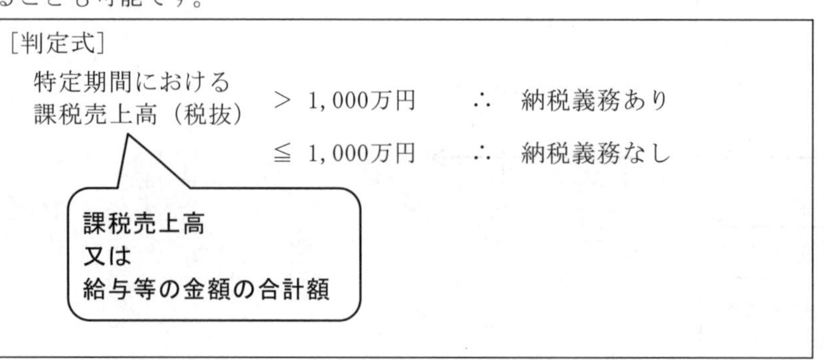

［判定式］
特定期間における課税売上高（税抜）
＞ 1,000万円　∴　納税義務あり
≦ 1,000万円　∴　納税義務なし
課税売上高
又は
給与等の金額の合計額

設例４－４　　特定期間における課税売上高による判定⑷

次の資料に基づいて当社（国内事業者）の当課税期間（令和７年４月１日～令和８年３月31日）の納税義務の有無を判定しなさい。

なお、当社は前課税期間まで継続して課税事業者に該当しており、【資料】の金額は税込みである。

【資料】

⑴　前々事業年度（令和５年４月１日～令和６年３月31日）の課税売上高　10,300,000円

⑵　前事業年度（令和６年４月１日～令和７年３月31日）の課税売上高　23,000,000円

内訳

①　令和６年４月１日～令和６年９月30日　11,300,000円

なお、上記期間中に支払った支払明細書に記載されている給与等の金額は9,500,000円である。

②　令和６年10月１日～令和７年３月31日　11,700,000円

⑶　当事業年度（令和７年４月１日～令和８年３月31日）の課税売上高　24,000,000円

解答 （単位：円）

(1) 基準期間における課税売上高

$10,300,000 \times \frac{100}{110} = 9,363,636 \leqq 10,000,000$

(2) 特定期間における課税売上高

① $11,300,000 \times \frac{100}{110} = 10,272,727$

② 9,500,000

③ ① ＞ ②　∴ 9,500,000

9,500,000 ≦ 10,000,000　∴ 納税義務なし

解説

(1) 基準期間における課税売上高

通常どおり前々事業年度が基準期間となります。なお、前々事業年度の課税売上高が1,000万円以下であるため、次に特定期間における課税売上高の判定を行います。

(2) 特定期間における課税売上高

当社は国内事業者のため特定期間に支払った給与等の金額の合計額をもって特定期間における課税売上高とすることができます。そのため、課税売上高と給与等の金額のいずれか少ない方の金額が1,000万円以下であれば、免税事業者となります。

新設法人の納税義務の免除の特例

当課税期間が設立第１期・第２期の法人の場合、前々事業年度が存在せず基準期間がないため、その法人は特定期間の判定の影響を受けない場合には免税事業者となります。しかし、設立第１期・第２期目の法人であっても、相当規模の事業を行っている法人もあることから、一定規模以上の法人の場合には、「新設法人の納税義務の免除の特例」が適用され、その法人の納税義務は免除されないこととなります。

1 適用要件（法12の2①）

「新設法人の納税義務の免除の特例」の適用要件は、**新設法人に該当する**ことです。

新設法人とは、**基準期間がなく**、かつ、その**事業年度開始の日における資本金の額又は出資の金額が1,000万円以上**である法人をいいます[*01]。

なお、特定期間がある設立第２期に関しては、特定期間における課税売上高の判定が優先されます。

> **〈納税義務の免除の特例による判定〉**
> ・基準期間なし
> ・その事業年度開始の日における資本金の額又は出資の金額が1,000万円以上

*01) 資本金の判定は、納税義務の有無を判定すべき課税期間の初日で行うため、設立時以後基準期間が生じるまでの間で増資等により資本金の額等に増減があった場合には注意が必要です。

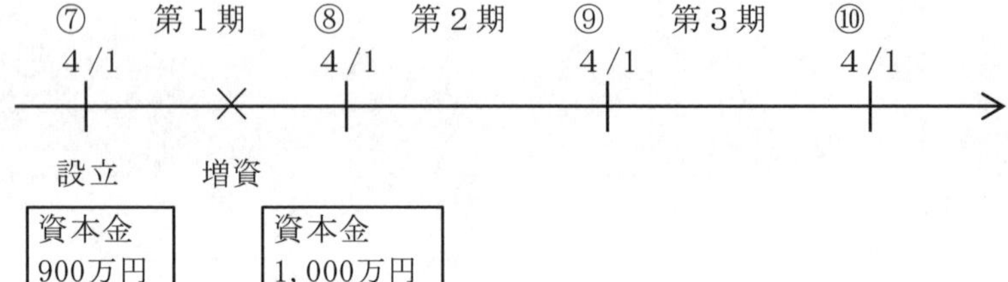

第１期（期首の資本金で判定）

900万円 ＜ 1,000万円　∴　納税義務なし

第２期

特定期間における課税売上高 ≦ 1,000万円

期首資本金　1,000万円 ≧ 1,000万円　∴　新設法人に該当

∴　納税義務あり

第３期

基準期間における課税売上高、特定期間における課税売上高による判定

期首資本金を用いた判定は行わない[*02]

*02) 特例が適用されるのは基準期間がない事業年度に含まれる課税期間だけなので、基準期間がある第３期からは通常どおり基準期間における課税売上高と特定期間における課税売上高で判定します。

設例５－１　新設法人の納税義務の免除の特例

次の資料に基づいて当社の各課税期間の納税義務の有無を判定しなさい。

なお、【資料】の課税売上高は税抜きである。

【資料】

	期首資本金額	課税売上高	
		事業年度全体	内4/1～9/30
設立第１期（令和７年４月１日～令和８年３月31日）	500万円	1,250万円	400万円
設立第２期（令和８年４月１日～令和９年３月31日）	1,000万円	1,470万円	700万円
設立第３期（令和９年４月１日～令和10年３月31日）	1,500万円	2,058万円	1,100万円

解答

設立第１期	納税義務あり	納税義務なし（○）
設立第２期	納税義務あり（○）	納税義務なし
設立第３期	納税義務あり（○）	納税義務なし

解説　（単位：円）

⑴　設立第１期の判定

①　基準期間の判定

基準期間なし

②　特定期間の判定

特定期間なし

③　新設法人の判定

期首資本金　　500万 ＜ 1,000万　　∴　新設法人に該当しない

∴　納税義務なし

⑵　設立第２期の判定

①　基準期間の判定

基準期間なし

②　特定期間の判定

400万 ≦ 1,000万

③　新設法人の判定

期首資本金　　1,000万 ≧ 1,000万　　∴　新設法人に該当

∴　納税義務あり

⑶　設立第３期の判定

①　基準期間の判定

1,250万 ＞ 1,000万　　∴　納税義務あり

2 外国法人に対する特例（法12の2③）

基準期間がある外国法人が、その基準期間の末日の翌日以後に、国内において課税資産の譲渡等に係る事業を開始した場合には、その事業年度については基準期間がないものとみなして、新設法人の納税義務の免除の特例を適用します。*01)

*01) 基準期間は日本に進出前であるため国内課税売上げが生じていないことから、納税義務が免除されることとなるため、日本に進出する時点の資本金等により事業者免税点制度の適用可否を判定することが適当であると考えられるためです。

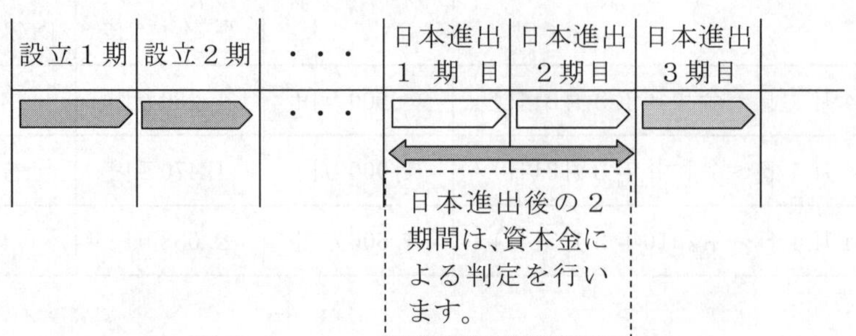

Section 6 特定新規設立法人の納税義務の免除の特例

新設法人の納税義務の免除の特例は、設立第１期・第２期の法人であっても、相当規模の事業を行っている法人もあることから、資本金をもとに判定した規模の大きい法人に関して納税義務を免除しないこととした規定ですが、売上げ規模の大きい事業者が納税義務を免れるために資本金の少ない会社を設立し、事業を分割する場合には特例が適用されず、免税事業者となってしまいます。ここでは、こういった状況を防止するためのグループ法人の特例について見ていきましょう。

1 概要

基準期間相当期間における課税売上高が５億円を超える事業者より**50%超の出資を**受けて設立された法人(これを「**特定新規設立法人**」といいます。)については、資本金1,000万円未満で設立された法人であっても基準期間がない事業年度における課税資産の譲渡等及び特定課税仕入れについては、納税義務は免除されません。

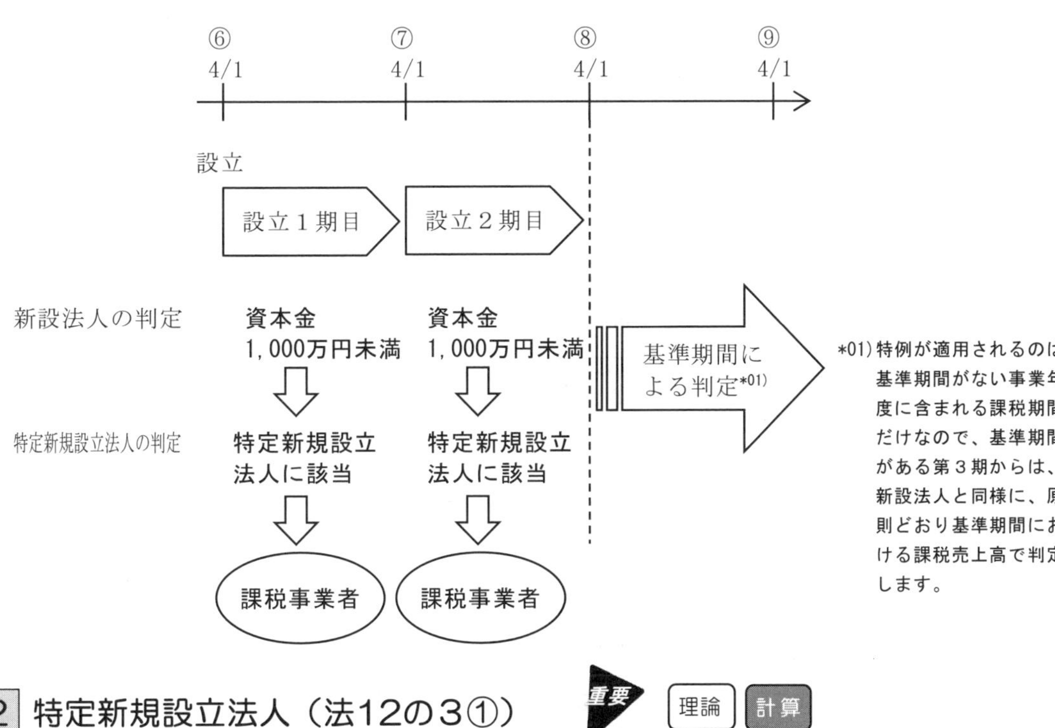

*01) 特例が適用されるのは基準期間がない事業年度に含まれる課税期間だけなので、基準期間がある第３期からは、新設法人と同様に、原則どおり基準期間における課税売上高で判定します。

2 特定新規設立法人（法12の3①）

重要 理論 計算

1．意義

特定新規設立法人とは、**新規設立法人**のうち次の要件を満たす法人をいいます。

なお、新規設立法人とは、その事業年度の基準期間がない法人のうち新設法人[*01)]及び社会福祉法人以外のものをいいます。

*01) 「新設法人の納税義務の免除の特例」の対象となる新設法人のことです。詳しくはSection 5で確認しましょう。

⑴　新規設立法人のその基準期間がない事業年度開始の日（「**新設開始日**」といいます。）において、**特定要件**[*02]**に該当すること**。

⑵　その新規設立法人の特定要件の判定対象となった他の者及びその他の者と特殊な関係にある法人[*03]のうちいずれかの者（「判定対象者」といいます。）のその**新設開始日の属する事業年度の基準期間相当期間における課税売上高が５億円を超えること、又はその基準期間相当期間の全世界における総収入金額**[*04)*05]**が50億円を超えること**。

*02) 下記2.を参照してください。

*03) 他の者とは、グループ法人などにおける兄弟会社などを指し、この者が直接新規設立法人を支配していなくても間接的に他の者と支配関係にあると言えるため、この支配関係にある兄弟会社などを含め「判定対象者」としています。

*04) 新規設立法人を支配する法人が全世界で相当規模の売上げを有し、十分な事務処理能力を有する法人であっても、国内での課税売上高が５億円超に達していなければ一律特例の対象外となるため制定されました。

*05) 総収入金額には、損益計算書の売上高以外にも、営業外収益、特別利益といった全ての収益の額が含まれます。

2．特定要件の判定

特定新規設立法人の特例は、基準期間がない事業年度について、グループ法人などが子会社に意図的に売上げを移すことによる租税回避を防止するために設けられた規定であることから、新規設立法人が判定対象者に支配される関係である場合に適用されます。

この支配関係にある場合の要件のことを特定要件といいます。

特定要件は次の場合などが該当します。

⑴　他の者が新規設立法人の発行済株式等の50％超を直接保有する場合

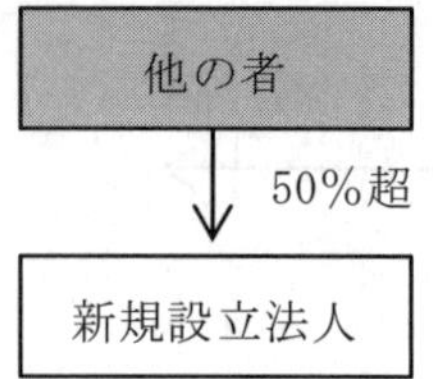

⑵　他の者及びその親族その他特殊な関係にある者とで新規設立法人の発行済株式等の50％超を保有する場合

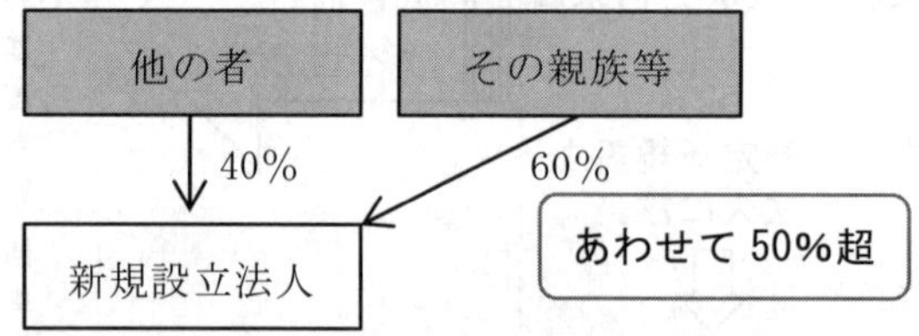

⑶　判定対象者が法人を完全支配していて、判定対象者とその法人とで新規設立法人の発行済株式等の50％超を有する場合

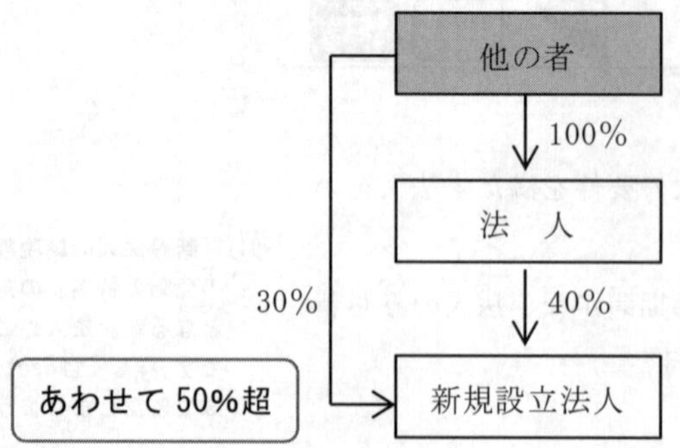

3. 基準期間相当期間

判定対象者の課税売上高が5億円を超えるか否かの判定の基準となる**基準期間相当期間**とは、原則として**新規設立法人の基準期間がない事業年度開始の日の2年前の日の前日から同日以後1年を経過する日までの間に終了した判定対象者の事業年度**をいいます。

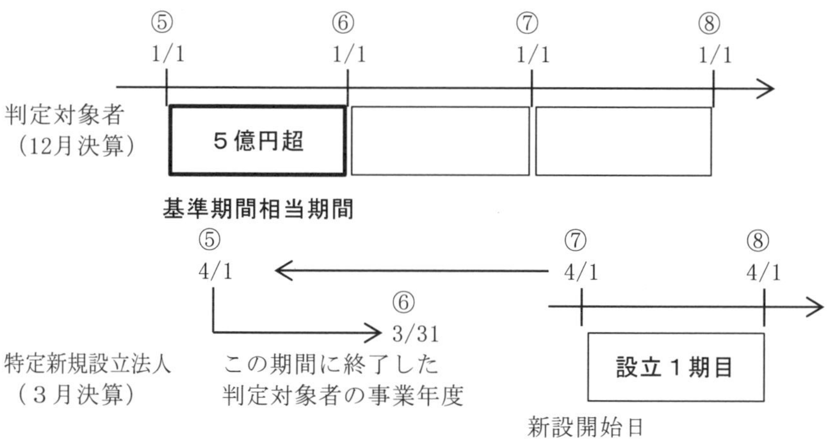

〈対応する期間〉

基準期間がない事業年度開始の日(⑦4/1)の2年前の日(⑤4/2)の前日(⑤4/1)から同日以後1年を経過する日(⑥3/31)までの間に終了した判定対象者の各事業年度(⑤1/1～⑤12/31)を合わせた期間

設例6−1　特定新規設立法人の納税義務の免除の特例

次の【資料】に基づいて甲社の設立第1期、設立第2期及び設立第3期までの各事業年度における納税義務の有無を判定しなさい。なお、甲社は乙社が甲社発行済株式の全株式数を引き受けて設立された法人である。

【資料】

甲社の資料

	期首資本金額	課税売上高(税抜)	
		事業年度全体	内4/1～9/30
設立第1期(令和6年4月1日～令和7年3月31日)	1,000万円	1,188万円	480万円
設立第2期(令和7年4月1日～令和8年3月31日)	800万円	1,080万円	432万円
設立第3期(令和8年4月1日～令和9年3月31日)	800万円	972万円	388万円

乙社の資料

	課税売上高(税抜)
令和4年4月1日～令和5年3月31日	8億円
令和5年4月1日～令和6年3月31日	6億円
令和6年4月1日～令和7年3月31日	5億円

解答

設立第１期	納税義務あり（○）	納税義務なし
設立第２期	納税義務あり（○）	納税義務なし
設立第３期	納税義務あり（○）	納税義務なし

解説　（単位：円）

⑴　設立第１期の判定

①　基準期間の判定

基準期間なし

②　特定期間の判定

特定期間なし

③　新設法人の判定

期首資本金　　1,000万 ≧ 1,000万　　∴　新設法人に該当

∴　納税義務あり

⑵　設立第２期の判定

①　基準期間の判定

基準期間なし

②　特定期間の判定

480万 ≦ 1,000万

③　新設法人の判定

期首資本金　　800万 ＜ 1,000万　　∴　新設法人に該当しない

④　特定新規設立法人

イ　特定要件

100％ ＞ 50％　　∴　該当

ロ　乙社課税売上高

$\frac{6億}{12月}$ ×12＝６億 ＞ ５億　　∴　特定新規設立法人に該当

∴　納税義務あり

⑶　設立第３期の判定

①　基準期間の判定

1,188万 ＞ 1,000万　　∴　納税義務あり

3 外国法人に対する特例（法12の3⑤）

基準期間がある外国法人が、その基準期間の末日の翌日以後に、国内において課税資産の譲渡等に係る事業を開始した場合には、その事業年度については基準期間がないものとみなして、特定新規設立法人の納税義務の免除の特例を適用します。

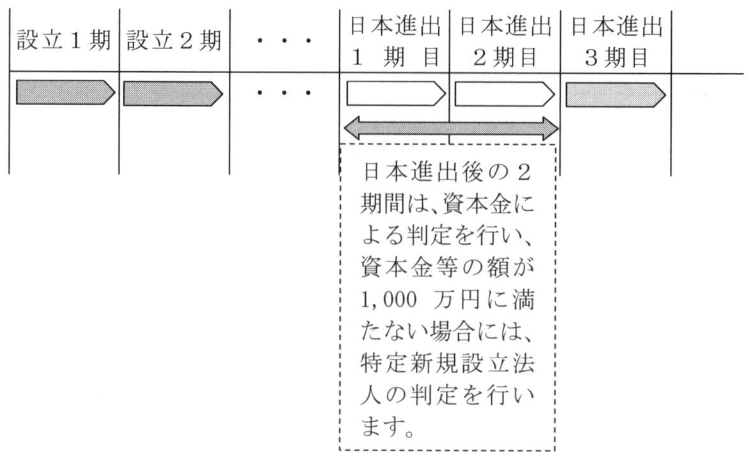

4 解散法人の特例

理論

1．概要

特定新規設立法人の特例は、設立後の基準期間がない事業年度に関して新規設立法人を設立し、売上げを分割することで納税義務を免れることを防止するために設けられた規定ですが、新規設立法人に事業を移転し、既存法人を解散させることによる悪質な課税回避行為も見られることから、こうした解散法人に関しても上記[2]の判定対象者とみなして特定新規設立法人の納税義務の免除の特例の適用を受けることとなっています。

2．解散法人の意義

解散法人とは、解散前の支配関係が下記のような場合における特殊関係法人です。

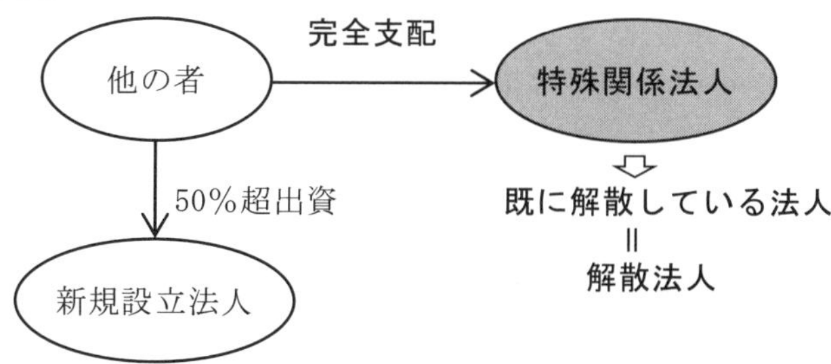

具体的には、次の要件をいずれも満たすものをいいます。

(1) 新規設立法人が新設開始日において特定要件に該当していたこと

(2) 解散法人が[2]に規定する「他の者と特殊な関係にある法人」である法人であったこと

⑶　解散法人がその新規設立法人の設立の日前１年以内又はその新設開始日前１年以内に解散した法人であること

⑷　解散法人がその解散をした日において他の者と特殊な関係にある法人に該当していたこと（新設開始日においてその特殊な関係にある法人を除く。）

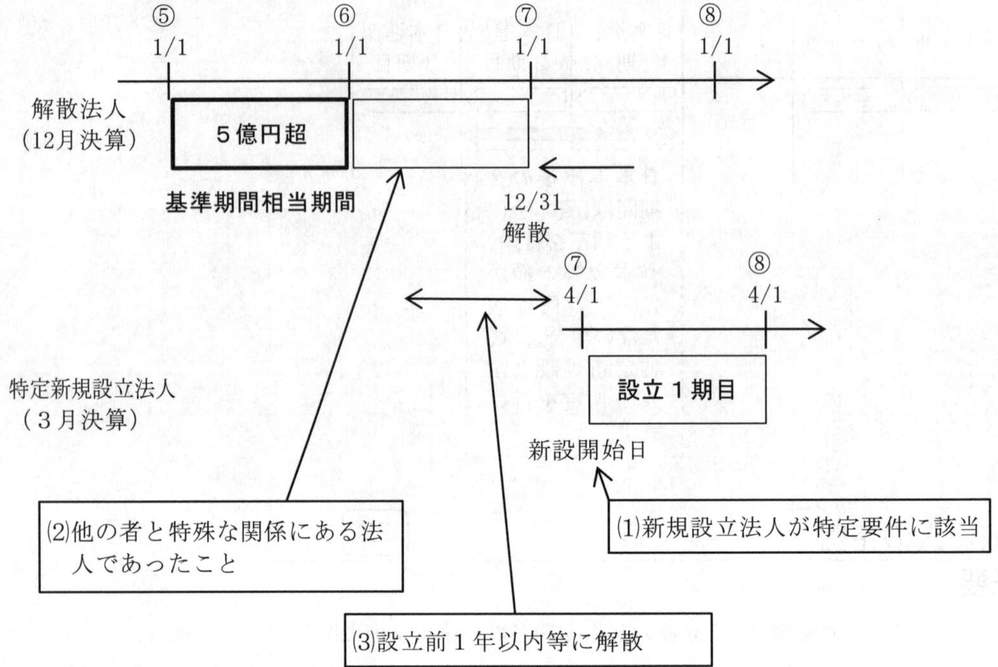

Try it　**納税義務の判定**

次の資料より当社の設立第２期（令和７年４月１日～令和８年３月 31 日）の納税義務の有無を判定しなさい。

(1)　当社の設立に関する資料

A社は、令和６年 10 月１日に代表者個人が営んでいた物品販売業を法人成りして設立した資本金 1,000 万円の株式会社である。

(2)　当社の課税売上高等の状況（消費税等の額が含まれるものは、消費税等の額を含む金額である。）

	設立第１期事業年度 令和６年 10 月１日 令和７年３月 31 日
Ⅰ　資産の譲渡等の金額	26,832,000 円
Ⅰのうち非課税取引に係るもの	336,000 円

解答　（単位：円）

(1)　**基準期間における課税売上高**

設立２期目のため基準期間がない事業年度

(2)　**特定期間における課税売上高**

前事業年度　　６月 ≦　７月　　∴　短期事業年度

∴　前々事業年度がないため特定期間がない事業年度

(3)　**新設法人の納税義務の免除の特例**

期首資本金　　10,000,000 ≧ 10,000,000　　∴　新設法人に該当

∴　納税義務あり

解説

法人の納税義務の有無の判定

基準期間における課税売上高の判定
⇩
特定期間における課税売上高の判定
⇩
新　設　法　人　の　判　定
⇩
特定新規設立法人の判定

本問は上記判定手順に従い『新設法人の納税義務免除の特例』により消費税の納税義務を有することとなる。

Chapter 7

仕入税額控除Ⅱ

Chapter１で学習したように、消費税の納付税額は預かった消費税から支払った消費税を差し引いて求めます。

ここでは、支払った消費税である、仕入れに係る消費税額の計算について見ていきます。

このテキストでの学習項目の最重要項目であり、本試験での得点源にもなる部分ですので考え方をしっかり理解していきましょう。

Section 1

仕入税額控除の概要

Chapter 1では、消費税の仕組みとして、税の累積を避けるために売上げ時に「預かった消費税」から、仕入れ時に「支払った消費税」を控除して納付税額を求める「前段階控除」というものを学習しました。

ここでは、「支払った消費税」である仕入れに係る消費税額の控除について学習していきましょう。

1 税額控除とは

消費税において、課税標準額に対する消費税額から控除できる項目(税額控除) には次の４つがあります。

(1) **仕入れに係る消費税額の控除**[*01)]（仕入税額控除）
(2) **売上げに係る対価の返還等をした場合の消費税額の控除**
(3) **特定課税仕入れに係る対価の返還等を受けた場合の消費税額の控除**
(4) **貸倒れに係る消費税額の控除**

*01) 消費税法では、「仕入れに係る消費税額の控除」と記載されています。

消費税額の計算

(1) 課税標準額に対する消費税額
　① 課税標準額
　② 課税標準額に対する消費税額

(2) 税額控除
　① 仕入れに係る消費税額の控除
　② 売上げに係る対価の返還等をした場合の消費税額の控除
　③ 特定課税仕入れに係る対価の返還等を受けた場合の消費税額の控除
　④ 貸倒れに係る消費税額の控除

(3) 納付税額
　① 差引税額
　② 納付税額

なお、仕入税額控除ができるのは、課税事業者に限られている点に注意が必要です[*02)]。

また、仕入税額控除には**原則的な方法**と**簡易課税制度**[*03)]がありますが、ここでは原則的な方法を学習します。

*02) 免税事業者は納税義務がない代わりに、税額控除による還付も受けることはできません。

*03) 基準期間における課税売上高が5,000万円以下の事業者が選択できる制度です。詳しくは応用編で見ていきます。

2 仕入税額控除の趣旨 理論

消費税法の規定により[*01]、消費税の課税の対象は、事業者が行ったすべての「資産の譲渡及び貸付け並びに役務の提供」とされているため、一つの資産が最終的に消費者に届くまでに何度もの取引を経ると、**取引の都度、その売上げに対して消費税が課されることになります**[*02]。

このような場合に、仕入税額控除を認めないと、事業者は売上げの際に各取引段階で累積した消費税を価格に上乗せすることになり、消費者までの取引回数が増えるほど税金部分が大きくなるとともに、価格が上昇してしまうことになります[*03]。

そこで、事業者が**仕入れの際に負担した消費税額を、売上げに係る消費税額から控除することで、税の累積を排除**（前段階までの税を排除）する**前段階控除の手続として**、仕入税額控除の規定が認められています。

*01) 第４条「国内において事業者が行った資産の譲渡等には、消費税を課する。」

*02) 例えば本であれば、出版社、書店の各事業者が売上げを計上した各時点で消費税が課されることとなります。

*03) 前の事業者の売上げに係る消費税部分に対して更に消費税が課されることになり、税負担が大きくなってしまいます。
詳しくはChapter 1 を確認しましょう。

〈前段階控除方式〉

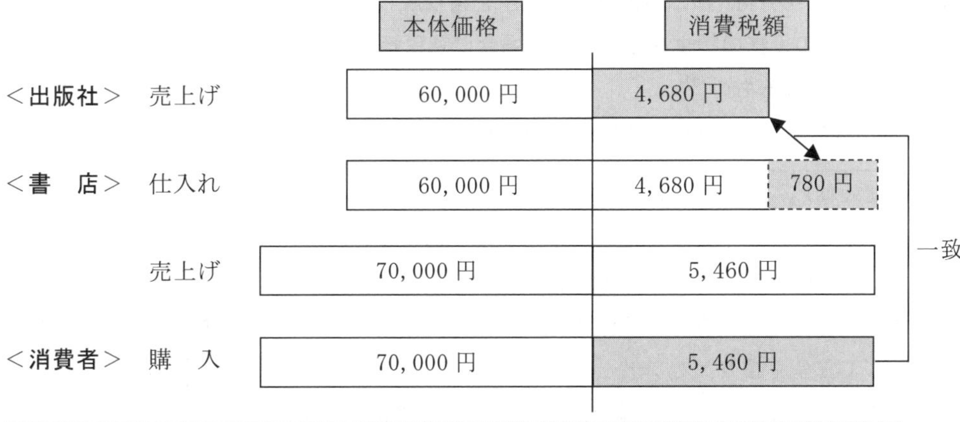

	出版社	書　店	消費者
預かった税金（売上げ分の消費税）	4,680円	5,460円	―
支払った税金（仕入れ分の消費税）	―	4,680円	5,460円
納付税額	4,680円	＋　780円	＝5,460円

Section 2

課税仕入れ等

消費税の計算を行う上で、仕入税額控除の対象となる取引を「課税仕入れ等」といいます。ここでは、どのような取引が課税仕入れ等に該当するのか詳しく見ていきます。なお、例外的なものを除き、課税仕入れ等とは、単に皆さんが日常において買い物をするときに、消費税を支払っている取引が該当するのだということを頭に置きながら確認していきましょう。

1 課税仕入れ等の範囲

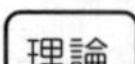

1. 課税仕入れとは

課税仕入れとは、以下の要件を満たす取引をいいます。

(1) 事業として他の者から資産の譲渡等を受けること[*01)]

(2) 給与等を対価とする役務の提供でないこと

(3) 取引の相手方（売り手側）が、事業として資産を譲り渡し、若しくは貸し付け、又はその役務の提供をしたとした場合に課税資産の譲渡等に該当することとなるもの[*02)]

(4) 輸出免税取引等により消費税が免除されるものでないこと

*01) 資産の譲渡等の前提条件として、「対価の支払いがあること」も要件となります。

*02) 事業者としての相手方の立場から考えて、その取引が課税取引であるか否かで判断をします。
また、あくまでも相手方が事業として資産の譲渡等をした場合を仮定しているだけで、(1)～(4)の要件を満たせば、仕入先が免税事業者や一般消費者（個人）であっても課税仕入れとなります。

> **消費税法〈課税仕入れ〉**
> 第2条①十二　事業者が、事業として他の者から資産を譲り受け、若しくは借り受け、又は役務の提供（給与等を対価とする役務の提供を除く。）を受けること（他の者が事業として資産を譲り渡し、若しくは貸し付け、又はその役務の提供をしたとした場合に課税資産の譲渡等に該当することとなるもので、輸出免税取引等により消費税が免除されるものを除く。）をいう。

<課税仕入れの判断の流れ>

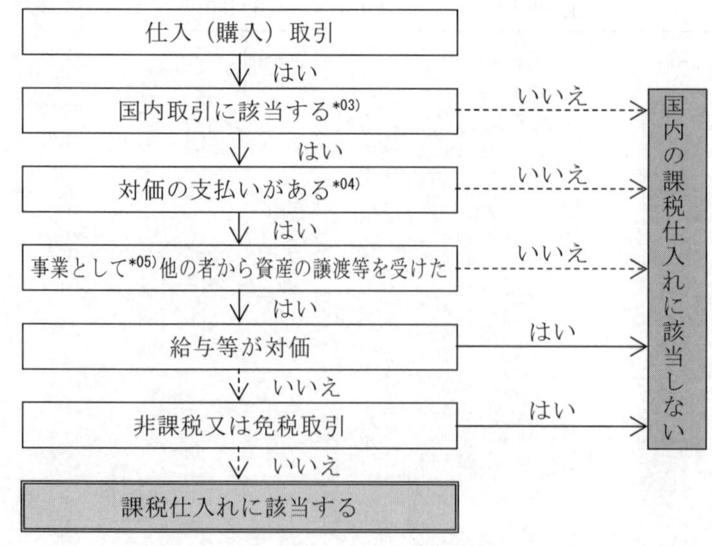

*03) 国外取引は消費税法の課税の対象にならず、税額控除できる課税仕入れに該当しません。

*04) 無償取引も基本的に消費税法の課税の対象にならず、課税仕入れにも該当しません。

*05) 個人事業者が家事のために購入したものは、課税仕入れに該当しません。

2. 課税仕入れ判定上の注意点

課税仕入れには、商品等の仕入れの他、事務用品や固定資産の購入、手数料の支払い等、**事業遂行上必要なすべての取引が含まれます。**

このうち、取引が課税仕入れに該当するか否かを判断する上で、注意すべき取引として次のものがあります。

人件費関係	可否
① **給料や賃金**	×
② 単身赴任手当	×
③ **通勤手当***06)（①に関するもの）	○
④ 出向社員の給与負担金*07)	×
⑤ 派遣会社に支払った派遣料*08)	○
⑥ 慶弔金（お祝金やお香典等で現金によるもの）	×
⑦ 渡切交際費*09)（機密費や使途不明金）	×

社員の出張旅費（日当を含む）	可否
① **国内出張に関する旅費***10)	○
② 海外出張に関する旅費	×

ゴルフクラブ等のレジャー施設の入会金	可否
① **脱退時に返還されない***11)	○
② **脱退時に返還される***12)	×

仕入先が免税事業者や個人	可否
① 課税資産の取得*13)	○
② 上記以外の資産の取得	×

その他の事項	可否
① 取得した課税資産が滅失した場合*14)	○
② 贈与目的の資産の取得	○
③ 金銭による寄附等*15)	×
④ 同業者団体等の会費（通常会費）	×
⑤ 同業者団体等の会費で資産の譲渡等の対価に該当*16)	○

*06) 通常、必要であると認められる部分に限られます。

*07) 給与負担金を支払う出向先事業者との雇用契約もあるため、給料のように扱います。

*08) 派遣先の事業者と派遣社員との間に雇用契約はなく、派遣会社（事業者）との契約によるサービスを受けるため、課税仕入れとなります。

*09) 領収書のない交際費と考えます。

*10) 通常、必要であると認められる部分に限られます。なお、出張に関する日当も課税仕入れに含まれます。
日当とは、従業員等の出張の際の手当として、1日あたりの金額を定めて支給するものをいいます。

*11) 返還されない場合は、サービスの提供を受けたものとして、課税仕入れに該当します。

*12) 返還される場合は、単にお金を預けただけなので、不課税取引です。

*13) 中古車販売店が一般のユーザーから中古車を買い取る場合等が該当します。

*14) たとえ取得した課税資産が使用も売却もされずに滅失した場合でも、課税仕入れに該当します。

*15) 金銭の贈与の場合は、対価性がないものとして不課税取引となります。

*16) 会費が出版物の購読料や研修の受講料等の対価である場合です。

設例２－１　課税仕入れの範囲

次の【資料】から、課税仕入れの金額を計算しなさい。

【資料】

1．商品（課税商品）の仕入高（すべて国内仕入れ）　96,452,000円

なお、当課税期間の商品仕入高の中には免税事業者からの仕入高21,400,000円と、一般消費者からの仕入高422,000円が含まれている。

2．販売費及び一般管理費

⑴　人件費　38,420,000円

なお、上記金額には以下のものが含まれている。

通勤手当（通常、必要と認められるもの）　1,520,000円

派遣会社に支払った派遣料　5,250,000円

⑵　貸倒引当金繰入額　890,000円

⑶　減価償却費　19,450,000円

⑷　旅費交通費　2,410,000円

なお、内訳は、以下のとおりである。

国内出張に関する旅費　1,024,000円

海外出張に関する旅費　1,386,000円

⑸　交際費　1,844,000円

なお、内訳は、以下のとおりである。

取引先の新工場完成式典にあたっての花輪代　144,000円

渡切交際費　1,000,000円

ゴルフクラブの入会金（脱退時に返還される）　700,000円

⑹　支払保険料　940,000円

⑺　通信費　620,000円

なお、内訳は、以下のとおりである。

国内電話料金　416,000円

国際電話料金　204,000円

⑻　租税公課　1,150,000円

⑼　雑費　315,000円

なお、上記金額には以下のものが含まれているが、これ以外のものは国内における課税仕入れに該当する

同業者団体の年会費　200,000円

事務用品代　4,000円

3．その他の取引

当課税期間において以下の資産を取得している。

倉庫用建物　150,000,000円

新店舗建設用土地　180,000,000円

国　債　4,000,000円

解答　課税仕入れの金額　254,921,000 円

解説（単位：円）

1．相手方が免税事業者や一般消費者（個人）であっても、要件を満たせば課税仕入れとなります。したがって、商品（課税商品）の仕入高は、全額が課税仕入れとなります。

2．⑴　給料等の人件費は基本的に課税仕入れとはなりません。ただし、通常、必要であると認められる通勤手当に関しては、課税仕入れとなります。また、派遣会社に支払った派遣料は派遣会社（事業者）との契約によってサービスを受けた対価であるため、課税仕入れとなります。

⑵⑶　貸倒引当金繰入額や減価償却費は資産の譲渡等にはあたらないため、課税仕入れとはなりません。

⑷⑺　旅費交通費や通信費のうち、海外出張に関する旅費や国際電話料金は課税仕入れとはなりません。

⑸　渡切交際費は、課税仕入れとなりません。また、ゴルフクラブの入会金で脱退時に返還されるものは、単にお金を預けただけなので、課税仕入れにはなりません。

⑹　保険料は非課税仕入れであるため、課税仕入れとはなりません。

⑻　租税公課は対価性がない不課税仕入れであるため、課税仕入れとはなりません。

⑼　同業者団体等の会費のうち、資産の譲渡等の対価に該当しないものに関しては、課税仕入れとはなりません。

3．建物の購入費は課税仕入れとなりますが、土地や国債等の有価証券の購入費は、非課税仕入れであるため、課税仕入れとはなりません。

以上により、課税仕入れの金額は次のように計算されます。

96,452,000（商品仕入高）＋（1,520,000（通勤手当）＋5,250,000（派遣料））＋1,024,000（国内出張旅費）＋144,000（花輪代）＋416,000（国内電話料金）

＋（315,000（雑費総額）－200,000（年会費））＋150,000,000（倉庫用建物）＝254,921,000

3．課税貨物とは

課税貨物とは、保税地域から引き取られる外国貨物のうちChapter 3で学習した非課税貨物に該当しないものをいいます。したがって、**無償の引取りでも課税貨物の引取りに該当**します。

なお、課税仕入れと課税貨物の引取りを合わせて「**課税仕入れ等**」といいます。

消費税法〈課税貨物〉

第2条①十一　保税地域から引き取られる外国貨物のうち、非課税の規定により消費税を課さないこととされるもの以外のものをいう。

2 課税仕入れ等の時期（法30 ①一）

仕入税額控除は、次の日の属する課税期間に行います。

〈国内における課税仕入れ〉

資産の譲受け：**資産を譲り受けた（購入した）日**

資産の借受け：**資産を借り受けた日**

役務の提供：**役務の提供を受けた日**

〈保税地域から引き取る課税貨物[*01]〉

一般申告の場合：課税貨物を引き取った日

特例申告の場合：特例申告書を提出した日

〈特例申告とは〉

一般申告の場合は、保税地域から課税貨物を引き取る時までに申告書を提出します。

これに対して、特例申告の場合は、課税貨物の引取りの日の属する月の翌月末日までに申告書を提出することになります。なお、特例申告を行う場合は、税関長の承認が必要です。

なお、以下の項目については、それぞれに示した日が課税仕入れ等の日になる点に注意します。

⑴ 前払金、仮払金（課税仕入れに関するもの）
　→課税仕入れ等を行った日[*02]

⑵ 減価償却資産[*03]
　→課税仕入れ等を行った日[*02]

⑶ 割賦による取得
　→資産の引渡し等を受けた日[*04]

⑷ 郵便切手類及び物品切手等
　原則：**役務又は物品の引換給付を受けた日[*05]**
　例外：郵便切手類及び物品切手等の対価を支払った日[*06]
　　（継続して適用していることが要件）

⑸ リース取引の場合 

賃貸借取引とする場合	リース料を払った日[*07] （リース料の支払日ごとに課税仕入れに計上）
売買取引とする場合	**資産の引渡しを受けた日[*07]** （引渡し日に未払分も含め、総額で課税仕入れに計上）

*01) 輸入取引の申告に関する内容はChapter15で詳しく学習します。

*02) 購入に際して前払金や仮払金があったとしても、実際に商品等を買った日に購入代価について消費税を考慮します。

*03) 建物や備品等の有形固定資産、ソフトウェア等の無形固定資産等の減価償却を行う資産です。

*04) 固定資産等を実際に受け取った日です。支払いがすべて終わっていなくても引渡しの日にその購入代価の全額について消費税を考慮します。

*05) 実際に切手を使って郵便を出した日や、商品券を使って物品を購入した日です。
郵便切手類や物品切手等の売買自体は非課税取引であり、これらを使って資産の購入等を行った日が課税仕入れ等の日となります。

*06) 事務上の煩雑さを考慮して郵便切手類や物品切手等を買った日を課税仕入れ等の日としています。

*07) 利息部分が明記されている場合は、利息部分は除きます。

⑹　短期前払費用（基通11－３－８）　2回目でOK!

前払費用のうち、一定の契約に基づき継続的に役務の提供を受けるために支出した課税仕入れに係る支払対価で、１年以内にその役務の提供を受けるものについて、所得税法又は法人税法でその支出日の属する課税期間において費用計上する特例を取っているものに関しては、消費税法においても同様の取扱いが認められます。

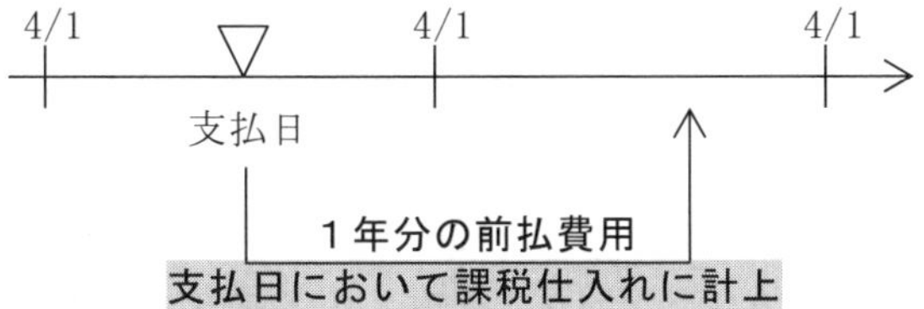

⑺　支払対価が確定していない場合の見積り（基通11－４－５）　2回目でOK!

事業者が課税仕入れ等を行った場合に、その課税仕入れ等を行った日の属する課税期間の末日までにその支払対価の額が確定していないときは、その金額を適正に見積もります*08)。

この場合に、**その後確定した対価の額が見積額と異なるときは、その差額は、その確定した日の属する課税期間における課税仕入れに係る支払対価の額に加算し、又は支払対価の額から減算します。**

*08) 相手方から見積額が記載された適格請求書の交付を受けます。

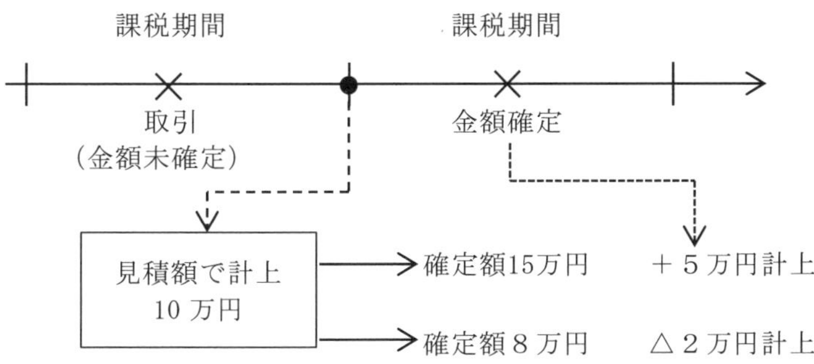

設例２－２　課税仕入れ等の時期

次の【資料】から、当課税期間の課税仕入れの金額を計算しなさい。ただし、課税仕入れ等の時期に関しては、原則によること。

【資料】

１．当課税期間の商品（課税商品）の仕入高は5,020,000円（すべて国内仕入れ）であった。このうち35,000円については、前課税期間に手付金として支払っていたものである。また、このほかに当課税期間に手付金42,000円を支払っているが、この手付金に係る商品は翌課税期間に仕入れるものである。

２．当課税期間に商品包装用機械860,000円を購入し、使用を開始した。ただし、代金は当課税期間末時点で未払いとなっている。また、この機械の減価償却費120,000円を計上した。

３．当課税期間に郵便切手6,500円分を購入したが、このうち1,110円分が当課税期間末日時点で未使用となっている。なお、前課税期間末において未使用となっていた郵便切手はなかった。

解答　　課税仕入れの金額　5,885,390 円

解説　(単位：円)

1．資産の譲受けについては、資産を譲り受けた（購入した）日の属する課税期間の課税仕入れとします。したがって、当課税期間に手付金を支払っていても、資産を譲り受けていなければ課税仕入れとはなりません。

2．減価償却資産についても、資産を譲り受けた日の属する課税期間の課税仕入れとします。
　したがって、代金が未払いであっても課税仕入れとなります。なお、減価償却費は課税仕入れとはなりません。

3．郵便切手の購入自体は非課税仕入れですが、その郵便切手を使って郵便を出せば、引換給付を受けたことになるため、その時点で課税仕入れとなります。なお、継続適用を要件に郵便切手を購入した日をもって課税仕入れとすることができますが、ここでは、原則的な考え方により、使用した分だけを課税仕入れとします。

以上により、課税仕入れの金額は次のように計算されます。

5,020,000（商品仕入高）＋860,000（商品包装用機械）＋（6,500（郵便切手）−1,110（期末未使用分））＝5,885,390

Section 3 控除対象仕入税額の計算（基礎）

Section２では、どのような取引が控除の対象となるか学習しました。このSectionでは具体的に控除税額の求め方を学習していきます。

ここから少し複雑な計算が入りますので、算式の意味を理解しながら押さえていきましょう。

1 計算方法（法30 ①）

理論 

1．原則法（積上げ計算、令46①）

課税仕入れに係る消費税額のうち、課税標準額に対する消費税額から実際に控除できる税額（控除対象仕入税額）は、標準税率、軽減税率ごとに以下の算式で計算します。

控除対象仕入税額＝適格請求書等に記載した消費税額等の合計額[*01] $\times \frac{78}{100}$ ＋課税期間中に引き取った課税貨物に係る消費税額[*02]

課税標準額に対する消費税額の計算における積上げ計算と同様に、適格請求書等に記載された消費税額を基に課税仕入れに係る消費税額を計算します。

*01) 課税仕入れの都度、課税仕入れに係る消費税額を帳簿に記載している場合には、その帳簿に記載した消費税額等の合計額

*02) 金額は通常、問題文の資料として与えられます。

2．特例（割戻し計算、令46③）

課税標準額に対する消費税額の計算を割戻し計算によって計算している事業者は、標準税率、軽減税率ごとに以下の算式で計算することができます。

控除対象仕入税額＝課税仕入れの総額（税込）$\times \frac{7.8}{110}$（又は$\frac{6.24}{108}$）＋課税期間中に引き取った課税貨物に係る消費税額

3．計算方法の組み合わせ[*03]

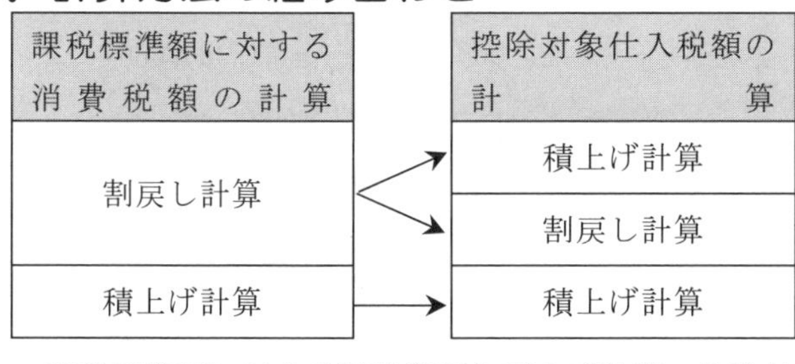

課税標準額に対する消費税額を積上げ計算、控除対象仕入税額の計算を割戻し計算の方法で行うことはできません。

*03) この教科書では特に指示が無い限り、課税標準額に対する消費税額は割戻し計算、控除対象仕入税額の計算も割戻し計算の方法で計算します。

設例３－１　割戻し計算と積上げ計算

次の【資料】により、食料品販売業を営む当社の当課税期間（令和７年４月１日～令和８年３月31日）の控除対象仕入税額の計算を⑴積上げ計算、⑵割戻し計算それぞれの方法により求めなさい。なお、当社は税込経理方式を採用し、課税仕入れ等の税額は全額控除できるものとする。

【資料】

⑴　当社が受領した適格請求書の記載事項

①	標準税率適用課税仕入れの合計額	25,000,000円
②	①に係る消費税額及び地方消費税額の合計額	2,272,720円
③	軽減税率適用課税仕入れの合計額	24,000,000円
④	③に係る消費税額及び地方消費税額の合計額	1,777,770円

⑵　当課税期間中に保税地域から引き取った標準税率適用課税貨物について国に納付した消費税額等1,245,500円（消費税額971,600円、地方消費税額273,900円）

解答

⑴　積上げ計算の方法による控除対象仕入税額　4,130,981 円

⑵　割戻し計算の方法による控除対象仕入税額　4,130,993 円

解説（単位：円）

⑴　積上げ計算

1．控除対象仕入税額

⑴　標準税率適用分

①　課税仕入れに係る消費税額

$2,272,720\times\frac{78}{100}=1,772,721$

②　課税貨物に係る消費税額

971,600

③　合計

①＋②＝2,744,321

⑵　軽減税率適用分

$1,777,770\times\frac{78}{100}=1,386,660$

⑶　合計

⑴＋⑵＝4,130,981

⑵　割戻し計算

1．控除対象仕入税額

⑴　標準税率適用分

①　課税仕入れに係る消費税額

$25,000,000\times\frac{7.8}{110}=1,772,727$

②　課税貨物に係る消費税額

971,600

③　合計

①＋②＝2,744,327

⑵　軽減税率適用分

$24,000,000\times\frac{6.24}{108}=1,386,666$

⑶　合計

⑴＋⑵＝4,130,993

2 控除できない仕入税額の考え方

理論 計算

Chapter 1 では、仕入税額控除を行う理由として、前段階控除という仕組みを学習しました。前段階控除とは、一つの商品の流通過程に伴い事業者間で何度も売上げが計上されるため、その売上げについてのすべての消費税を取引の各段階の事業者が納付することにより税が累積されてしまいます。これを排除するために、取引の前段階の売上げにおいて納付されるべき消費税額（すなわち、仕入れに係る消費税額）を控除するというものでした。したがって、この前段階控除の考え方は、**取引の各過程で生じる売上げが課税売上げに該当することが前提**となります。

＜課税仕入れと課税売上の場合＞

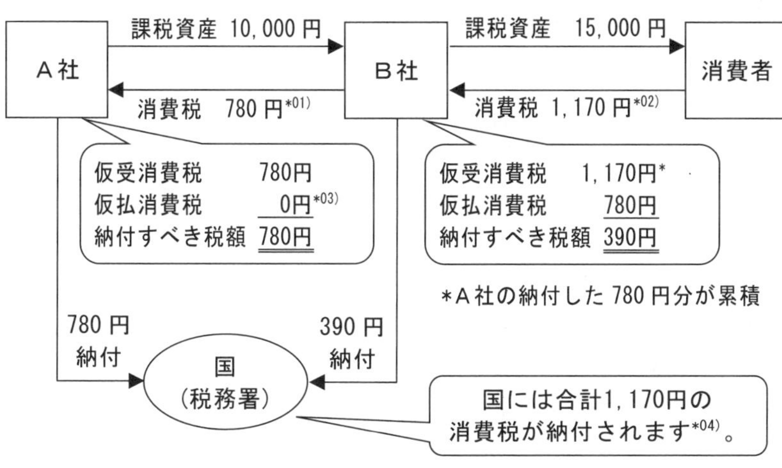

しかし、事業の内容によっては、**仕入れる際には消費税を払っている（課税仕入れ等）にもかかわらず、売上げが非課税売上げ**となることも考えられます[*05]。

この場合には、売上げの際に消費税を預からないため、取引の前段階の売上げで発生している消費税は、次の段階において納付されず**税が累積することはありません。**

このような状態であるにもかかわらず、原則どおりに仕入税額控除を認めてしまうことは、**本来国に対し納付されるべき消費税が納付されないこととなってしまいます。**

＜課税仕入れと非課税売上の場合＞

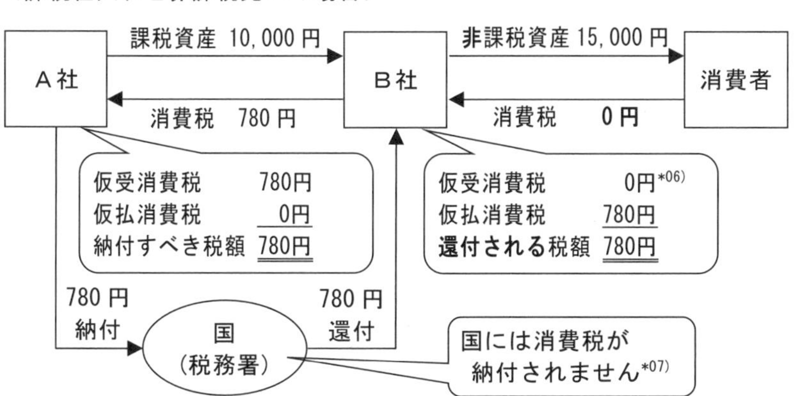

*01) ここでは国税（7.8%）分の消費税のみを取り扱います。

*02) 本来、消費税法は税込経理方式を前提としていますが、ここではわかりやすさを重視して税抜経理方式で解説しています。

*03) 計算を単純化するために、A社の課税仕入れは無いものとします。

*04) A社とB社の納付額を合計すると、結果として消費者が負担すべき消費税額（国税分）1,170円が国に納付されることとなります。なお、便宜上、百円未満切捨の端数処理はしていません。以下次ページにおいて同じ。

*05) 例えば、タイヤ等の材料を仕入れ（課税仕入れ）、それらを組み立てて車いすを販売する（非課税売上げ）ようなケースが該当します。

*06) 非課税資産の譲渡なので、消費税は0円となります。

*07) A社の納付した780円がB社に還付されるため、結果として国には消費税が一切納付されないことになってしまいます。

上記のような例の場合、Ｂ社がＡ社に支払った消費税額780円を控除の対象としているために、適切な消費税の納付がなされていないと考えられます。このとき、Ｂ社がＡ社に支払った消費税を控除できないようにすれば、Ａ社のＢ社に対する課税売上げ10,000円に係る消費税額780円が、適切に納付されることとなります。

＜課税仕入れと非課税売上の場合＞

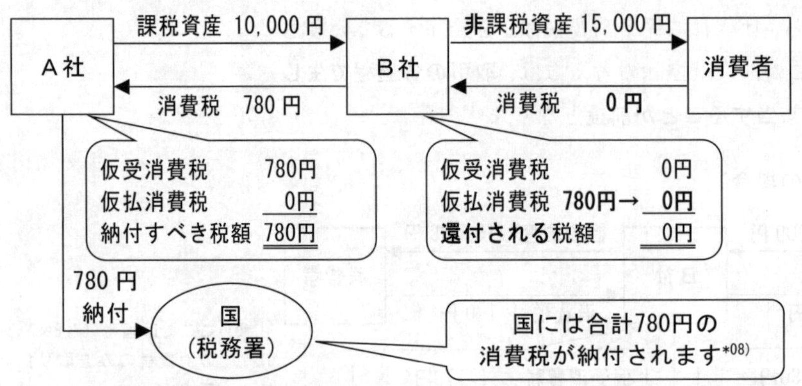

*08) これで、Ａ社の課税売上げ10,000円に係る消費税額（国税分）780円が適切に納付されることとなります。

このように、売上げの中に非課税売上げが含まれているときには、機械的にすべての課税仕入れ等に係る消費税額を控除の対象としてしまうことは妥当ではありません。

そこで仕入税額控除を行う際に、課税仕入れ等を「**課税売上げのための課税仕入れ等**」と「**非課税売上げのための課税仕入れ等**」に区分する必要があります。このように、取引を２者に区分する考え方を「**区分経理**」といいます。

3 区分経理と課税売上割合

理論　計算

区分経理を行うにあたり、仕入税額控除の対象となる課税仕入れ等と対象とならない課税仕入れ等の判断基準として、**対応する売上げが「課税売上げ」なのか「非課税売上げ」なのか**に着目して見ていきます。しかし、Section 2で学習したように課税仕入れ等に該当する取引は、会計上の「仕入れ」に該当する取引だけでなく、備品等の固定資産の購入など多岐にわたるため、**すべての取引を上記2者に区分するということには不具合が生じる**ことがあります。

そこで、区分経理を行うにあたり、取引を対応する売上げによって明確に区分できる上記2者の他、「**区分できない共通の課税仕入れ等**」を加えた**3者に区分**します[*01)]。

*01) 区分経理について詳しくはSection 5で学習します。

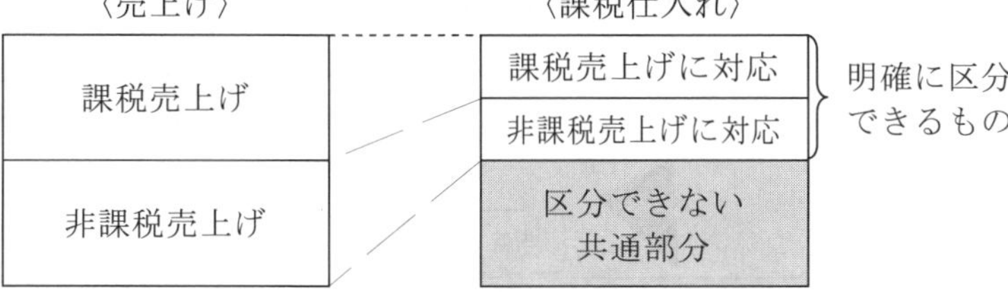

この共通の課税仕入れ等は、取引の内容では区分できないため、**課税売上げと非課税売上げの比率**（これを「**課税売上割合**」[*02)]といいます）によって、便宜的に按分し、最終的には課税売上げに対応する部分と非課税売上げに対応する部分の2者に分類していきます。

*02) 課税売上割合の具体的な計算についてはSection 4で学習します。

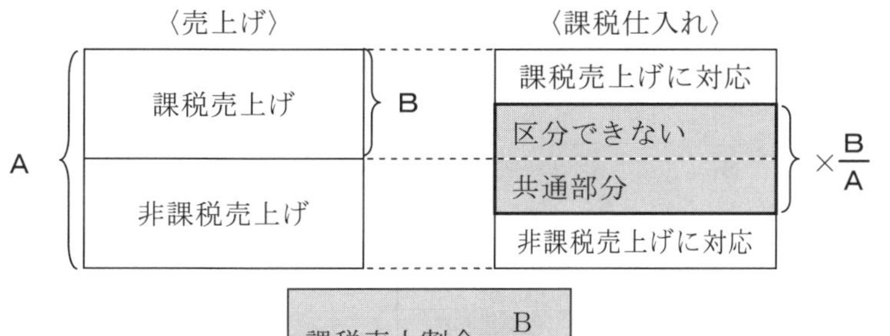

4 課税売上割合が95％以上の場合

理論　計算

消費税における前段階控除の考え方においては、非課税売上げに対応する課税仕入れ等が控除されてしまうと、適正な税額が計算できないこととなってしまいます。他方で、課税仕入れ等のすべてを3者に区分をすることは煩雑な作業を伴います。

課税売上割合が高い場合には、この煩雑な作業を行ったとしても、本来控除できない非課税売上げに対応する課税仕入れ等が少ないと考えられるため、納付税額における影響額が少ないことから、便宜的に**課税売上割合が95％以上の場合**には課税仕入れ等に係る消費税額の全額を控除の対象とすることが認められています。

このように課税仕入れ等に係る消費税額の全額を控除する方法を「**全額控除**」といいます[*01)]。

*01) 非課税の売上げが高い業種は、限られており（不動産賃貸業、医業等）一般的には、課税売上割合が95%未満になる納税者はあまりいないといえます。
しかし、区分経理は消費税の考え方を押さえる上でのキーとなる項目であり、税理士試験においては、最重要論点に挙げられるため、全額控除で税額を求める問題の出題はないといえます。

5 課税売上高が5億円を超える場合の全額控除の不適用

上記4の全額控除は、課税売上割合95%以上を基準としていますが、その**課税期間における課税売上高**[*01)]が**5億円を超える**事業者については、これらにかかわらず**全額控除が適用できません**。

したがって、課税売上高が95%未満の場合と同様に区分経理を基礎とした計算を行うこととなります[*02)]。

なお、その課税期間における課税売上高が5億円を超えるか否かの判定は、その課税期間が1年に満たない場合には**1年に換算した金額で行います**。

*01) 当課税期間の課税売上げで判定します。

*02) 詳しくはSection5、6で学習します。

6 控除対象仕入税額の計算

上記4と5の判定をまとめると以下のようになります。

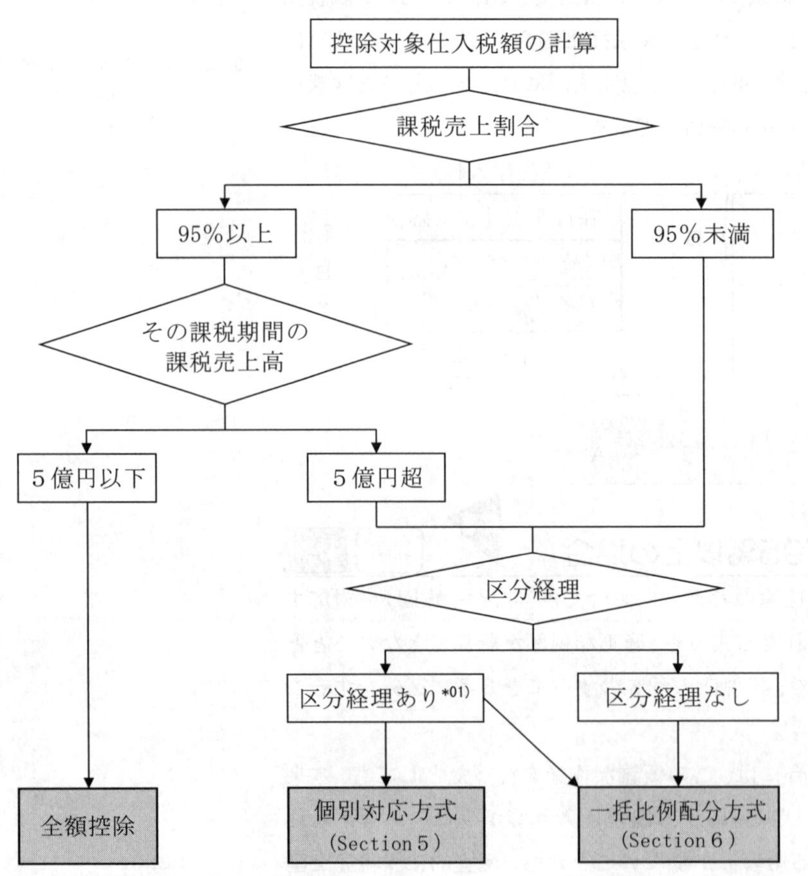

*01)「区分経理あり」の場合のみ、2つの計算方法を選択することができます。詳しくはSection6で学習します。

設例３－２　控除対象仕入税額（全額控除の場合）

次の【資料】から、控除対象仕入税額を計算しなさい。なお、当社は税込経理方式を採用している。ただし、当社の当課税期間（令和７年４月１日～令和８年３月31日）の課税売上割合は97%、当課税期間における課税売上高（税抜）は380,000,000円であり、控除対象仕入税額の計算は割戻し計算による。

【資料】

１．商品（衣料品）の仕入高　　　195,200,000円

なお、内訳は、以下のとおりである。

⑴　国内仕入高　　　152,000,000円

⑵　輸入仕入高　　　43,200,000円

輸入仕入高には、保税地域からの引取りの際に税関に支払った消費税額3,093,900円及び地方消費税額872,600円が含まれている。

２．販売費及び一般管理費（すべて課税仕入れ）　　　86,250,000円

解答

控除対象仕入税額　　19,987,990　円

解説　（単位：円）

課税売上割合が95%以上で、かつ、当課税期間の課税売上高が５億円以下である場合には、課税仕入れに係る消費税額の全額が控除対象仕入税額となります。

なお、ここでは国税分のみを取り扱うため、課税貨物に係る消費税額のうち地方消費税額は計算に含みません。

また、計算の過程で端数が生じる場合には切り捨てます。

⑴　課税売上割合

97%　≧　95%

380,000,000　≦　500,000,000　　∴　按分計算は不要

⑵　課税仕入れに係る消費税額

$$(152,000,000+86,250,000)\times\frac{7.8}{110}=16,894,090$$

⑶　課税貨物に係る消費税額

3,093,900

⑷　控除対象仕入税額

⑵＋⑶＝19,987,990

Section 4 課税売上割合

Section３で学習した課税売上割合は、すべての売上げに占める課税売上げの割合であり、控除対象仕入税額の計算では、区分経理を使った控除を行うか否かの判定を行う際や、課税仕入れの按分計算を行う際などに必要となる重要な割合です。

ここでは課税売上割合の具体的な求め方を見ていきましょう。

1 課税売上割合の意義

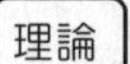

課税売上割合とは、**その課税期間中の全売上高（課税売上げ（税抜）と免税売上げと非課税売上げ[*01] の合計額）に占める課税売上高（課税売上げ（税抜）と免税売上げの合計額）の割合**をいいます。

*01) 非課税売上げが計算で登場するのは、この課税売上割合の部分だけです。

$$課税売上割合^{*02)}=\frac{課税資産の譲渡等の対価の額の合計額}{資産の譲渡等の対価の額の合計額}$$

$$=\frac{課税売上高（税抜）}{課税売上高（税抜）＋非課税売上高}$$

$$=\frac{課税売上げ（税抜）＋免税売上げ}{課税売上げ（税抜）＋免税売上げ＋非課税売上げ}$$

*02) 課税売上割合は、原則として端数処理は行わず、割り切れない場合には端数を維持して計算します。
ただし、事業者が任意の位で切り捨てている場合には、それも認められます。
問題文に特段の指示がなければ端数を維持したままで、切り捨てる指示があれば、指示どおりに切り捨てて下さい（基通11-5-6）。

消費税法〈仕入れに係る消費税額の控除〉

第30条⑥　（途中略）課税売上割合とは、その事業者がその課税期間中に国内において行った資産の譲渡等（特定資産の譲渡等に該当するものを除く。）の対価の額の合計額のうちにその事業者がその課税期間中に国内において行った課税資産の譲渡等（特定資産の譲渡等に該当するものを除く。）の対価の額の合計額の占める割合として政令で定めるところにより計算した割合をいう。

2 課税売上高

課税売上割合を求める計算式のうち、分子にあたる課税資産の譲渡等の対価の額の合計額（本書では「**課税売上高**」と呼ぶことにします）は、**課税売上げ（税抜）と免税売上げ[*01]の合計額（総売上高に相当）から課税売上げに係る返還等の金額（税抜）を控除した残高（純売上高に相当）**として計算されます。

*01)「課税売上高」といいますが、免税売上げも含まれる点に注意しましょう。

計算のパターンを示すと、次のようになります。

① 総課税売上高（税抜）

課税売上げの合計額（税込）$\times\frac{100}{110}$ ＋免税売上げの合計額

② 課税売上げに係る返還等の金額（税抜）[*02]

$\left(\text{国内課税売上げに係る返還等の金額（税込）} - \text{国内課税売上げに係る返還等の金額（税込）} \times \frac{7.8}{110} \times \frac{100}{78}\right)$[*03] ＋免税売上げに係る返還等の金額

→国税7.8%の税額←

→国税7.8%の税額＋地方消費税2.2%の税額＝10%の税額←

③ 課税売上高（税抜）

①－②

上記②の課税売上げに係る返還等の金額（税抜き）は、次の算式により計算することもできます。[*04]

国内課税売上げに係る返還等の金額（税込）$\times\frac{100}{110}$ ＋免税売上げに係る返還等の金額

*02) 売上げに係る返還等とは、売上げに係る返品や値引き・割戻し等を指します。詳しくはChapter 8で学習します。

3 非課税売上高 計算

課税売上割合を求める計算式のうち、分母に含める非課税売上高[*01]も、基本的な計算の流れは課税売上高と同様に、**非課税売上げの金額から非課税売上げに係る返還等の金額を控除して計算**します。

計算パターンを示すと以下のようになります。

① 有価証券等（株式・公社債等）の譲渡対価又は貸付金等の金銭債権の譲渡の対価×５%＋その他の非課税売上高

② 非課税売上げに係る返還等の金額

③ 非課税売上高＝①－②

ただし、課税売上高と異なる点が２点あります。

１点目は、そもそも非課税売上げに係る譲渡対価には消費税等（地方消費税分も含む）に相当する金額が含まれていないため、**課税売上高のように税抜きの金額を計算する必要がありません。**

２点目は、**非課税売上げのうち株式や公社債等の有価証券等、又は、貸付金、預金、売掛金その他の金銭債権（資産の譲渡等の対価として取得したものを除く。）の譲渡対価**については、**５%を乗じたものを非課税売上高**とします。これは、有価証券等の譲渡対価が譲渡益に対して多額となることが多く、これによって課税売上割合が著しく低くなることが考えられるのでこれを防ぐため、また、貸付金等の金銭債権については、不良債権の早期償却のため、採られた措置です。

*03) Chapter 1で学習したように地方消費税は、国税である消費税7.8%の税額の22/78であるため、国税7.8%の税額の100/78（78＋22/78）で10%分の税額を表します。
なお、計算は7.8/110を乗じた後、100/78を乗じた後のそれぞれで円未満の端数を切捨てます。

*04) この教科書ではこの計算方法で計算します。

*01) 非課税売上げの例については、Chapter 3を参照して下さい。

設例4－1　　課税売上割合

次の【資料】から、当社の当課税期間（令和７年４月１日～令和８年３月31日）における課税売上割合を計算しなさい。

【資料】　　　　　　　　　　　　　　　　　　　　　　　　　　　　　（金額は税込）

1．当課税期間の文房具売上高　　　　　　　　　　　　　　　190,832,688円

　なお、内訳は、以下のとおりである。

　　国内売上高　　　　　　　　　　　　　　　　168,896,280円

　　輸出免税売上高　　　　　　　　　　　　　　 21,936,408円

2．当課税期間の課税売上げの返還等　　　　　　　　　　　　 32,366,228円

　なお、内訳は、以下のとおりである。

　　当課税期間の国内売上げに対するもの　　　　 31,765,228円

　　当課税期間の輸出免税売上げに対するもの　　　　601,000円

3．株式売却額　　　　　　　　　　　　　　　　　　　　　　 40,000,000円

4．土地売却額　　　　　　　　　　　　　　　　　　　　　　 52,000,000円

解答　　**課税売上割合**　73　%

解説　（単位：円）

課税売上高の計算に際して、国内売上高とその返還等に関しては税抜の金額になおす必要がある点に注意が必要です。また、非課税売上高のうち有価証券等（株式・公社債等）の譲渡の対価に関しては５％を乗じなければならない点にも注意しましょう。

⑴　課税売上高（税抜）

①　総課税売上高（税抜）

$$168,896,280\times\frac{100}{110}+21,936,408=175,478,480$$

②　課税売上げに係る返還等の金額（税抜）

$$31,765,228\times\frac{100}{110}+601,000=29,478,480$$

③　課税売上高（税抜）

①－②＝146,000,000

⑵　非課税売上高

40,000,000×５％＋52,000,000＝54,000,000

⑶　課税売上割合

$$\frac{(1)}{(1)+(2)}=\frac{146,000,000}{200,000,000}=0.73\ (73\%)$$ *01)

*01) 本問の場合、課税売上割合が73％であり、95％未満となっているため、課税仕入れに係る消費税額の全額を控除対象仕入税額とすることはできません。

Section 5 個別対応方式

消費税の基本的な考え方である前段階控除により、正しい金額の消費税が国に納付されるにはSection３で学習したように、取引を「課税売上げに対応する課税仕入れ」と「非課税売上げに対応する課税仕入れ」の２者に区分する必要があります。この分類のやり方として、取引を一つ一つ内容により区分していく「個別対応方式」と内容にはこだわらずに按分のみで分けてしまう「一括比例配分方式」があります。
ここでは、個別対応方式のやり方を確認しましょう。

1 個別対応方式とは（法30②一）

計算

個別対応方式とは、全額控除が適用できない場合[*01]に、**課税仕入れ等について３つに区分し、それぞれの区分に応じた控除税額を計算する方法**です。

この方法を適用するためには、課税仕入れ等の区分を明らかにする**区分経理**が行われている必要があります。

*01) Section３で確認したように、課税売上割合が95%未満の場合や課税売上割合が95%以上で、かつ、その課税期間における課税売上高が５億円を超える場合には全額控除が適用できません。

2 区分経理

計算

1．３つの区分

個別対応方式における区分経理では、課税仕入れ等を次の３つに区分します[*01)*02)]。

- 課税資産の譲渡等にのみ要するもの
- その他の資産の譲渡等（非課税資産の譲渡等[*03)]）にのみ要するもの
- 課税資産の譲渡等とその他の資産の譲渡等に共通して要するもの

*01) これ以外の区分は認められません。

*02) これ以降の本書における計算式や図等では、以下のように略すことがあります。
- 課税資産の譲渡等にのみ要するもの→㊫
- その他の資産の譲渡等にのみ要するもの→㊥
- 課税資産の譲渡等とその他の資産の譲渡等に共通して要するもの→㊕

*03) 非課税売上げとなる資産の譲渡等を「その他の資産の譲渡等」といいます。

2．課税資産の譲渡等にのみ要するもの（基通11-2-12）

課税資産の譲渡等にのみ要するものには、例えば次のものがあります。

- 販売用（課税）商品の仕入れ（そのまま他に譲渡される課税資産）
- 課税資産の製造用にのみ消費、使用される材料や工具の購入金額
- 課税資産に係る倉庫料、運送料、広告宣伝費等

これら仕入れについては、課税資産の譲渡等（すなわち課税売上げ）に直接対応するものですから、課税売上割合にかかわらず、仕入税額控除の趣旨に合うように、この区分の税額の**全額を控除の対象とすべきです。**

そのため、課税資産の譲渡等にのみ要する課税仕入れ等につき支払った消費税は**その全額が控除の対象**となります。

3. その他の資産の譲渡等にのみ要するもの

その他の資産の譲渡等にのみ要するものには、例えば次のものがあります。（基通11-2-12）

・土地や有価証券の売却[*04)]の際に支払う売買手数料[*05)] ・販売用土地[*04)]の造成費用[*05)]

これらに係る消費税は、すべて非課税売上げとなる資産の譲渡等である**その他の資産の譲渡等**のために のみ支払った消費税です。そのため、その他の資産の譲渡等にのみ要する課税仕入れ等につき支払った消費税は、課税売上割合にかかわらず、**仕入税額控除の対象とすべきではありません**[*06)]。

したがって、その他の資産の譲渡等にのみ要する課税仕入れにつき支払った消費税は、**その全額が控除の対象から除かれます**。

*04) 土地や有価証券の売却は非課税売上げです。詳しくはChapter３を参照して下さい。

*05) 非課税売上げに関係するものですが、売買手数料そのものの支払いや、土地の造成費用は課税仕入れに該当します。詳しくはSection２を参照して下さい。

*06) 非課税売上げに対応する課税仕入れの消費税額を控除した場合の問題点については、Section３を参照して下さい。

4. 課税資産の譲渡等とその他の資産の譲渡等に共通して要するもの[*07)]

課税資産の譲渡等とその他の資産の譲渡等に共通して要するものには、例えば次のものがあります。

・会社全体に関係する通勤手当や水道光熱費等の販売費及び一般管理費 ・株式発行の際に証券会社へ支払う手数料

水道光熱費を例にとると、課税資産の譲渡等（課税売上げ）のためにも必要であり、その他の資産の譲渡等（非課税売上げ）にも必要なものでもあるため、どちらか一方にのみ要したものとは言い切れません。

また、株式の発行についても企業の資本に関連することであるため会社全体に関係するものであり、その際の手数料もどちらか一方にのみ要したものとは言い切れません。

そのため、このような取引のために支払った消費税については、**課税売上割合を乗じた金額部分を、課税資産の譲渡等（課税売上げ）に対応する部分と考えて、控除の対象**とします。

*07) このテキストでは、「共通して要するもの」といっていきます。

3 計算方法 　計算

1. 各区分の課税仕入れ等の税額[*01)]の計算

個別対応方式では、まず、３つの区分それぞれの課税仕入れ等の税額を以下の計算式[*02)]で計算します。

(1) 積上げ計算

各区分における課税仕入れ等の税額＝適格請求書等に記載した消費税額等の合計額 × $\frac{78}{100}$ ＋課税期間中に引き取った課税貨物に係る消費税額

*01) 課税仕入れに係る消費税額と課税貨物の引取りに係る消費税額を合わせて「課税仕入れ等の税額」といいます。

*02) 計算式の考え方そのものは、Section３の基本的な考え方と同じです。

(2) 割戻し計算

$$各区分における課税仕入れ等の税額=課税仕入れの総額（税込）\times\frac{7.8}{110}\left(又は\frac{6.24}{108}\right)+課税期間中に引き取った課税貨物に係る消費税額$$

2. 控除対象仕入税額の計算

1．で計算した各区分の課税仕入れ等の税額について、それぞれの区分に応じて控除可能な仕入税額を合計して、控除対象仕入税額を計算します。

控除対象仕入税額＝㊢区分の税額＋㊒区分の税額×課税売上割合

これを図で示すと、次のように表すことができ、図中の［網掛け］で示した部分が控除対象仕入税額となります。

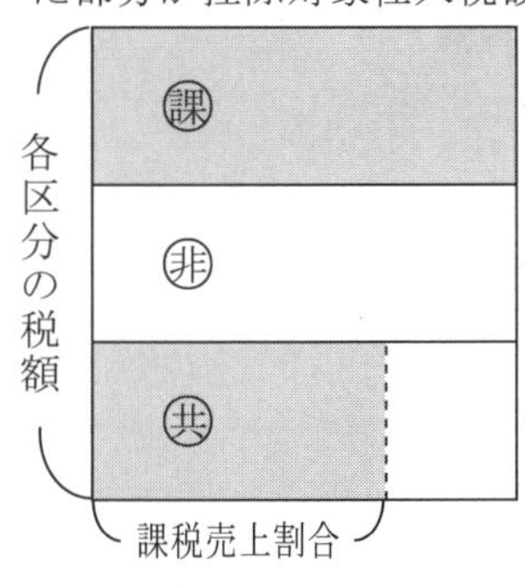

← 課税売上げにのみ対応する部分なので、**全額控除できる**

← 非課税売上げにのみ対応する部分なので、**全額控除の対象にならない**

← 共通して対応する部分なので、**課税売上割合を乗じて課税売上げに対応する範囲**を控除できる

設例５－１ 控除対象仕入税額の計算（個別対応方式）

次の【資料】から、個別対応方式による控除対象仕入税額を計算しなさい。なお、当社は税込経理方式を採用している。また、当社の当課税期間（令和７年４月１日～令和８年３月31日）の課税売上割合は73%とし、控除対象仕入税額は割戻し計算の方法による。

【資料】

1．商品（電化製品）の仕入高　105,900,000円

なお、内訳は、以下のとおりである。

国内仕入高　73,500,000円

輸入仕入高　32,400,000円

輸入仕入高には、保税地域からの引取りの際に税関に支払った消費税額2,320,400円及び地方消費税額654,400円が含まれている。

2．販売費及び一般管理費のうち、課税仕入れとなるもの

商品の荷造運搬費　890,000円

水道光熱費　1,760,000円

通信費　920,010円

なお、水道光熱費と通信費は、課税資産の譲渡等とその他の資産の譲渡等に共通して要するものとする。

3．営業外のうち、課税仕入れとなるもの

上場株式売却手数料	52,500円
当社の新株式の発行（増資）に要した手数料	210,000円

4．当課税期間に本社の備品5,120,000円を購入した。

解答　控除対象仕入税額　8,009,953　円

解説　（単位：円）

この設例では、課税売上割合が73%であるため、控除対象仕入税額の計算にあたって按分計算が必要となります。

個別対応方式の場合は、課税資産の譲渡等にのみ要するものに係る消費税額は全額控除可能ですが、反対にその他の資産の譲渡等にのみ要するものに係る消費税額は控除の対象にはなりません。実際に課税売上割合を使って按分するのは、共通して要するものに係る消費税額だけです。

⑴　課税売上割合

73%　＜　95%　　∴　按分計算が必要

⑵　区分経理及び税額

①　課税資産の譲渡等にのみ要するもの

イ　課税仕入れ

73,500,000＋890,000＝74,390,000

$74,390,000 \times \frac{7.8}{110} = 5,274,927$

ロ　課税貨物

2,320,400

ハ　イ＋ロ＝7,595,327

②　その他の資産の譲渡等にのみ要するもの

$52,500^{*01)} \times \frac{7.8}{110} = 3,722$

③　共通して要するもの

1,760,000＋920,010＋210,000*01)＋5,120,000＝8,010,010

$8,010,010 \times \frac{7.8}{110} = 567,982$

⑶　控除対象仕入税額

7,595,327＋567,982×73%＝8,009,953

*01) 株式売却手数料は株式の売却が非課税資産の譲渡等（非課税売上げ）に該当するため、その他の資産の譲渡等にのみ要するものとなります。

一方、新株式の発行手数料は、その目的が増資であり、株式の発行は資本金が増えるだけで、課税資産の譲渡等、その他の資産の譲渡等との対応関係が明確ではないため、共通して要するものとなります。

4 区分経理に注意が必要な項目 計算

1．当期材料仕入高

当期材料仕入高は、その製造される製品の売上げが課税売上げに該当するか非課税売上げに該当するかにより「**課税資産の譲渡等にのみ要するもの**」と「**その他の資産の譲渡等にのみ要するもの**」に分類します。

なお、売上げが免税売上げとなる輸出用商品に関する課税仕入れについては、「**課税資産の譲渡等にのみ要するもの**」に区分されることに注意しましょう。

2．仕入諸掛となる荷造運送費

仕入商品を購入する際に必要となる荷造運送費は仕入商品の取得価額を構成するものであり、1．と同様に**販売される商品に係る売上げが課税売上げであるか否か**により区分します。

3．広告宣伝費

ある特定の商品やサービスを宣伝するための広告宣伝費は、その**宣伝に関する商品の売上げが課税売上げか否か**により1．と同様に区分します。

一方、特定の商品やサービスではなく企業そのものを宣伝するため*01)の広告宣伝費は「**共通して要するもの**」として区分します。

*01) 企業のイメージアップを狙った広告等のことです。

4．土地付建物の売却手数料

建物と土地を土地付建物*02)として、まとめて売却する際の売却手数料は、原則として「**共通して要するもの**」として区分します。

ただし、建物と土地の時価の比率等合理的な基準により、売却手数料を建物に係るものと土地に係るものに区分して、「**課税資産の譲渡等にのみ要するもの**」と「**その他の資産の譲渡等にのみ要するもの**」として**取り扱うこともできます**。

*02) 建物の売却は課税売上げ、土地の売却は非課税売上げです。

<土地付建物の売却手数料に係る区分の判定>

土地付建物に係る売却手数料は、課税売上げと非課税売上げの両方に係る費用であるため、原則は「共通して要するもの」に区分され、課税売上割合を乗じた部分のみが控除されます。

一方で、上記のように時価の比率等の合理的な基準によって按分し、「課税資産の譲渡等にのみ要するもの」と「その他の資産の譲渡等にのみ要するもの」の２者に区分することも認められています。

そこで、試験上は、この**「合理的な割合」と「課税売上割合」を比較**し、以下のように区分します。

・ **合理的な割合における課税売上げの割合 ＞ 課税売上割合**
　→「課税資産の譲渡等にのみ要するもの」と「その他の資産の譲渡等にのみ要するもの」とに区分（合理的な割合で按分して区分）

・ **合理的な割合における課税売上げの割合 ＜ 課税売上割合**
　→共通して要するもの

５．国外取引に係る仕入税額控除 

国外において行う資産の譲渡等のための課税仕入れ等（国外に所在する土地や建物を譲渡するために国内の不動産屋に支払った仲介手数料など）については、「**課税資産の譲渡等にのみ要するもの**」として区分します。

これは、「課税資産の譲渡等」という言葉の定義が「資産の譲渡等のうち、国内取引の非課税の規定により消費税を課さないこととされるもの以外のものをいう。」と規定しているのに対し、「資産の譲渡等」の定義が「事業として対価を得て行われる資産の譲渡及び貸付け並びに役務の提供をいう。」と「国内における」取引を前提としていないことから、**国外で行われた資産の譲渡等も「課税資産の譲渡等」に該当**するためです。

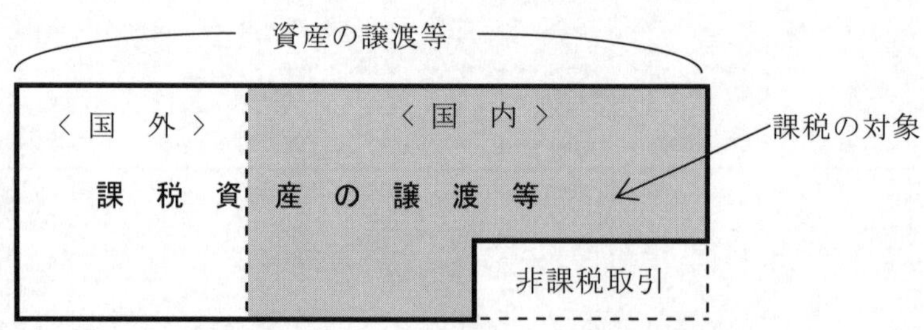

6．不課税資産の譲渡等のための課税仕入れ 

次のような資産の譲渡等に該当しない取引に要する課税仕入れ等は、「共通して要するもの」に区分します。

・株券の発行に当たって印刷業者へ支払う印刷費
・証券会社に支払う引受手数料等
・損害賠償金を請求するための弁護士費用

〈不課税取引の２面性〉

取引分類において、不課税取引に該当するものは、「①国内において行われていない」又は、「②対価性がない」のいずれかのケースです。

上記５．又は６．のうち、５．は国内において行われていないため、６．は対価性がないためそれぞれ不課税取引となっています。

区分経理を行う場合にも、５．のケースは国外であっても「対応する売上げ」があるため、その売上げをもとに区分経理を行うのに対し、６．は、「対応する売上げ」そのものがないため、明確に区分できないことから共通対応とされています。

7．試供品、試作品に係る仕入税額控除 

課税資産の譲渡等の販売促進のために得意先に配布される試供品、試作品等に係る課税仕入れ等は、課税資産の譲渡等にのみ要するものに該当します。

設例５－２ 区分経理

次の⑴～⑿の課税仕入れについて、①課税資産の譲渡等にのみ要するもの、②その他の資産の譲渡等にのみ要するもの、③課税資産の譲渡等とその他の資産の譲渡等に共通して要するものに区分しなさい。ただし、特に指示のない限り、当社で扱う商品、製品及び材料等は課税資産に該当するものとする。

⑴　製品製造用の材料の仕入代金
⑵　本社ビルの賃借料
⑶　製品梱包用資材の購入代金
⑷　車いす（非課税資産）製造用の材料（課税資産）の仕入代金
⑸　製品を配送するために運送業者に支払った代金
⑹　有価証券を売却するために証券会社へ支払った手数料
⑺　土地を売却する際に不動産業者に支払った仲介手数料
⑻　本社事務員の通勤手当
⑼　当社所有の居住用マンションの維持管理委託費
⑽　輸出用商品の仕入代金
⑾　当社の知名度向上及びイメージアップのための広告宣伝費
⑿　本社の水道光熱費

解答　①　課税資産の譲渡等にのみ要するもの　⑴、⑶、⑸、⑽
②　その他の資産の譲渡等にのみ要するもの　⑷、⑹、⑺、⑼
③　共通して要するもの　⑵、⑻、⑾、⑿

解説

⑴⑶⑽　課税資産である製品の材料や梱包用資材は課税資産の譲渡等のためにのみ必要なものであるため、その仕入代金は、①課税資産の譲渡等にのみ要するものに区分します。また、輸出用免税売上げも「課税資産の譲渡等」に該当するため、輸出用商品に係る課税仕入れもこの区分となります。

⑵⑻⑿　本社に関する課税仕入れは、事業のすべてに関係するものと考えられるため、特に指示がない限り③共通して要するものに該当すると考えます。

⑷　非課税資産を製造するための材料の仕入代金は、非課税売上げのための課税仕入れとなるため、②その他の資産の譲渡等にのみ要するものに区分します。

⑸　製品を配送するための運賃は、課税売上げのためにのみ必要な課税仕入であるため、①課税資産の譲渡等にのみ要するものに区分します

⑹⑺⑼　有価証券や土地の売却、住宅の貸付けは非課税売上げとなります。したがって、これらのために要した手数料や維持管理費は②その他の資産の譲渡等にのみ要するものに区分します。

⑾　広告宣伝費のうち、当社の知名度やイメージアップのためのものは、特定の製品や取引に関連付けられないため、③共通して要するものに区分します。

Section 6 一括比例配分方式

課税売上割合が95%未満の場合の仕入税額控除の計算は、Section５で学習した個別対応方式を原則としますが、個別対応方式はあくまでも区分経理を行っていることが前提となるため、区分経理ができない場合には控除税額が求められなくなってしまいます。

そこで、簡便法として、区分経理をしていない場合に用いることができる「一括比例配分方式」という方法を認めています。

1 一括比例配分方式とは（法30②二）

計算

一括比例配分方式とは、全額控除が適用できない場合[*01]に、すべての課税仕入れ等を「**共通して要するもの**」と考えて、**一括して課税売上割合を乗じる**ことで控除対象仕入税額を計算する方法です。

この方法は、個別対応方式の簡便法という位置付けでもあり、課税仕入れ等について**区分経理がなされていない場合には、必ず一括比例配分方式により計算する**ことになります[*02]。

*01) Section３で確認したように、課税売上割合が95%未満の場合や課税売上割合が95%以上で、かつ、その課税期間における課税売上高が５億円を超える場合には全額控除が適用されません。

*02) 区分経理を行っている事業者についても一括比例配分方式によることができます。このSectionの後半で学習します。

2 計算方法

計算

1．課税仕入れ等の税額の合計額の計算

一括比例配分方式では、課税仕入れ等を区分せずに一括して課税仕入れ等の税額の合計額を計算します[*01]。

*01) 計算式の考え方そのものは、Section３の基本的な考え方と同じです。

⑴　積上げ計算

$$\text{課税仕入れ等の税額の合計額} = \text{適格請求書等に記載した消費税額等の合計額} \times \frac{78}{100} + \text{課税期間中に引き取った課税貨物に係る消費税額}$$

⑵　割戻し計算

$$\text{課税仕入れ等の税額の合計額} = \text{課税仕入れの総額（税込）} \times \frac{7.8}{110}\ \left(\text{又は}\frac{6.24}{108}\right) + \text{課税期間中に引き取った課税貨物に係る消費税額}$$

2．控除対象仕入税額の計算

１．で計算した税額に課税売上割合を乗じることで、控除対象仕入税額の金額を計算します。

控除対象仕入税額＝課税仕入れ等の税額の合計額×課税売上割合

これを図で示すと、次のように表すことができ、図中の［網掛け］で示した部分が控除対象仕入税額となります。

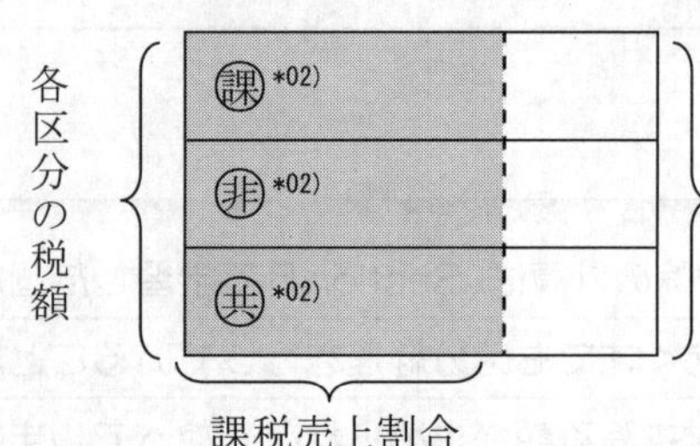

すべて「共通して要するもの」と考えて、**一律に課税売上割合を乗じ**て控除する税額を計算

*02) 実際は、区分経理がされていない場合の特例であるため、各区分の種類は不明です。

設例６－１　控除対象仕入税額の計算（一括比例配分方式）

次の【資料】から、一括比例配分方式による控除対象仕入税額を割戻し計算により計算しなさい。なお、当社は税込経理方式を採用している。また、当社の当課税期間（令和７年４月１日～令和８年３月31日）の課税売上割合は73%とする。

【資料】

1．商品（電化製品）の仕入高　105,900,000円

なお、内訳は、以下のとおりである。

国内仕入高	73,500,000円
輸入仕入高	32,400,000円

輸入仕入高には、保税地域からの引取りの際に税関に支払った消費税額2,320,400円及び地方消費税額654,400円が含まれている。

2．販売費及び一般管理費のうち、課税仕入れとなるもの

商品の荷造運搬費	890,000円
水道光熱費	1,760,000円
通信費	920,010円

なお、水道光熱費と通信費は、課税資産の譲渡等とその他の資産の譲渡等に共通して要するものとする。

3．営業外のうち、課税仕入れとなるもの

上場株式売却手数料	52,500円
当社の新株式の発行（増資）に要した手数料	210,000円

4．当課税期間に本社の備品5,120,000円を購入した。

解答　**控除対象仕入税額**　5,961,933　円

解説　（単位：円）

この設例では、課税売上割合が73%であるため、控除対象仕入税額の計算にあたって按分計算が必要となります。

一括比例配分方式は、すべての課税仕入れを課税資産の譲渡等とその他の資産の譲渡等に共通して要するものと考えます。そのため、課税仕入れ等の税額全体に課税売上割合を乗じて控除対象仕入税額を計算します。

⑴　課税売上割合

73% ＜ 95%　∴　按分計算が必要

⑵　課税仕入れ等の税額の合計額

①　課税仕入れ

73,500,000＋890,000＋1,760,000＋920,010＋52,500＋210,000＋5,120,000

＝82,452,510

$82,452,510 \times \frac{7.8}{110} = 5,846,632$

②　課税貨物

2,320,400

⑶　控除対象仕入税額

（5,846,632＋2,320,400）×73％＝5,961,933

3 選択適用と継続適用（法30④）

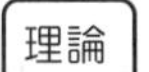

1．区分経理を行っている事業者の選択適用

個別対応方式を採用している事業者は、わざわざ手間をかけて区分経理を行っています。このような事業者に対して個別対応方式のみを強制して、簡便法である一括比例配分方式の適用を認めないとすることは、手間をかけて区分経理を行っている事業者にとって不条理ともいえます。

そこで、消費税法では、区分経理を行っている事業者について、**事業者の判断で個別対応方式と一括比例配分方式を選択できる**こととなっています。

そのため、計算問題等では特に指示がない限り、個別対応方式と一括比例配分方式の両者の計算結果を求め、**事業者にとって有利になる方**[*01]**を選択し、適用する**こととなります。

*01）事業者にとって納付税額は少ない方が良いため、控除対象仕入税額が多くなる方を選択することになります。

設例6－2　控除対象仕入税額の計算（個別対応方式と一括比例配分方式の比較）

次の【資料】から控除対象仕入税額を割戻し計算により計算しなさい。なお、当社は税込経理方式を採用している。また、当社の当課税期間（令和７年４月１日～令和８年３月31日）の課税売上割合は80％とする。

【資料】（軽減税率が適用されるものは含まれていない。）

1.　課税資産の譲渡等にのみ要する課税仕入れ等　　93,000,000円

　なお、上記課税仕入れ等のうち5,400,000円（消費税額390,500円及び地方消費税額110,100円を含む金額）は、輸入商品の仕入高である。

2.　その他の資産の譲渡等にのみ要する課税仕入れ　　18,550,000円

3.　共通して要する課税仕入れ　　68,126,000円

解答　控除対象仕入税額　10,466,737　円

解説　(単位：円)

区分経理が行われている場合、特に指示がなければ個別対応方式と一括比例配分方式の両方の方式で計算し、より有利となる方、すなわち控除対象仕入税額が大きくなる方を採用します。

⑴　課税売上割合

80%　<　95%　　∴　按分計算が必要

⑵　区分経理及び税額

①　個別対応方式

イ　課税資産の譲渡等にのみ要するもの

⒜　課税仕入れ

93,000,000－5,400,000＝87,600,000

$87,600,000 \times \frac{7.8}{110} = 6,211,636$

⒝　課税貨物　　390,500

⒞　⒜＋⒝＝6,602,136

ロ　その他の資産の譲渡等にのみ要するもの

$18,550,000 \times \frac{7.8}{110} = 1,315,363$

ハ　共通して要するもの

$68,126,000 \times \frac{7.8}{110} = 4,830,752$

ニ　控除対象仕入税額

6,602,136＋4,830,752×80%＝10,466,737

②　一括比例配分方式

イ　課税仕入れ

87,600,000＋18,550,000＋68,126,000＝174,276,000

$174,276,000 \times \frac{7.8}{110} = 12,357,752$

ロ　課税貨物　　390,500

ハ　控除対象仕入税額

(12,357,752＋390,500)×80%＝10,198,601

⑶　有利判定

⑵①　>　⑵②　　∴　10,466,737

2．一括比例配分方式を採用した場合の継続適用（法30⑤）

区分経理を行っている事業者が一括比例配分方式によって計算した場合には、**一括比例配分方式を採用した課税期間の初日から同日以後２年を経過する日までの間に開始する各課税期間において継続**して一括比例配分方式で計算しなければなりません[*02)]。

*02) 個別対応方式から一括比例配分方式への変更はいつでも認められますが、いったん一括比例配分方式に変えると、継続適用期間中は変えられません。

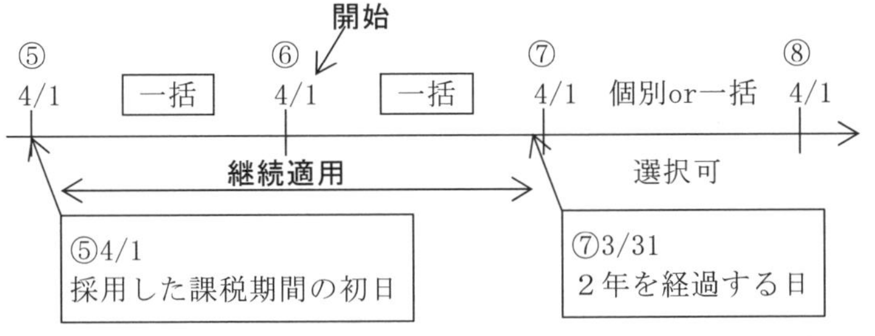

なお、２年が経過する間に**全額控除**が適用できることとなった場合等[*03)]は、**一括比例配分方式を採用し続けているものと考え**、実際に一括比例配分方式を採用していなくても継続適用期間に含まれることとなります。

*03) 個別対応方式か一括比例配分方式かが問題上明らかでない状況では、継続適用していると考えます。

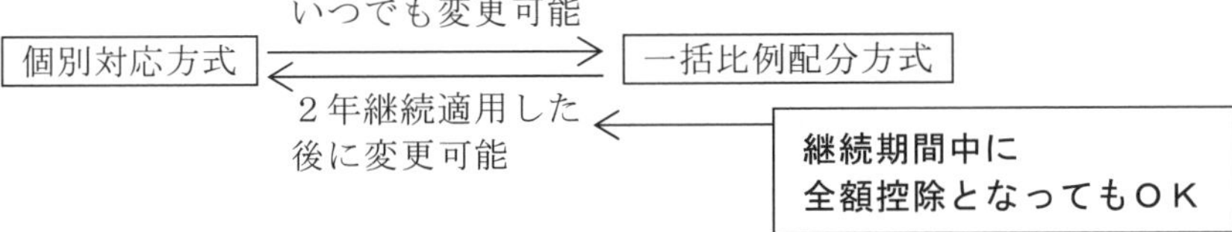

4　軽減税率がある場合の計算パターン

(1)　経理及び税額
- ①　標準税率
  - イ　個別対応方式
    - (a)　課税資産の譲渡等にのみ要するもの
      - ㋑　課税仕入れ
        課税仕入れに係る消費税額
      - ㋺　課税貨物に係る消費税額
      - ㋩　㋑＋㋺（Ａ）
    - (b)　その他の資産の譲渡等にのみ要するもの
      課税仕入れに係る消費税額
    - (c)　共通して要するもの
      課税仕入れに係る消費税額（Ｂ）
    - (d)　控除対象仕入税額
      （Ａ）＋（Ｂ）×課税売上割合＝（Ｃ）

ロ　一括比例配分方式

(a)　課税仕入れ

課税仕入れに係る消費税額

(b)　課税貨物に係る消費税額

(c)　控除対象仕入税額

((a)＋(b))　×課税売上割合＝（Ｄ）

②　軽減税率

イ　個別対応方式

(a)　課税資産の譲渡等にのみ要するもの

㋑　課税仕入れ

課税仕入れに係る消費税額

㋺　課税貨物に係る消費税額

㋩　㋑＋㋺（Ｅ）

(b)　その他の資産の譲渡等にのみ要するもの

課税仕入れに係る消費税額

(c)　共通して要するもの

課税仕入れに係る消費税額（Ｆ）

(d)　控除対象仕入税額

（Ｅ）＋（Ｆ）×課税売上割合＝（Ｇ）

ロ　一括比例配分方式

(a)　課税仕入れ

課税仕入れに係る消費税額

(b)　課税貨物に係る消費税額

(c)　控除対象仕入税額

((a)＋(b))　×課税売上割合＝（Ｈ）

(2)　有利判定

①　個別対応方式

（Ｃ）＋（Ｇ）

②　一括比例配分方式

（Ｄ）＋（Ｈ）

③　①　$\gtrless$　②　　いずれか大きい金額

設例6－3　控除対象仕入税額の計算（軽減税率がある場合）

次の【資料】から控除対象仕入税額を割戻し計算の方法により計算しなさい。なお、当社は税込経理方式を採用している。また、当社の当課税期間（令和７年４月１日～令和８年３月31日）の課税売上割合は80％とする。

【資料】

1. 課税資産の譲渡等にのみ要する課税仕入れ等　　55,800,000円

　なお、上記課税仕入れ等のうち3,240,000円（消費税額232,000円及び地方消費税額65,400円を含む金額）は、輸入商品の仕入高である。

2. その他の資産の譲渡等にのみ要する課税仕入れ　　11,130,000円

3. 共通して要する課税仕入れ　　40,875,400円

　上記金額のうち583,400円は軽減税率が適用されるものである。

解答　控除対象仕入税額　6,271,601　円

解説　（単位：円）

区分経理が行われている場合、特に指示がなければ個別対応方式と一括比例配分方式の両方の方式で計算し、より有利となる方、すなわち控除対象仕入税額が大きくなる方を採用します。

⑴　課税売上割合

80％ ＜ 95％　　∴　按分計算が必要

⑵　区分経理及び税額

①　標準税率

イ　個別対応方式

(a)　課税資産の譲渡等にのみ要するもの

㋑　課税仕入れ

55,800,000－3,240,000＝52,560,000

$52,560,000 \times \frac{7.8}{110} = 3,726,981$

㋺　課税貨物　　232,000

㋩　㋑＋㋺＝3,958,981

(b)　その他の資産の譲渡等にのみ要するもの

$11,130,000 \times \frac{7.8}{110} = 789,218$

(c)　共通して要するもの

40,875,400－583,400＝40,292,000

$40,292,000 \times \frac{7.8}{110} = 2,857,069$

(d)　控除対象仕入税額

3,958,981＋2,857,069×80％＝6,244,636

ロ　一括比例配分方式

(a)　課税仕入れ

52,560,000＋11,130,000＋40,292,000＝103,982,000

$103,982,000 \times \frac{7.8}{110} = 7,373,269$

(b)　課税貨物　　232,000

(c)　控除対象仕入税額

（7,373,269＋232,000）×80％＝6,084,215

②　軽減税率

イ　個別対応方式

(a)　共通して要するもの

$583,400 \times \frac{6.24}{108} = 33,707$

(b)　控除対象仕入税額

33,707×80％＝26,965

ロ　一括比例配分方式

(a)　課税仕入れ　　33,707

(b)　控除対象仕入税額

33,707×80％＝26,965

(3)　有利判定

①　個別対応方式

6,244,636＋26,965＝6,271,601

②　一括比例配分方式

6,084,215＋26,965＝6,111,180

③　①＞②　　∴　6,271,601

Section 7

課税売上割合に準ずる割合

ここまで、原則的な控除対象仕入税額の計算を見てきましたが、区分不明な部分を分けるキーワードとして「課税売上割合」が出てきました。

これから学習する「課税売上割合に準ずる割合」は、個別対応方式を計算する場合に、「課税売上割合」以外の割合を使って税額の按分を行うという特殊な計算方法です。

少し難しい話が入りますので、原則的な個別対応方式の計算をしっかりマスターしてから読み進めましょう。

1 課税売上割合に準ずる割合の意義  計算

課税売上割合は原則として、これまで見てきたような**「課税売上高と非課税売上高の合計」に占める「課税売上高」の割合**として計算します。

しかし、課税売上割合がその事業者の事業の実態を反映していないと考えられる場合に、課税売上割合よりも合理的であると認められる割合を用いて個別対応方式を計算する方法も認められています。この割合を「**課税売上割合に準ずる割合**」といいます。

なお、この課税売上割合に準ずる割合を用いて税額を計算できるのは、**個別対応方式の場合のみに限定**されることに注意が必要です[*01]。

*01) 全額控除できるか(95%以上か否か)の判定や、Section 6の一括比例配分方式を適用している場合の税額計算には、課税売上割合に準ずる割合を用いることはできません。

2 課税売上割合に準ずる割合として用いられるもの 

課税売上割合に準ずる割合として、例えば以下のような割合が用いられます。

- 使用人の数又は従事日数の割合
- 消費又は使用する資産の価額、使用数量、使用面積の割合等

3 課税売上割合に準ずる割合を用いた計算  

区分経理をする際に、課税仕入れ等について、課税売上割合を適用する部分と課税売上割合に準ずる割合を適用する部分に分けて、それぞれの税額を出した上でそれぞれの割合を乗じて計算します。

(1) 個別対応方式

① 課税資産の譲渡等にのみ要するもの　$○○\times\frac{7.8}{110}$ ＝ 税額A

② 共通して要するもの

イ　課税売上割合適用分　$○○\times\frac{7.8}{110}$ × 課税売上割合 ＝ 税額B

ロ　準ずる割合適用分　$○○\times\frac{7.8}{110}$ × 課税売上割合に準ずる割合 ＝ 税額C

（イ・ロ：それぞれの割合を乗じる）

③ 個別対応方式の控除税額

税額A ＋ 税額B ＋ 税額C ＝ 控除税額D

⑵　一括比例配分方式

$$○○\times\frac{7.8}{110}\times\boxed{課税売上割合}=\boxed{控除税額E}$$

一括比例配分方式には、課税売上割合に準ずる割合は使えません

⑶　有利判定

控除税額Dと控除税額Eの比較

4 課税売上割合に準ずる割合を適用する要件と時期　2回目でOK!　理論

課税売上割合に準ずる割合を適用するためには、**納税地の所轄税務署長の承認**を受けなければなりません。承認を受けた場合には、**承認を受けた日の属する課税期間から**、課税売上割合に準ずる割合を用いた計算を行うこととなります*01)。

また、課税売上割合に準ずる割合の使用をやめる場合には、その旨を記載した届出書を提出しなければならず、**提出した日の属する課税期間から不適用**となります。

手続を介した選択適用である点については、「課税事業者の選択」と同じですが、承認を受けた又は不適用届出書を提出した課税期間で即時適用（不適用）となりますので、課税事業者の選択のように前課税期間までに前もって提出しておく必要はありません。

ただし、適用を受ける際は「**承認申請***02)」が必要となるため、必ずしも適用が受けられるとは限りません。

*01) 承認を受けた場合には、必ず課税売上割合に準ずる割合を使用しなければならず、課税売上割合との選択適用が認められているわけではありません。

*02) 承認申請については、応用編で詳しく見ていきます。

設例７－１　控除対象仕入税額の計算（課税売上割合に準ずる割合）

次の【資料】から、個別対応方式による控除対象仕入税額を割戻し計算の方法により計算しなさい。ただし、当社の当課税期間（令和７年４月１日～令和８年３月31日）の課税売上割合は60％とする、なお、当社は税込経理方式を採用している。

また、当社は、共通して要する課税仕入れのうち、当社の工場に係る162,000,000円については、課税売上割合に準ずる割合として各部門の従業員数の割合により控除対象仕入税額を計算することについて、納税地の所轄税務署長の承認を受けている。

【資料】

1. 課税仕入れ（軽減税率が適用されるものは含まれていない。）

⑴	課税資産の譲渡等にのみ要する課税仕入れ	415,000,000円
⑵	その他の資産の譲渡等にのみ要する課税仕入れ	86,000,000円
⑶	共通して要する課税仕入れ	396,000,000円

2. 各部門の従業員数

課税売上部門：150人　　非課税売上部門：50人

解答　控除対象仕入税額　47,998,362　円

解説 （単位：円）

指示により、共通して要する課税仕入れのうち162,000,000については、課税売上割合に準ずる割合として従業員数の割合を使用して按分します。そのため、共通して要する課税仕入れに係る税額については、工場に係るものとそれ以外のものに分けて計算する必要があります。

なお、課税売上割合に準ずる割合を用いる場合でも、按分計算が必要か否かの判定は、課税売上割合に基づいて行い、課税売上割合に準ずる割合で判定することはできません。

⑴ 課税売上割合

60％ ＜ 95％　　∴ 按分計算が必要

⑵ 区分経理及び税額

① 個別対応方式

イ 課税資産の譲渡等にのみ要するもの

$415,000,000 \times \frac{7.8}{110} = 29,427,272$

ロ その他の資産の譲渡等にのみ要するもの

$86,000,000 \times \frac{7.8}{110} = 6,098,181$

ハ 共通して要するもの

(a) 課税売上割合適用分

$(396,000,000 - 162,000,000) \times \frac{7.8}{110} = 16,592,727$

(b) 課税売上割合に準ずる割合適用分

$162,000,000 \times \frac{7.8}{110} = 11,487,272$

ニ 控除対象仕入税額

$29,427,272 + 16,592,727 \times 60\% + 11,487,272 \times \frac{150人}{150人 + 50人} = 47,998,362円$

5 課税売上割合に準ずる割合の適用時期の特例（令47⑥）

課税売上割合に準ずる割合を用いて共通仕入控除税額を**計算しようとする課税期間の末日までに承認申請書の提出があつた場合**において、**同日の翌日から同日以後１月を経過する日までの間に納税地の所轄税務署長の承認があつたとき**は、その**課税期間の末日において**その**承認があつたものとみなして**、課税売上割合に準ずる割合を適用する。

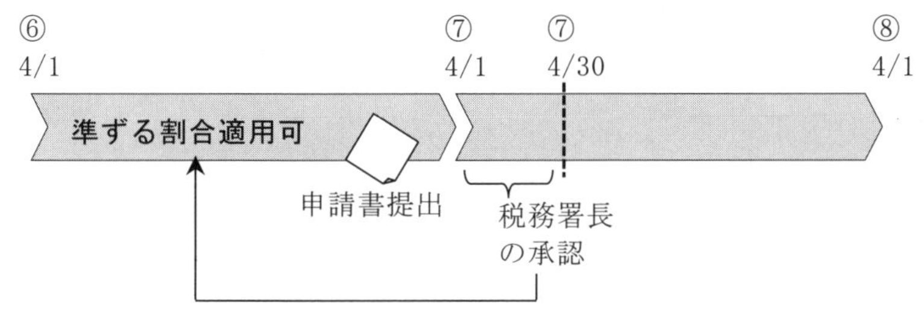

Section 8

帳簿等の保存

仕入税額控除の規定は、納税者にとって有利な規定であることから、意図的に控除額を過大にし、納付税額を過少にすることを防ぐため、控除額の裏付けとなる資料として帳簿と請求書等の書類の保存が義務付られています。

ここでは、その保存期間や保存する帳簿や請求書等の記載内容を確認しましょう。

1 仕入税額控除の適用要件（法30⑦）

理論

仕入税額控除の規定は、課税仕入れ等の税額に係る**帳簿及び請求書等を保存**[*01)]しなければ、適用できません。

ただし、**災害その他やむを得ない事情**によりその保存をすることができなかったことを事業者が証明した場合には、この限りではありません[*02)]。

*01) 帳簿と請求書等の両方を保存しなければなりません。

*02) このような規定を宥恕（ゆうじょ）規定（きてい）といいます。

2 帳簿等の保存期間（令50①）

理論

帳簿及び請求書等については整理した上で、

- 帳簿については、その**閉鎖の日（決算日）の属する課税期間の末日の翌日**から
- 請求書等については、その**受領した日**（電磁的記録にあっては、その電磁的記録の提供を受けた日）**の属する課税期間の末日の翌日**から

２ヵ月を経過した日[*01)]から**７年間保存**しなければなりません。

ただし、５年を経過した後の残り２年間については、適切に保存していることを条件に、帳簿と請求書等のいずれかを保存すればよいことになっています。

*01) 「２ヵ月を経過した日から」というのは、法人における確定申告期限が過ぎた日からと覚えておきましょう。

3 請求書等の保存が不要の場合（令49①）

理論

原則として、仕入税額控除を適用する場合には、帳簿及び請求書等の両者の保存が必要ですが、**請求書等の交付を受けることが困難である場合その他一定の場合**には、**帳簿のみ保存**すればよく[*01)]、請求書等の保存は不要です。

*01) この場合、やむを得ない理由等必要事項を帳簿に記載しなければなりません。

帳簿の保存のみで仕入れに係る消費税額の控除が適用される場合（令49①、規15の4）

① 適格請求書の交付義務が免除される3万円未満の公共交通機関による旅客の運送

② 適格簡易請求書の記載事項（取引年月日を除きます。）が記載されている入場券等が使用の際に回収される取引（①に該当するものを除きます。）

③ 古物営業を営む者の適格請求書発行事業者でない者からの古物（古物営業を営む者の棚卸資産に該当するものに限ります。）の購入*02)

④ 質屋を営む者の適格請求書発行事業者でない者からの質物（質屋を営む者の棚卸資産に該当するものに限ります。）の取得

⑤ 宅地建物取引業を営む者の適格請求書発行事業者でない者からの建物（宅地建物取引業を営む者の棚卸資産に該当するものに限ります。）の購入*03)

⑥ 適格請求書発行事業者でない者からの再生資源及び再生部品（購入者の棚卸資産に該当するものに限ります。）の購入*04)

⑦ 適格請求書の交付義務が免除される3万円未満の自動販売機及び自動サービス機からの商品の購入等*05)

⑧ 適格請求書の交付義務が免除される郵便切手類のみを対価とする郵便・貨物サービス（郵便ポストに差し出されたものに限ります。）

⑨ 従業員等に支給する通常必要と認められる出張旅費等（出張旅費、宿泊費、日当及び通勤手当）

*02) リサイクルショップが消費者からリサイクル品を買い取る取引が該当します。

*03) 不動産会社が消費者から中古の建物等を買い取る取引が該当します。

*04) 古紙回収業者が消費者から古新聞等を買い取る取引が該当します。

*05) 自動販売機による飲食料品の販売のほか、コインロッカーやコインランドリー等によるサービスが該当します。

4 帳簿及び請求書等の記載事項（法30⑧⑨） 理論

1．帳簿の記載事項

(1) 課税仕入れに係るものである場合

・課税仕入れの相手方の**氏名又は名称**

・課税仕入れを行った**年月日**

・課税仕入れに係る**資産又は役務の内容**（課税資産の譲渡等が軽減対象課税資産の譲渡等である場合には、資産の内容及び軽減対象課税資産の譲渡等である旨）

・課税仕入れに係る**支払対価の額***01)（税込価額）

*01) 対価として支払い、又は支払うべき一切の金銭又は金銭以外の物若しくは権利その他経済的な利益の額

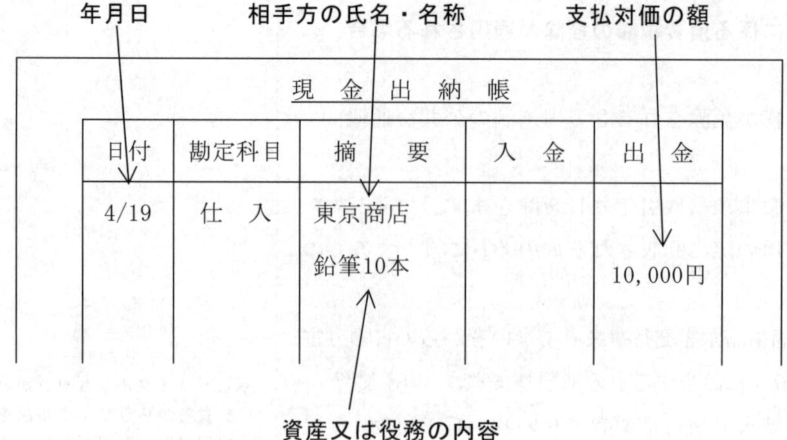

(2)　課税貨物に係るものである場合

・課税貨物を保税地域から**引き取った年月日**（特例申告書を提出しているに場合は、保税地域から引き取った日及び特例申告書を提出した日）

・課税貨物の**内容**

・課税貨物の引取りに係る**消費税等の額又はその合計額**

2.　請求書等の記載事項

(1)　課税仕入れに係るものである場合

課税仕入れについて保存を要する請求書等には、次のような種類があり、それぞれ記載すべき事項が定められています。

①　**請求書・納品書等**（事業者に対し課税資産の譲渡等を行う他の事業者（適格請求書発行事業者）が、その課税資産の譲渡等につきその事業者に交付する適格請求書）

イ　適格請求書発行事業者の氏名又は名称及び登録番号

ロ　課税資産の譲渡等を行った年月日（一定期間分まとめて作成する場合にはその一定の期間）

ハ　課税資産の譲渡等に係る資産又は役務の内容（課税資産の譲渡等が軽減対象資産の譲渡等である場合には、資産の内容及び軽減対象資産の譲渡等である旨）

ニ　課税資産の譲渡等の税抜価額又は税込価額を税率ごとに区分して合計した金額及び適用税率

ホ　税率ごとに区分した消費税額等

ヘ　書類の交付を受ける事業者*02)の氏名又は名称

*02) 請求書等をもらう者、すなわち課税仕入れを行った者を指します。

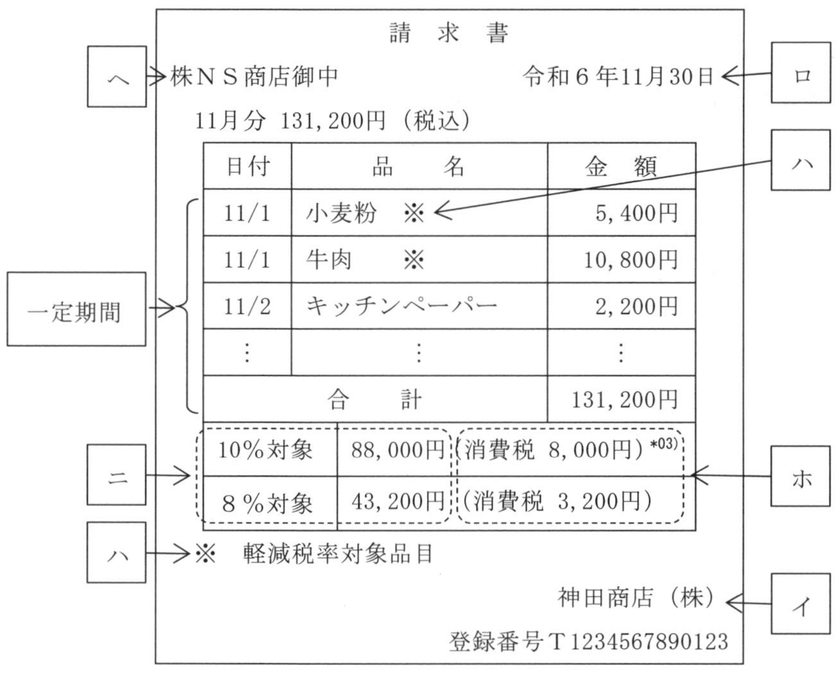

請 求 書

株ＮＳ商店御中　　　　　　　　令和６年11月30日

11月分 131,200円（税込）

日付	品　名	金　額
11/1	小麦粉　※	5,400円
11/1	牛肉　※	10,800円
11/2	キッチンペーパー	2,200円
⋮	⋮	⋮
合　計		131,200円
10％対象	88,000円	（消費税 8,000円）*03)
８％対象	43,200円	（消費税 3,200円）

※　軽減税率対象品目

神田商店（株）

登録番号Ｔ1234567890123

*03) 消費税額等の端数処理は、適格請求書単位で、税率ごとに１回行い、商品ごとの端数処理は認められません。

② **仕入明細書、仕入計算書**[*04)]**等**

- **書類の作成者**の氏名又は名称
- 課税仕入れの**相手方**の氏名又は名称及び登録番号
- 課税仕入れを行った**年月日**（一定期間分をまとめて作成する場合にはその一定の期間）
- 課税仕入れに係る**資産又は役務の内容**（課税資産の譲渡等が軽減対象課税資産の譲渡等である場合には、資産の内容及び軽減対象課税資産の譲渡等である旨）
- 税率の異なるごとに区分して合計した課税仕入れに係る**支払対価の額**及び**適用税率**
- **消費税額等**

*04) 百貨店等が消化仕入れ（商品の所有権がメーカーにあるままで、百貨店等が顧客に商品を販売したと同時にその商品に係る仕入れが計上されるという取引をいいます。）を行う際に、ＰＯＳ等で管理された販売データをもとにメーカー側に仕入金額を提示するために使われる計算書等を指します。

⑵ **課税貨物**を保税地域から引き取る事業者が税関長から交付を受けるその課税貨物**の輸入許可書等**（電磁的記録を含む。）で次の事項が記載されているもの

① **納税地を所轄する税関長**

② 課税貨物を保税地域から**引き取ることができることとなった年月日**（課税貨物につき特例申告書を提出した場合には、保税地域から引き取ることができることとなった年月日及び特例申告書を提出した日）

③ 課税貨物の**内容**

④ 課税貨物に係る**消費税の課税標準**である金額及び引取りに係る**消費税等の額**

⑤ 書類の**交付を受ける事業者の氏名又は名称**

〈帳簿及び請求書等の記載内容〉

保存しておくべき帳簿及び請求書等の記載内容は、**①仕入れ側の氏名・名称、②売上げ側の氏名・名称、③年月日、④内容、⑤金額**の５点（帳簿については、記載する側の情報は書かれないため①以外の４点です。）

これを踏まえた上で、それぞれの書類の作成が売上げ側、仕入れ側のどちらで行われるものなのかにより「課税資産の譲渡等」と「課税仕入れ」が使い分けられます。

Try it

控除対象仕入税額の計算

次の資料により、文房具の卸売業を営む甲株式会社（以下「甲社」という。）の当課税期間（令和７年４月１日～令和８年３月31日）における控除対象仕入税額を割戻し計算により計算しなさい。なお、甲社は前課税期間においては個別対応方式により計算している。また、経理処理は、消費税及び地方消費税込みの金額により行っている。

⑴　収入に関する事項

①　7.8％課税売上額の合計額　297,376,920円

②　非課税売上額の合計額（下記⑵⑩の土地売却額を含む金額）　122,325,000円

⑵　支出に関する事項

①　商品仕入高　214,772,000円

すべて国内のメーカーからの購入である。

②　給与手当　37,243,000円

このうち1,113,000円は、通勤手当である。

③　法定福利費　3,738,000円

全額、社会保険料及び労働保険料である。

④　福利厚生費　1,666,000円

内訳は、次のとおりである。

イ　従業員及び役員による忘年会飲食費用　252,000円

ロ　従業員及び役員全員の制服代　588,000円

ハ　従業員及び役員に対する現金による慶弔見舞金　350,000円

ニ　従業員の弁当代　476,000円

⑤　旅費交通費　3,173,000円

内訳は、次のとおりである。

イ　国内の得意先に対する出張のための交通費　1,428,000円

ロ　国外の得意先開拓のための出張旅費　1,052,000円

（国際航空運賃、現地における宿泊、交通費）

ハ　国内におけるその他の交通費　693,000円

⑥　通信費　608,000円

このうち117,000円は、国際電話の料金である。

⑦　租税公課　1,254,000円

固定資産税、自動車税、印紙代、消費税等の中間納付額の合計である。

⑧　その他の販売費及び一般管理費　16,052,000円

このうち課税仕入れに該当するものは14,166,000円、残額は課税仕入れに該当しないものであり、課税仕入れに該当するもののうち58,800円は定期購読している日刊新聞の購読料である。

⑨　以上の支出のうち、②給与手当、④福利厚生費、⑥通信費、⑧その他の販売費及び一般管理費で、課税仕入れに該当するものは、課税資産の譲渡等とその他の資産の譲渡等に共通して要するものに該当する。

⑩　土地売却手数料　3,213,000円

遊休の更地（帳簿価額83,500,000円）を100,000,000円で売却した際に、仲介不動産業者に支払ったものである。

⑪　有価証券購入手数料　82,000円

売買目的の上場株式12,000,000円を購入した際に証券会社に支払ったものである。

解答 （単位：円）

⑴ 課税売上割合

① 課税売上額　297,376,920×$\frac{100}{110}$＝270,342,654

② 非課税売上額　122,325,000

③ 課税売上割合

$\frac{①}{①+②}$＝$\frac{270,342,654}{392,667,654}$＝0.6884… ＜ 95%　∴ 按分計算が必要

⑵ 区分経理及び税額

① 標準税率

イ 個別対応方式

(a) 課税資産の譲渡等にのみ要するもの

商品仕入214,772,000＋旅費交通1,428,000＝216,200,000

216,200,000×$\frac{7.8}{110}$＝15,330,545

(b) その他の資産の譲渡等にのみ要するもの

土地売却手数料3,213,000＋有価証券購入手数料82,000＝3,295,000

3,295,000×$\frac{7.8}{110}$＝233,645

(c) 共通して要するもの

通勤手当1,113,000＋福利厚生（252,000＋588,000）＋旅費交通693,000
＋通信費（608,000－117,000）＋その他（14,166,000－58,800）＝17,244,200

17,244,200×$\frac{7.8}{110}$＝1,222,770

(d) 控除対象仕入税額

15,330,545＋1,222,770×$\frac{270,342,654}{392,667,654}$＝16,172,394

ロ 一括比例配分方式

(a) 課税仕入れ

216,200,000＋3,295,000＋17,244,200＝236,739,200

236,739,200×$\frac{7.8}{110}$＝16,786,961

(b) 控除対象仕入税額

16,786,961×$\frac{270,342,654}{392,667,654}$＝11,557,436

② 軽減税率

イ 個別対応方式

(a) 共通して要するもの

福利厚生476,000＋その他58,800＝534,800

534,800×$\frac{6.24}{108}$＝30,899

(b) 控除対象仕入税額

30,899×$\frac{270,342,654}{392,667,654}$＝21,273

ロ　一括比例配分方式

(a)　課税仕入れ　　30,899

(b)　控除対象仕入税額

$$30,899 \times \frac{270,342,654}{392,667,654} = 21,273$$

(3)　有利判定

①　個別対応方式

16,172,394＋21,273＝16,193,667

②　一括比例配分方式

11,557,436＋21,273＝11,578,709

③　①＞②　　∴　16,193,667

解説

(1)　課税売上割合が95%未満なので、法30②一に規定する「個別対応方式」又は法30②二に規定する「一括比例配分方式」により計算することとなる。前課税期間においては「個別対応方式」により計算しているので、法30⑤に規定する「一括比例配分方式」の「強制継続適用期間」には該当しない。従って、２つの方法で計算し、いずれか有利な方（控除税額が多い方）を選択することになる。

(2)　商品仕入高

国内のメーカーからの購入は課税仕入れになる。文房具は販売すれば7.8%課税売上げとなるので、商品仕入高は「課のみ」に区分する。

(3)　通勤手当

通勤手当は課税仕入れ（基通11－２－２）となり、⑨の指示に従い「共通」に区分する。

(4)　法定福利費

社会保険料及び労働保険料は収受する側で非課税売上げとなるので、課税仕入れにならない。

(5)　福利厚生費

イ　忘年会飲食費用及びロ制服代は、課税仕入れとなり、⑨の指示に従い「共通」に区分する。

ハ　現金による慶弔見舞金は、収受する側で課税対象外取引（基通５－２－14）となるので、課税仕入れにならない。

ニ　従業員の弁当代は課税仕入れとなり、⑨の指示に従い「共通」に区分する。また、弁当は食料品に該当するため、軽減税率が適用される。

(6)　旅費交通費

イ　出張交通費（国内交通費）は、課税仕入れとなる。得意先、つまり、文房具売上先に対する出張は文房具の売上げ（7.8%課税売上げ）につながるので、「課のみ」に区分する。

ロ　国際航空運賃は、航空会社で０%課税取引（輸出売上げ）となるので、課税仕入れにならない。

また、現地宿泊・交通費は、課税対象外取引（国外取引）となるので、課税仕入れにならない。

ハ　国内のその他の交通費（国内交通費）は課税仕入れとなり、「課のみ」とも「その他のみ」とも限定できないので、「共通」に区分する。

(7)　通信費

国際電話料金は、電話会社で０%課税取引（輸出売上げ）となるので、課税仕入れにならない。

(8)　その他の販売費及び一般管理費

⑨の指示に従い「共通」に区分する。

なお、日刊新聞の購読料は軽減税率が適用される。

⑼　土地売却手数料

不動産会社で7.8%課税売上げとなるので、課税仕入れとなり、土地の売上げ（非課税売上げ）のために支払われたので、「その他のみ」に区分する。

⑽　有価証券購入手数料

証券会社で7.8%課税売上げとなるので、課税仕入れとなる。購入した有価証券は、将来、譲渡すれば非課税売上げとなるので、「その他のみ」に区分する。

Chapter 8

売上げに係る対価の返還等Ⅱ

消費税の計算を行ううえで、先ず行うのが預かった消費税である売上げの消費税を求めることです。事業者にとって売上げの金額は、その課税期間に支払うべき消費税額を求める際とても重要な項目ですので、返品などの理由で売上げのマイナスが発生した場合には、税額計算上も考慮していかなければなりません。

ここでは、売上げに対し返品等の事由が生じた場合の取扱いを見ていきましょう。

Section 1 売上げに係る対価の返還等

Chapter７で学習したように、消費税の税額控除は、全部で４つあります。

ここでは、そのうちの売上げに対する返品や割戻し等があった場合（これらを消費税法では「売上げに係る対価の返還等」といいます）の取扱いについて見ていきましょう。

1 売上げに係る対価の返還等の概要（法38①）

理論

1．売上げに係る対価の返還等の意義

売上げに係る対価の返還等とは、事業者が国内において行った**課税資産の譲渡等について、返品、値引き、割戻し**による、課税資産の譲渡等の税込価額の全部若しくは一部の返還又はその税込価額に係る売掛金等の全部若しくは一部の減額をいいます。すなわち、売上代金を返金したり、その売上げに関する債権の減額をした場合における、その返金額や減額した債権金額のことを指します。

なお、**ここでいう課税売上げには免税売上げは含まれません。**

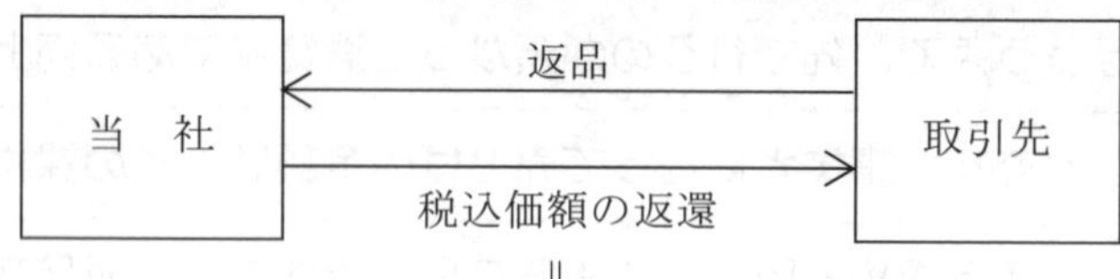

‖

売上げに係る対価の返還等

消費税法〈売上げに係る対価の返還等をした場合の消費税額の控除〉

第38条①　事業者（免税事業者を除く。）が、国内において行った課税資産の譲渡等（特定資産の譲渡等に該当するもの及び輸出免税取引等の規定により消費税が免除されるものを除く。）につき、返品を受け、又は値引き若しくは割戻しをしたことにより、その課税資産の譲渡等の対価の額とその対価の額に100分の10（軽減税率が適用されるものである場合は100分の８）を乗じて算出した金額との合計額(以下､｢税込価額｣という｡)の全部若しくは一部の返還又はその課税資産の譲渡等の税込価額に係る売掛金その他の債権の額の全部若しくは一部の減額（以下、「売上げに係る対価の返還等」という。）をした場合には、その売上げに係る対価の返還等をした日の属する課税期間の課税標準額に対する消費税額からその課税期間において行った売上げに係る対価の返還等の金額に係る消費税額の合計額を控除する。

〈現物による売上げに係る対価の返還等の取扱い〉

売上げに係る対価の返還等の対象となるのは､金銭による返還又は債権金額の減額だけです。そのため、商品等の現物による割戻し*01)等は売上げに係る対価の返還等には該当しません。

*01）特定数以上の購入があった場合に、注文数以上の商品を割戻しとして付ける場合等が該当します。

2. 売上げに係る対価の返還等をした場合の消費税額の控除の趣旨

消費税は預かった消費税から支払った消費税を差し引くことで求めます。

ここで、いったん預かった消費税として計上した金額が、その後、値引き等によって取り消された場合、取り消された部分の預かった消費税を減額しないと納付額が過大に計算されることになります。そのため、値引き等があった場合には値引き等として取り消された部分の消費税額を**控除税額として控除します***02)。

控除対象仕入税額 ＋ 売上げに係る対価の返還等に係る消費税額 ＋ 貸倒れに係る消費税額 ＝控除税額小計

*02) 消費税の税額控除はこれらの３つの税額に係る控除の他「特定課税仕入れに係る対価の返還等を受けた場合の消費税額の控除」があり、これらの税額を合わせて「控除税額小計」を計算します。

2 売上げに係る対価の返還等の範囲

売上げに係る対価の返還等の対象となるものには以下のものがあります。

項目	内容
売上返品・値引き	売上商品が返品されることによる返金、約定違反等により、売上金額の減額をしたもの
売上割戻し（リベート）	一定期間に一定額又は一定量の取引をした取引先に対する代金の一部返戻（リベート）
売上割引*01)（基通14－１－４）	売掛金等が支払期日の前に決済されたことにより取引先に支払うもの
販売奨励金*02)（基通14－１－２）	販売促進の目的で販売数量、販売高等に応じて取引先に対して**金銭**を支払うもの
事業分量配当金*03)（基通14－１－３）	協同組合等が組合員等に支払う事業分量配当金で、課税資産の譲渡等の分量等に応じて支払うもの
船舶の早出料（基通14－１－１）	貨物の積込み期間が契約より短かったために支払う運賃の割戻し

<飛越しリベート>

飛越しリベートとは、事業者が間接的な取引先*04) に支払うリベートのことです。この、飛越しリベートも売上げに係る対価の返還等に該当します。

*01) 会計上は、売上割引は財務費用として扱いますが、消費税法では売上げのマイナス項目として扱います。

*02) 販売奨励金は、売上割戻し（リベート）と同義です。金銭による支払いのみが対象となるため、金銭以外の物等での割戻しは対象になりません。

*03) 複数の小売業者が協同組合を作り、組合を通して共同で仕入れを行うことにより組合員である小売業者が直接商品を仕入れるよりも安く購入できたり、通常受けられないリベートを受けられたりすることがあります。そのため、協同組合はこの共同の仕入れにより安く購入できた部分を、各組合員へリベートとして分配することがあります。これを「事業分量配当金」といいます。

*04) 当社が製造業を営んでいる場合、直接的な取引先は卸売業を営んでいる事業者です。一方、間接的な取引先は小売業を営んでいる事業者です。
家電メーカーが家電量販店に対し卸売業者を通さずに直接割戻しを行うこと等がこれに該当します。

〈ポイントカード値引きとキャッシュバックの違い〉

法28①の課税標準の規定において、消費税における「対価の額」は、取引の当事者間で「収受すべき金額」(実際にやり取りする金額)である旨が規定されています。

そのため、広告宣伝などの一環として行われる割引券やポイントカードを利用した場合の値引きは、単なる販売価額の修正であり、**値引き後の金額が「収受すべき対価の額」となる**ことから、売上げに係る対価の返還等には該当しません。

これに対し、キャッシュバックは、事業者が実際に「収受すべき金額」を受領した後で、**事後的に**金銭により行う割戻しであるため、売上げに係る対価の返還等に該当します。

定価100円の商品の場合

〈ポイントカード値引き〉

顧客がポイント10円分を使用

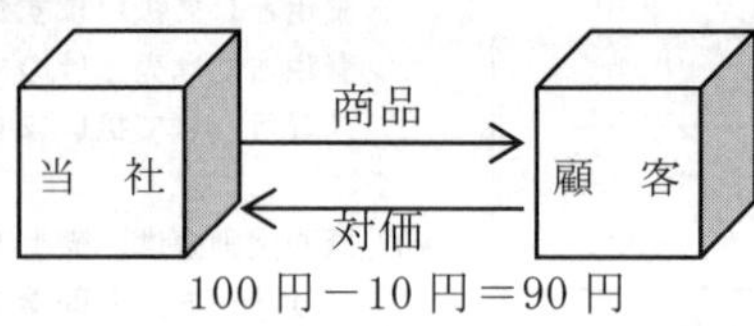

〈キャッシュバック〉

顧客に10円をキャッシュバック

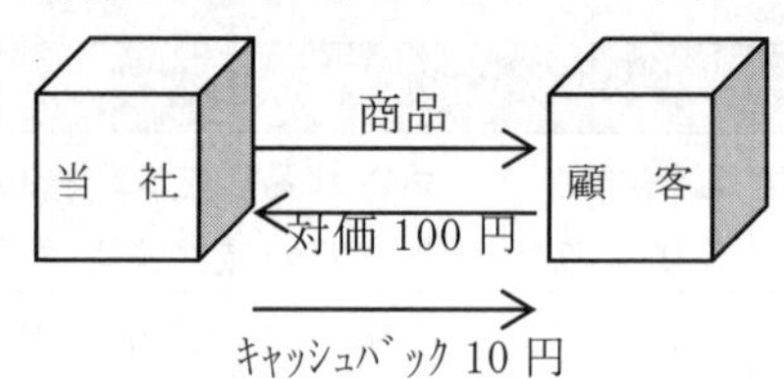

3 売上げに係る対価の返還等に係る消費税額

売上げに係る対価の返還等に係る消費税額は、以下の算式に基づいて計算します。

売上げに係る税込対価の返還等の金額の合計額 $\times \frac{7.8}{110}$ **(又は** $\frac{6.24}{108}$ **)***01) ＝ **売上げに係る対価の返還等に係る消費税額**

*01) 令和元年9月30日以前の売上げに係るものは108分の6.3を乗じます。

4 税額控除の適用を受けられない取引

以下の取引は、消費税が課されないため、そもそも控除すべき税額が含まれていません。そのため、**売上げに係る対価の返還等に係る消費税額の控除の規定を適用しません***01)。

(1)	**輸出免税売上げに係る返還等**
(2)	**非課税売上げに係る返還等***02)
(3)	**不課税売上げに係る返還等***02)

〈課税売上げと非課税売上げを一括して対象とする売上割戻し〉

事業者が、一の取引先に対して課税資産の譲渡等とその他の資産の譲渡等を行った場合に、一括して売上げに係る割戻しを行ったときは、それぞれの資産の譲渡等に係る部分の割戻金額を**合理的に区分***03)して計算を行います。(基通14－1－5)

*01) 売上時に7.8%課税されるものだけが対象になる点に注意しましょう。

*02) 非課税売上げに係る返還等には、例えば土地の譲渡に関する値引きがあります。不課税売上げに係る返還等には、例えば、国外の売上げに関する値引きがあります。

*03) 時価等の比率により按分します。

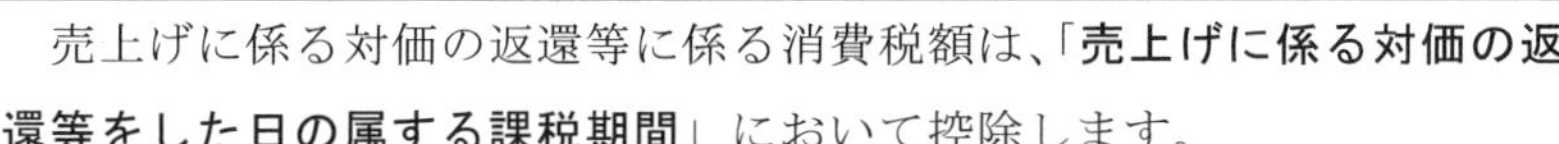

5 売上げに係る対価の返還等の適用時期

重要 計算

売上げに係る対価の返還等に係る消費税額は、「**売上げに係る対価の返還等をした日の属する課税期間**」において控除します。

そのため、当課税期間に返還等をしていれば前課税期間以前の売上げに係るものでも、当課税期間において売上げに係る対価の返還等に係る消費税額の控除の規定を適用します[*01]。

*01) 実際に返品された時に売上返還等の処理をします。なお、リベートについては、当事者間で金額が確定した時において処理します。

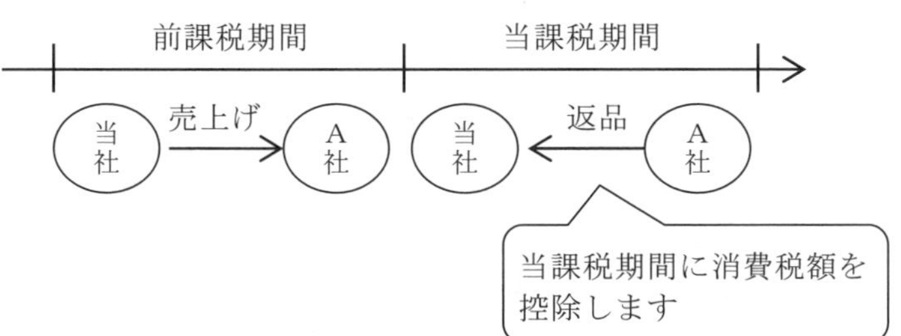

6 免税事業者であった課税期間に係る対価の返還等

重要 計算

免税事業者であった課税期間において行った課税資産の譲渡等について、課税事業者となった課税期間において売上げに係る対価の返還等を行った場合には、売上げに係る対価の返還等に係る消費税額の控除の規定の適用はありません[*01]（基通14－１－６）。

*01) 消費税法では、免税事業者であった課税期間の売上げには消費税は含まれていないと考えられているからです。

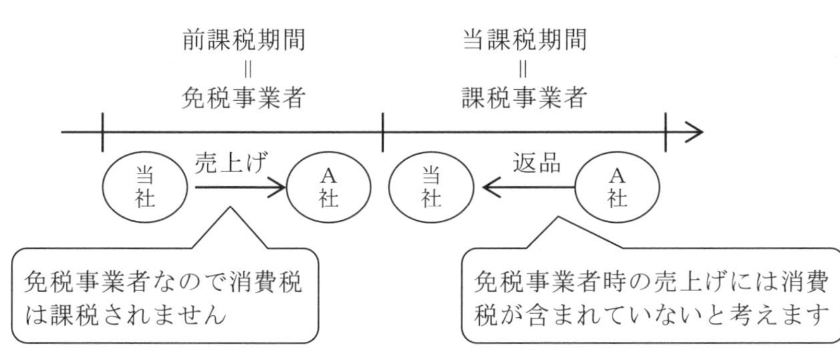

7 免税事業者等となった後の売上げに係る対価の返還等

計算

課税事業者が、免税事業者となった後において、課税事業者であった課税期間における課税資産の譲渡等につき、売上げに係る対価の返還等を行った場合には、売上げに係る対価の返還等に係る消費税額の控除の規定の適用はありません。（基通14－１－７）。

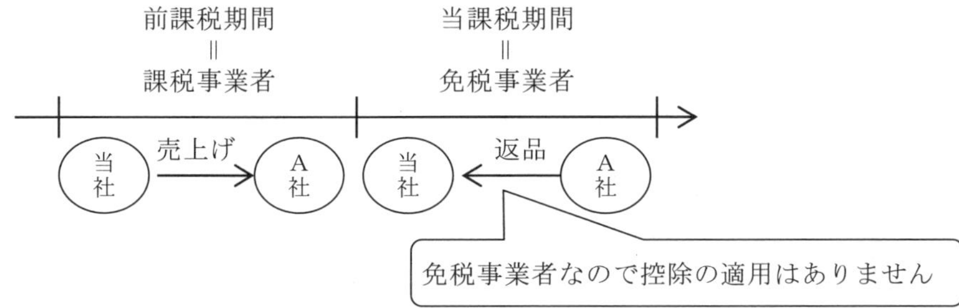

8 適用要件（法38②）

理論

売上げに係る対価の返還等に係る消費税額の控除の適用を受けるには、事業者がその売上げに係る対価の返還等をした金額の明細を記録した**帳簿を保存**しなければなりません

ただし、**災害**[*01] **その他やむを得ない事情**[*02] によりその保存をすることができなかったことをその事業者において証明した場合は、帳簿を保存していなくても、売上げに係る対価の返還等に係る消費税額の控除の規定を適用することができます。

*01) ここでいう災害とは、天災又は人為的災害で自己の責任によらないものをいいます。

*02) やむを得ない事情とは、災害に準ずる状況又は事業者の責に帰すことができない状況にある事態のことです。

> **消費税法〈売上げに係る対価の返還等をした場合の消費税額の控除〉**
>
> 第38条②　前項の規定は、事業者がその売上げに係る対価の返還等をした金額の明細を記録した帳簿を保存しない場合には、その保存のない売上げに係る対価の返還等に係る消費税額については、適用しない。ただし、災害その他やむを得ない事情によりその保存をすることができなかったことをその事業者において証明した場合は、この限りでない。

1．帳簿に記載する事項（令58①）

⑴　売上げに係る対価の返還等を受けた者の**氏名又は名称**[*03]

⑵　売上げに係る対価の返還等を行った**年月日**

⑶　売上げに係る対価の返還等の**内容**（その売上げに係る対価の返還等に係る課税資産の譲渡等が軽減対象課税資産の譲渡等である場合には、資産の内容及び軽減対象課税資産の譲渡等である旨）

⑷　税率の異なるごとに区分した売上げに係る対価の返還等をした**金額**

*03) 売上げの相手方の氏名又は名称のことです。

2．保存期間（令58②）

事業者は、記録をした帳簿を整理し、これをその**閉鎖の日（決算日）の属する課税期間の末日の翌日から２ヵ月を経過した日から７年間**、納税地又は事務所等の所在地に保存しなければなりません。

設例１－１　　売上げに係る対価の返還等に係る消費税額

当課税期間（令和７年４月１日～令和８年３月31日）の売上返還等2,100,100円（すべて当課税期間の売上げに係るもの）の内訳は以下のとおりである。これらに基づいて当課税期間の売上げに係る対価の返還等に係る消費税額を計算しなさい。

なお、当社は当課税期間まで継続して課税事業者であり、金額は税込みである。

当課税期間の売上返還等の内訳

⑴	販売奨励金	1,050,000円	（衣料品の国内の販売先に支出した金銭である）
⑵	売上割引	250,000円	（土地の譲渡による売上げから生じたものである）
⑶	売上返品	275,000円	（輸出免税売上げから生じたものである）
⑷	売上割戻し	525,100円	（衣料品の国内売上げから生じたものである。）

解答　売上げに係る対価の返還等に係る消費税額　111,688 円

解説　（単位：円）

売上げに係る対価の返還等に該当するものには、売上返品・値引き、売上割戻しがあります。また、販売奨励金や売上割引も範囲に含まれます。

売上げに係る対価の返還等に係る消費税額の控除は、売上げ時に課税された取引についてのみ対象となります。そのため、不課税取引、非課税取引、免税取引に対しては適用されません。

本問では、(1)販売奨励金と(4)売上割戻しが対象となります。

売上げに係る対価の返還等に係る消費税額

$(1,050,000+525,100)\times\frac{7.8}{110}=111,688$

税額は個々に計算するのではなく、いったん合計した後に計算します。

設例１－２　納付税額の計算

次の【資料】により、当課税期間（令和７年４月１日～令和８年３月31日）の納付税額を求めなさい。なお、金額は税込みとする。

【資料】

1．課税売上げの合計額：　210,000,000円

2．課税仕入れの合計額：　126,000,000円

3．売上げに係る対価の返還等：　685,720円（当課税期間の課税売上げに係るもの）

当社の当課税期間の課税売上割合は98%である。また、当社は、当課税期間まで継続して課税事業者であり、軽減税率が適用されるものは含まれていない。なお、課税標準額に対する消費税額及び控除対象仕入税額は割戻し計算の方法による。

解答　納付税額　5,907,700 円

解説　（単位：円）

(1)　課税標準額

$210,000,000\times\frac{100}{110}=190,909,090$ → 190,909,000（千円未満切捨）

(2)　課税標準額に係る消費税額

$190,909,000\times7.8\%=14,890,902$

(3)　控除対象仕入税額

①　課税売上割合

イ　課税売上割合　98% ≧ 95%

ロ　課税売上高

(a)　190,909,090

(b)　$685,720\times\frac{100}{110}=623,381$

(c)　(a)－(b)＝190, 285, 709 ≦ 500, 000, 000

∴　按分計算は不要

②　控除対象仕入税額

$126,000,000 \times \frac{7.8}{110} = 8,934,545$

(4)　売上げに係る対価の返還等に係る消費税額

$685,720 \times \frac{7.8}{110} = 48,623$

(5)　控除税額小計

8, 934, 545＋48, 623＝8, 983, 168

(6)　差引税額

14, 890, 902－8, 983, 168＝5, 907, 734 → 5, 907, 700（百円未満切捨）

(7)　納付税額

5, 907, 700

売上げに係る対価の返還等に係る消費税額と控除対象仕入税額とを合計した金額（控除税額小計）を課税標準額に対する消費税額から控除します。

Try it　売上げに係る対価の返還等

甲社は、令和5年8月1日に設立された資本金300万円の法人であり、課税事業者選択届出書の提出はしていない。次の資料により、甲社の当課税期間（令和7年4月1日～令和8年3月 31 日）における、課税標準額に対する消費税額から控除される売上げの返還等対価に係る消費税額を計算しなさい。

なお、甲社は税込経理を採用している。

(1)　各課税期間における課税売上高

令和5年8月1日～令和6年3月31日　　10,800,000円

（令和5年8月1日～令和6年1月31日までの期間に係る金額　8,100,000円）

令和6年4月1日～令和7年3月31日　　15,400,000円

令和7年4月1日～令和8年3月31日　　16,450,000円

(2)　売上げに係る対価の返還等

当課税期間において行った売上げに係る返還等対価の金額は1,914,150円で、その内訳は次のようになっている。

①　売上返品　　1,244,650円

令和5年8月1日～令和6年3月31日の課税期間の商品売上高に係るもの　248,900円

令和6年4月1日～令和7年3月31日の課税期間の商品売上高に係るもの　398,750円

令和7年4月1日～令和8年3月31日の課税期間の商品売上高に係るもの　597,000円

②　販売奨励金　　669,500円

当課税期間の商品売上高に係る販売促進目的で、取引先に対して金銭を支出したものである。

解 答　（単位：円）

$(597,000+669,500)\times\frac{7.8}{110}=89,806$

解 説　（単位：円）

第3期目である当課税期間については、基準期間における課税売上高は、

$\frac{10,800,000}{8月}\times 12月=16,200,000 > 10,000,000$ となり納税義務である。

設立第1期目は、課税事業者選択届出書の提出がないので免税事業者である。

また、設立2期目は、特定期間の課税売上高が8,100,000円（≦1,000万円）のため免税事業者である。税込経理を採用というコメントがあっても、消費税等については考慮しないので、1期目、2期目の売上返品については売上げ返還等対価に係る消費税額の控除の適用はない。

免税事業者であった課税期間において行った課税資産の譲渡等について対価の返還等をした場合（基通14−1−6）

免税事業者であった課税期間において行った課税資産の譲渡等について、課税事業者となった課税期間において売上げに係る対価の返還等を行った場合には、その対価の返還等については売上げに係る対価の返還等をした場合の消費税額の控除の規定の適用はないことに留意する。

なお、この場合の小規模事業者に係る納税義務の免除の規定、課税売上割合の計算の規定の適用に当たっては、これらに規定する消費税額はないことに留意する。

［設例］

当社の各課税期間の取引状況は以下のとおりであった。なお、軽減税率が適用される取引は含まれていない。

1. 令和５年４月１日から令和６年３月 31 日（免税事業者）
   ⑴ 課税売上高　15, 000, 000 円
   ⑵ ⑴の対価返還等　1, 000, 000 円（令和５年８月１日売上分）
2. 令和７年４月１日から令和８年３月 31 日
   ⑴ 課税売上高　18, 000, 000 円
   ⑵ ⑴の対価返還等　1, 200, 000 円（令和６年２月 14 日売上分）
   ⑶ 非課税売上高　8, 000, 000 円

上記設例に基づき

1. 令和７年４月１日から令和８年３月 31 日に係る課税期間の納税義務の判定
   基準期間における課税売上高　15, 000, 000 円−1, 000, 000 円＝14, 000, 000 円 ＞ 10, 000, 000 円
   ∴ 納税義務あり
2. 令和７年４月１日から令和８年３月 31 日に係る課税期間の課税売上割合
   ⑴ 課税売上高
   $$18,000,000\text{円}\times\frac{100}{110}-1,200,000\text{円}=15,163,636\text{円}$$
   ⑵ 非課税売上高　8, 000, 000 円
   ⑶ 課税売上割合
   $$\frac{(1)}{(1)+(2)}=\frac{15,163,636\text{円}}{23,163,636\text{円}}=0.6546\cdots$$
3. 令和７年４月１日から令和８年３月 31 日に係る課税期間における課税標準額に対する消費税額から控除すべき売上げに係る対価の返還等をした場合の消費税額
   免税事業者時に売上げたものの対価返還等のため課税標準額に対する消費税額から控除すべき売上げに係る対価の返還等をした場合の消費税額はない。

Chapter 9

貸倒れに係る消費税額の控除等Ⅱ

売上げに対する債権が貸倒れた場合には、事業者は預かった消費税がないにもかかわらず消費税の計算対象にその売上げが入ってしまうことにより消費税の負担をすることとなってしまいます。これは、Chapter 1で学習した前段階控除の考え方からすると不合理であるため、税額控除によってその調整を行うこととしています。

ここでは、消費税の対象となる売上げに貸倒れが生じた場合と、その貸倒れとなった債権を回収した場合の取扱いについて見ていきましょう。

Section 1

貸倒れに係る消費税額

消費税の税額控除の最後は貸倒れがあった場合の取扱いです。

消費税はChapter 1で学習したように、納税義務者である事業者が消費者の代わりに税金を預かって納付しているため、売上げの代金が貸倒れてしまった場合には売上げに係る消費税を事業者が負担していることになってしまい、消費税の本来の考え方にはそぐわないため、税額控除により調整することとしています。

1 貸倒れの概要

1．貸倒れの意義（法39①）

貸倒れとは、売掛金その他の債権に一定の事実が生じたためその**課税資産の譲渡等の税込価額の全部又は一部が領収できなくなったこと**をいいます。

ここでいう売掛金その他の債権とは、**課税売上げに対する債権**であり、商品の販売に対する売掛金や、建物や車両等の固定資産を売却した際の未収金等が該当します。

> **消費税法〈貸倒れに係る消費税額の控除等〉**
>
> 第39条①　事業者（免税事業者を除く。）が国内において課税資産の譲渡等（特定資産の譲渡等に該当するもの及び輸出免税取引等の規定により消費税が免除されるものを除く。）を行った場合において、その課税資産の譲渡等の相手方に対する売掛金その他の債権につき更生計画認可の決定により債権の切捨てがあったことその他これに準ずるものとして政令で定める事実が生じたため、その課税資産の譲渡等の税込価額の全部又は一部の領収をすることができなくなったときは、その領収をすることができないこととなった日の属する課税期間の課税標準額に対する消費税額から、その領収をすることができなくなった課税資産の譲渡等の税込価額に係る消費税額（その税込価額に110分の7.8（軽減税率が適用されるものである場合は108分の6.24）を乗じて算出した金額をいう。）の合計額を控除する。

2．貸倒れに係る消費税額の控除の趣旨

売掛金等の貸倒れが生じた場合には、**実質的に「対価を得て」という課税の対象の要件**[*01]**を満たさない**こととなるため、貸倒れが生じた取引は課税の対象から除かれるべきです。このとき、事業者においては納付すべき消費税額が減少するため、貸倒れに係る消費税額を調整する必要があります。

そのため、貸倒れがあった場合には貸倒れに係る消費税額を控除税額として控除します。

*01) 国内取引の課税の対象の要件とは、
- 国内において行うものであること
- 事業者が事業として行うものであること
- 対価を得て行われるものであること
- 資産の譲渡及び貸付け並びに役務の提供であること

の４要件です。
Chapter 2を参照して下さい。

控除対象仕入税額 ＋ 売上げに係る対価の返還等に係る消費税額 ＋ 貸倒れに係る消費税額 ＝控除税額小計*02)

*02) 特定課税仕入れに係る対価の返還等を受けた場合の消費税額の控除についても、控除税額の算式に含めることになりますが、応用編で学習していきます。

2 貸倒れの範囲（法39①、令59、規18） 計算

消費税法では、課税の公平を図るため、貸倒れの事実認定や対象金額に関する要件が厳密に定められており、その要件を満たしたもののみを税額控除の対象としています。

貸倒れの事由や貸倒れの金額をまとめると以下のようになります。

	一定の事実	貸倒れの金額
法律上の貸倒れ	下記の事由による債権の切捨て ・会社更生法の規定による更生計画認可の決定 ・民事再生法の規定による再生計画認可の決定 ・会社法の規定による特別清算に係る協定の認可の決定 ・債権者集会の協議決定 ・行政機関、金融機関等のあっせんによる当事者間協議	切捨額
法律上の貸倒れ	・債務超過の状態が相当期間継続し、債務の弁済が不可能と認められる場合に、書面により債務免除を行ったこと	債務免除額
事実上の貸倒れ	・債務者の財産の状況、支払能力等から見て債務の全額を弁済できないことが明らかであること（担保物がある場合を除く）*01)	債権額
形式上の貸倒れ	・継続的な取引*02)を行っていた債務者につき、その資産の状況、支払能力等が悪化したことにより、その債務者との取引を停止*03)した時以後１年以上経過したこと（担保物がある場合を除く）	売上債権の額から取引先ごとに備忘価額（１円以上）を控除した金額
形式上の貸倒れ	・同一地域の債務者について有する債権の総額がその取立費用*04)に満たない場合で、その債務者に対し支払いを督促したにもかかわらず弁済がないこと	売上債権の額から取引先ごとに備忘価額（１円以上）を控除した金額

*01) 担保物がある場合には、担保物の処分価額相当額は回収可能であるため、担保の処分が行われるまでは貸倒れとすることができません。

*02) 継続的な取引を行っていることが要件となるため、固定資産の売却等、継続性のない取引には適用できません。

*03) 取引の停止とは、最後に売上げが計上された日と債権に対する最終入金日のいずれか遅い日となります。

*04) 取立費用とは、取立を行う際の交通費等を指し、これらの金額が債権金額の合計額よりも多い場合には、回収を行う合理性がないことから貸倒れとして処理することを認めています。なお、この取立費用との比較は、同一地域のすべての相手先の債権金額と比較する点に注意してください。

3 貸倒れに係る消費税額

計算

貸倒れに係る消費税額は、以下の算式に基づいて計算します。

貸倒れに係る債権金額の合計額（税込）$\times \frac{7.8}{110}\left(\text{又は}\frac{6.24}{108}\right)$*01) ＝貸倒れに係る消費税額

*01) 令和元年９月30日以前の売上げに係るものは108分の6.3を乗じます。

4 税額控除の適用を受けられない取引

以下の取引は、消費税が課されないため、そもそも控除すべき税額が含まれていません。そのため、これらの売上げに係る債権が貸し倒れても**貸倒れに係る消費税額の控除の規定を適用しません。**

(1) 輸出免税売上げに係る債権の貸倒れ
(2) 非課税売上げに係る債権の貸倒れ
(3) 不課税売上げに係る債権の貸倒れ

〈貸倒額の区分計算〉

課税資産の譲渡等に係る売掛金等の債権とその他の資産の譲渡等に係る売掛金等の債権について貸倒れがあった場合において、これらを区分することが著しく困難であるときは、貸倒れとなったときにおけるそれぞれの債権の額の割合により課税資産の譲渡等に係る貸倒額を計算することができます（基通14－２－３）

5 貸倒れに係る消費税額の控除の適用時期

貸倒れに係る消費税額は、その**貸倒れが生じた日の属する課税期間**において控除します。前課税期間以前の売上げに係る債権の貸倒れであっても貸倒れが生じたのが当課税期間であれば、当課税期間において貸倒れに係る消費税額の控除を行います。

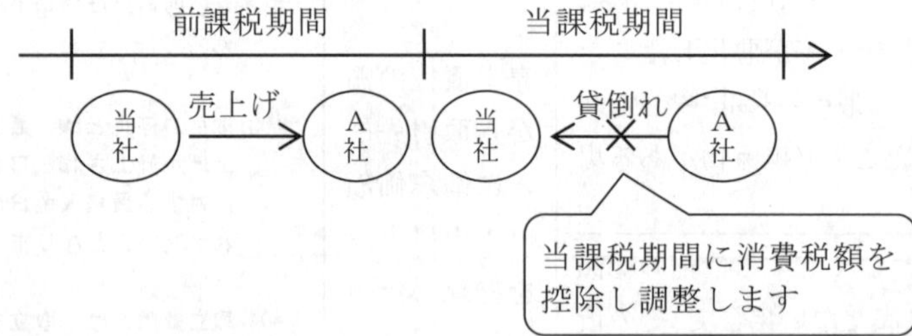

6 免税事業者であった課税期間の売上げに係る貸倒れ

重要

計算

免税事業者であった課税期間の売上げに係る貸倒れの場合には、その売上げには消費税が課されていないため、**貸倒れに係る消費税額の控除の規定の適用はありません。**（基通１４－２－４）

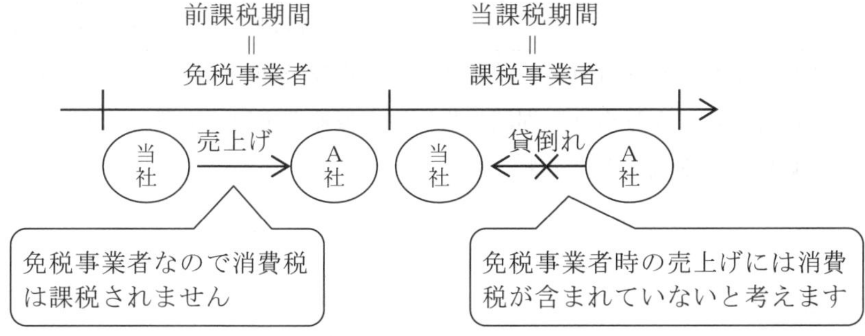

7 免税事業者となった後の貸倒れ　計算

課税事業者が、免税事業者となった後において、**課税事業者であった課税期間において行った課税資産の譲渡等**に係る売掛金等につき貸倒れが生じた場合には、貸倒れに係る消費税額の控除の規定の適用はありません。（基通１４－２－５）。

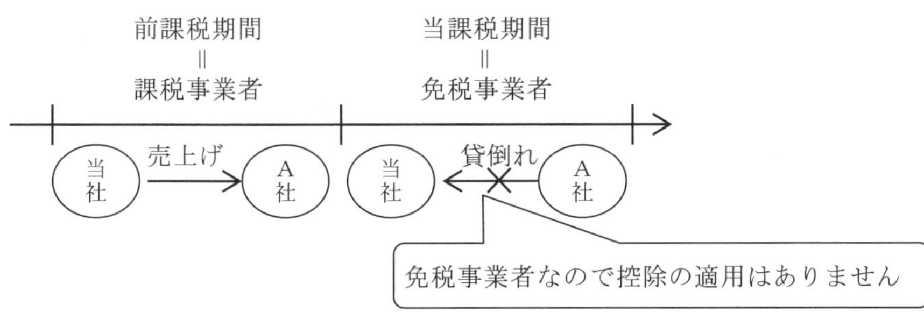

8 適用要件（法38②、規19）

理論

貸倒れに係る消費税額の控除を行うためには、一定の事実が生じたことを証する**書類**を保存しなければなりません。

ただし、**災害等のやむを得ない事情**により、その保存をすることができなかったことをその事業者において証明した場合には、書類の保存がなくても、貸倒れに係る消費税額の控除を行うことができます。

保存期間は、**貸倒れが生じた日の属する課税期間の末日の翌日から２ヵ月を経過した日から７年間**であり、その期間、納税地又は事務所等の所在地に保存しなければなりません。

設例１－１　貸倒れに係る消費税額の控除

当課税期間（令和７年４月１日～令和８年３月31日）に貸倒れた債権13,755,000円の内訳は次の【資料】のとおりである。そこで次の【資料】より当課税期間の貸倒れに係る消費税額を計算しなさい。

なお、当社は当課税期間まで継続して課税事業者である。

【資料】

当課税期間の貸倒れ　13,755,000円

内訳：	①当課税期間に行った国内課税売上げに係る売掛金	850,000円
	②当課税期間に売却した土地に係る未収金	4,725,000円
	③当課税期間に売却した建物（居住用）に係る未収金	7,350,000円
	④前課税期間に行った輸出免税売上げに係る売掛金	830,000円

解答

貸倒れに係る消費税額　581,454　円

解説　（単位：円）

土地の売却は非課税取引に該当し、輸出免税取引は免税取引に該当するため、これらに係る債権の貸倒れは、税額控除の適用はありません。

なお、建物（居住用）の貸付け（貸付期間１ヵ月以上）による賃貸料は非課税取引ですが、建物の売却は課税取引であるため、③が控除の対象になる点に注意しましょう。

①850,000＋③7,350,000＝8,200,000

$8,200,000 \times \frac{7.8}{110} = 581,454$

Section 2

償却債権取立益に係る消費税額

貸倒れに係る消費税額の控除を行う理由として、売上げに関する債権が貸倒れてしまったことにより、実質的に「対価を得て」いないことがあげられていました。それでは、貸倒れに係る消費税額の控除の対象とした債権が、後日回収された場合には、どのような調整が必要でしょうか？
ここでは、貸倒れとした債権が回収された場合の「償却債権取立益」の取扱いについて見ていきましょう。

1 償却債権取立益に係る消費税額とは（法39③）

理論 

貸倒れに係る消費税額の控除の適用を受けた後に、その控除対象となった債権の全部又は一部を回収したときは、その回収金額（**償却債権取立益**）に係る消費税額を「**控除過大調整税額**」として、課税標準額に対する消費税額に**加算**します。

2 控除過大調整税額の処理

計算

1．調整税額の計算

控除過大調整税額は、以下の算式に基づいて計算します。

$$\text{回収した売掛金等の金額の合計額（税込）} \times \frac{7.8}{110}\left(\text{又は}\frac{6.24}{108}\right)^{*01)} = \text{控除過大調整税額}$$

*01) 債権の発生が令和元年9月30日以前の売上げに係るものは108分の6.3を乗じます。

なお、貸倒れに係る消費税額の控除の場合と同様に、回収した債権が免税取引・非課税取引・不課税取引に係る債権である場合には、控除過大調整税額の加算は行いません。

2．適用時期

控除過大調整税額の処理は、**回収した日の属する課税期間**において行います。

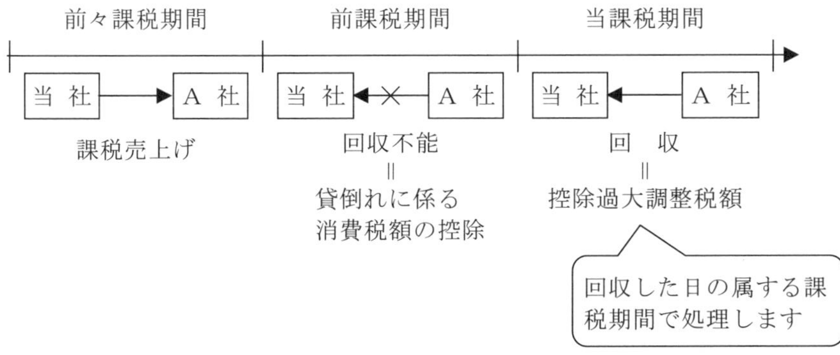

3 適用の対象とならない場合

計算

1. 免税事業者であった課税期間の売上げに係る債権を回収した場合

免税事業者であった課税期間の売上げに係る貸倒れは、貸倒れに係る消費税額の控除の対象とならないため、貸倒れとなった債権が回収された場合も調整の対象となりません。（基通 14－2－4 (注)）

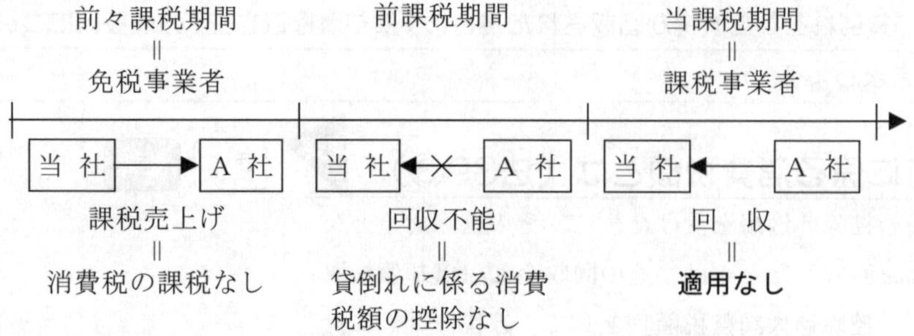

2. 免税事業者となった後に貸倒れた債権を回収した場合

課税事業者であった課税期間の売上げに対し、**免税事業者となった課税期間に貸倒れが生じた場合**で、後日、課税事業者となった課税期間に債権を回収したとしても税額控除の処理をしていないことから、調整の対象となりません。（基通 14－2－5 (注)）

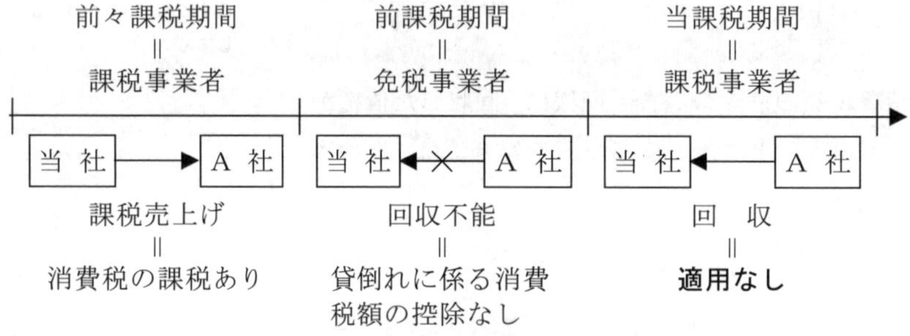

設例２－１　控除過大調整税額

前課税期間以前に貸倒処理していた債権11,235,000円を当課税期間に回収した。その内訳は次の【資料】のとおりである。当課税期間の控除過大調整税額を計算しなさい。なお、当社は当課税期間まで継続して課税事業者である。

【資料】

当課税期間の回収額　11,235,000円

内訳：①前課税期間に貸倒処理していた前課税期間に発生した国内課税売上げに係る売掛金　378,000円

②前々々課税期間に貸倒処理していた前々々々課税期間に発生した国内課税売上げに係る売掛金　253,000円

③前課税期間に貸倒処理していた貸付金　1,260,000円

④前々課税期間に貸倒処理していた前々々課税期間の居住用建物の賃貸料に係る未収入金　8,400,000円

⑤前課税期間に貸倒処理していた輸出免税売上げに係る売掛金　944,000円

当社の各課税期間

当課税期間	令和７年４月１日～令和８年３月31日
前課税期間	令和６年４月１日～令和７年３月31日
前々課税期間	令和５年４月１日～令和６年３月31日
前々々課税期間	令和４年４月１日～令和５年３月31日
前々々々課税期間	令和３年４月１日～令和４年３月31日

解答

貸倒れ回収に係る消費税額　44,743　円

解説　（単位：円）

控除過大調整税額の処理は、回収した日の属する課税期間において行われるため、貸倒処理した時期は関係ありません。

また、金銭を貸し付けても、その貸付金には消費税額が含まれておらず、居住用建物の賃貸料は非課税取引のため消費税が含まれていない、また、輸出免税取引に係る売掛金にも消費税額が含まれていないため、これらに係る債権である③、④、⑤については調整する必要はありません。

$(378,000+253,000)\times\frac{7.8}{110}=44,743$

Try it　　**貸倒に係る消費税額の控除**

甲株式会社（消費税法第９条第１項の規定の適用を受ける事業者ではない。以下、「甲社」という。）は事務用品の卸売業を営んでいるが、当課税期間（自令和７年４月１日　至令和８年３月31日）において次の事実が判明している。当課税期間における貸倒れに係る税額控除の金額を計算しなさい。

⑴　国内の得意先Ａ社に対する売掛金1,000万円（令和３年11月中の商品売上に係るもの）につき、民事再生法の規定による再生計画認可の決定により、その全額が切捨てられた。

⑵　継続的な取引を行っていた国内の得意先Ｂ社の支払能力が悪化したことにより、令和６年８月を最後に取引を停止した。甲社は、令和６年３月～令和６年８月中の売掛金残高250万円について、備忘価額１円を控除した残額を貸倒損失として経理した。

⑶　国内の得意先Ｃ社に対する売掛金（令和５年４月～令和５年８月中の商品売上に係るもの）300万円及び貸付金500万円につき、債権者集会の協議決定により、その60％が切捨てられることになった。

解 答（単位：円）

$$\{10,000,000+(2,500,000-1)+3,000,000\times 60\%\}\times\frac{7.8}{110}=1,013,999$$

解 説

⑵　取引停止後１年以上経過した売上債権の貸倒れについては、備忘価額（通常は１円）を控除した残額が対象債権額となる。

⑶　貸付金債権は、「課税資産の譲渡等の相手方に対する売掛金その他の債権」に該当しないので、貸倒れに係る消費税額の控除の対象債権には該当しない。

Chapter 10

仕入れに係る対価の返還等Ⅱ

Chapter８で学習したように、売上げに対し、返品や値引きを行った場合には税額控除としてマイナスの調整を行わなければなりません。同様に事業者が行った仕入れに対し、マイナスが生じた場合にも仕入税額控除の調整を行う必要があります。

ここでは、仕入れにつき、返品等が行われた際の調整を見ていきます。

なお、課税仕入れと課税貨物の引取りとでは取扱いに違いがありますので、それぞれの税額計算の違いを押さえながら確認しましょう。

Section 1 仕入れに係る対価の返還等

Chapter７で仕入れに係る消費税額の控除の規定を学習しましたが、課税仕入れとして税額控除の対象とした仕入れに関し、返品や値引き、割戻し等が行われた場合にはどのような調整を行ったらよいのでしょうか？

ここでは、課税仕入れに関する返品や値引き、割戻し等が行われた場合の仕入税額控除の特例を見ていきましょう。

1 仕入れに係る対価の返還等の概要

理論

1．仕入れに係る対価の返還等の意義（法32①）*01)

仕入れに係る対価の返還等とは、事業者が国内において行った課税仕入れ（特定課税仕入れについては省略します。）つき**返品をし、又は値引き若しくは割戻しを受けた**ことにより、その課税仕入れに係る支払対価の額の全部若しくは一部の返還又はその課税仕入れに係る支払対価の額に係る買掛金等の全部若しくは一部の減額をいいます。

すなわち、課税仕入れに対し、返品等の事由により、その仕入代金の返金を受けたり、その仕入代金に係る債務の減額を受けた場合のその**返金額や減額された債務の額**のことを指します。

*01) 売上げに係る対価の返還等の逆の立場をイメージして下さい。なお、特定課税仕入れについては、応用編でみていきます。

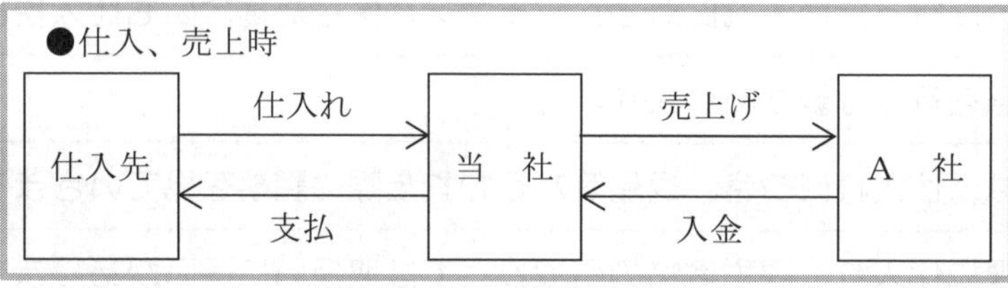

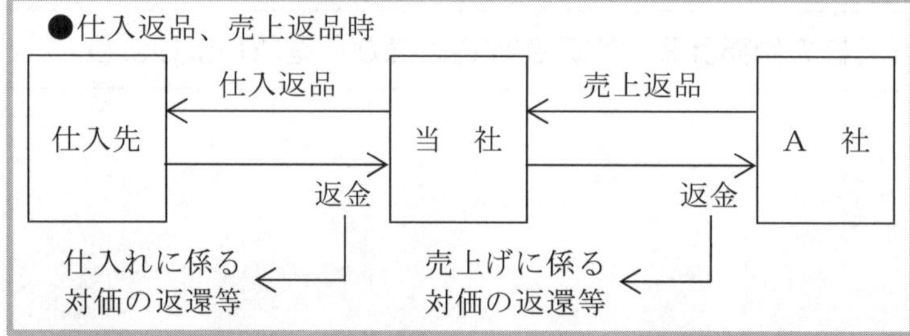

2．仕入れに係る対価の返還等を受けた場合の消費税額の控除の趣旨

納付する消費税は預かった消費税から支払った消費税を差し引くことで求めます。ここで、支払った消費税は仕入税額控除という形で納付税額の計算上差し引かれますが、返品や値引き等が生じた場合には仕入れのマイナスとして取り扱われるため、その分だけ支払った消費税を減額しないと納付税額が過少に計上されてしまいます。

そのため、返品や値引き等があった場合には「**仕入れに係る対価の返還等**」として、そのマイナスとなる部分の消費税額を**課税仕入れ等の税額から控除**して仕入れに係る消費税額を計算します。

消費税法〈仕入れに係る対価の返還等を受けた場合の仕入れに係る消費税額の控除の特例〉

第32条① 事業者が、国内において行った課税仕入れ又は特定課税仕入れにつき、返品をし、又は値引き若しくは割戻しを受けたことにより、その課税仕入れに係る支払対価の額若しくはその特定課税仕入れに係る支払対価の額の全部若しくは一部の返還又はその課税仕入れに係る支払対価の額若しくはその特定課税仕入れに係る支払対価の額に係る買掛金その他の債務の額の全部若しくは一部の減額（以下この条において「仕入れに係る対価の返還等」という。）を受けた場合には、一定の金額をその仕入れに係る対価の返還等を受けた日の属する課税期間における課税仕入れ等の税額の合計額とみなして、仕入れに係る消費税額の控除の規定を適用する。

2 仕入れに係る対価の返還等の範囲

仕入れに係る対価の返還等の対象となるものには以下のものがあります。

項目	内容
仕入返品・値引き	仕入れた商品を返品することによる返金、約定違反等により仕入金額の減額を受けたもの
仕入割戻し（リベート）	一定期間に一定額又は一定量の取引をした仕入先からの代金の一部返戻（リベート）
仕入割引*01)（基通 12－1－4）	買掛金等を支払期日よりも前に決済したことにより取引先から支払いを受けるもの
販売奨励金*02)（基通 12－1－2）	販売促進の目的で販売数量、販売高等に応じて取引先から**金銭により支払いを受けるもの**
事業分量配当金*03)（基通 12－1－3）	協同組合等から組合員等に支払われる事業分量配当金で、課税仕入れの分量等に応じて受け取るもの
船舶の早出料（基通 12－1－1）	貨物の積込み期間が契約よりも短かったために支払いを受ける運賃等の割戻し

〈債務免除〉 2回目でOK!

事業者が課税仕入れの相手方に対する買掛金その他の債務の全部又は一部について債務免除を受けた場合におけるその債務免除は、仕入れに係る対価の返還等に該当しません。(基通 12－1－7)

〈飛越しリベート〉

飛越しリベートとは、事業者が間接的な取引先*04)から支払いを受けるリベートのことです。この飛越しリベートも仕入れに係る対価の返還等に該当します。

*01) 簿記上、仕入割引は財務収益として取り扱いますが、消費税法では仕入れのマイナス項目として取り扱います。

*02) 販売奨励金は、仕入割戻し（リベート）と同義です。金銭による支払いのみが対象となるため、金銭以外の物等によるものは対象となりません。

*03) 「事業分量配当金」については、Chapter 8を参照してください。

*04) 当社が小売業を営んでいる場合、直接的な取引先は卸売業を営んでいる事業者です。
一方、間接的な取引先は製造業を営んでいる事業者です。
家電量販店が卸売業者を通さずメーカーから直接割戻しを受けること等が該当します。

3 仕入れに係る対価の返還等に係る消費税額

計算

仕入れに係る対価の返還等に係る消費税額は、以下の算式に基づいて計算します。

$$\text{仕入れに係る税込対価の返還等の金額の合計額} \times \frac{7.8}{110}\left(\text{又は}\frac{6.24}{108}\right)^{*01)} = \text{仕入れに係る対価の返還等に係る消費税額}$$

*01) 令和元年９月30日以前の仕入れに係るものは108分の6.3を乗じます。

なお、仕入税額控除の章[*02)]で確認したように当課税期間の課税売上割合や、課税売上高に応じ、以下のように控除対象仕入税額を計算します。

*02) Chapter 7 を参照して下さい。

1．課税売上割合が95%以上かつ課税売上高が５億円以下の場合

当課税期間の課税売上割合が95%以上かつ課税売上高が５億円以下の場合は、課税仕入れ等の税額を全額控除できるため、**仕入れに係る対価の返還等に係る消費税額も全額差し引きます。**

課税仕入れ等の税額の合計額 － 仕入れに係る対価の返還等に係る消費税額 ＝ 控除対象仕入税額

2．上記以外の場合

(1) 個別対応方式による場合

課税仕入れ等の税額のうち、課税資産の譲渡等にのみ要する課税仕入れ等の税額は、全額が税額控除の対象となるため、仕入れに係る対価の返還等に係る消費税額も**全額差し引きます**。また、共通して要する課税仕入れ等の税額は、課税売上割合を乗じた部分のみが税額控除の対象となるため、仕入れに係る対価の返還等に係る消費税額も**課税売上割合を乗じた部分のみを差し引きます。**

課税資産の譲渡等にのみ要する課税仕入れ等の税額の合計額（A） － 課税資産の譲渡等にのみ要する仕入れに係る対価の返還等に係る消費税額（A'） ＝ Ⓐ

共通して要する課税仕入れ等の税額の合計額 × 課税売上割合（B） － 共通して要する仕入れに係る対価の返還等に係る消費税額 × 課税売上割合（B'） ＝ Ⓑ

Ⓐ ＋ Ⓑ ＝控除対象仕入税額

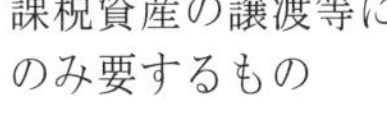

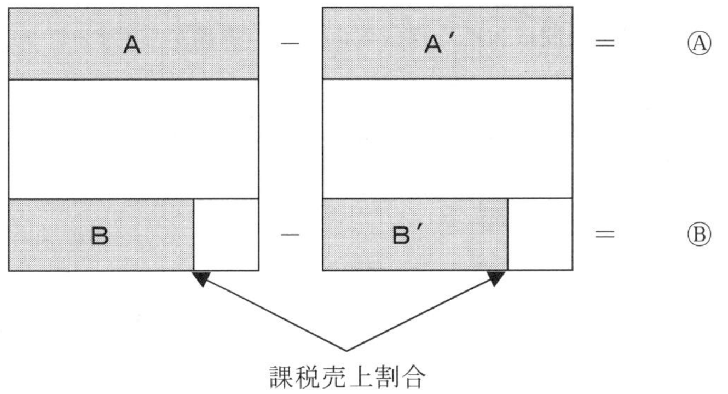

(2) **一括比例配分方式による場合**

課税仕入れ等の税額のうち、**課税売上割合を乗じた部分のみが税額控除の対象**となるため、仕入れに係る対価の返還等に係る消費税額も**課税売上割合を乗じた部分のみを差し引きます。**

課税仕入れ等の税額の合計額 × 課税売上割合 − 仕入れに係る対価の返還等に係る消費税額 × 課税売上割合 ＝ 控除対象仕入税額

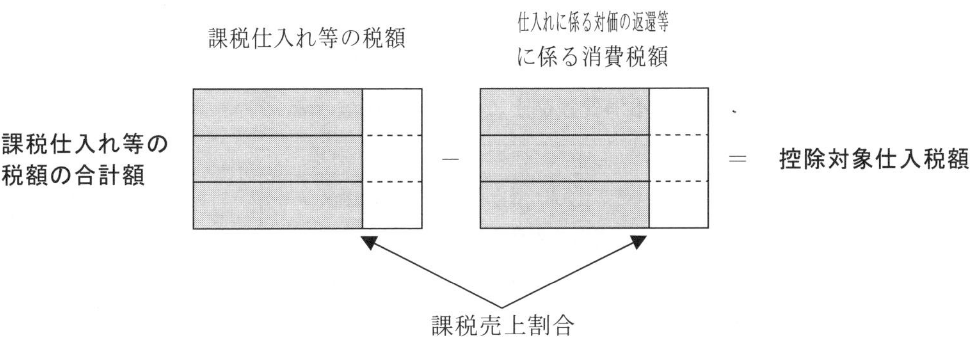

4 税額控除の適用を受けられない取引に係る返還等 計算

以下の取引は、課税仕入れとならないため、そもそも控除すべき税額がありません。そこで、仕入れに係る対価の返還等に係る消費税額の控除の特例の規定を適用しません*01)。

- **免税仕入れに係る返還等**
- **非課税仕入れに係る返還等**
- **不課税仕入れに係る返還等**

*01) 仕入時に課税されたものだけが対象になる点に注意しましょう。

<課税仕入れとそれ以外の取引を一括して対象とする仕入割戻し>

事業者が、一の取引先との間で課税仕入れに係る取引と課税仕入れに該当しない取引を行った場合に、一括して割戻しを受けたときには、割戻金額を課税仕入れに係る部分とそれ以外の取引に係る部分に合理的に区分*02)して計算を行います。（基通 12－１－６）

*02) 時価比率等合理的な比率により按分します。

5 仕入れに係る対価の返還等の適用時期

仕入れに係る対価の返還等に係る消費税額は、**仕入れに係る対価の返還等を受けた日の属する課税期間**における課税仕入れ等の税額から差し引きます。

そのため、当課税期間に返還等を受けていれば前課税期間以前の仕入れに係るものでも、当課税期間に仕入れに係る対価の返還等に係る消費税額の控除の特例規定を適用します[*01]。

*01) 実際に返品した時に仕入返還等の処理をします。

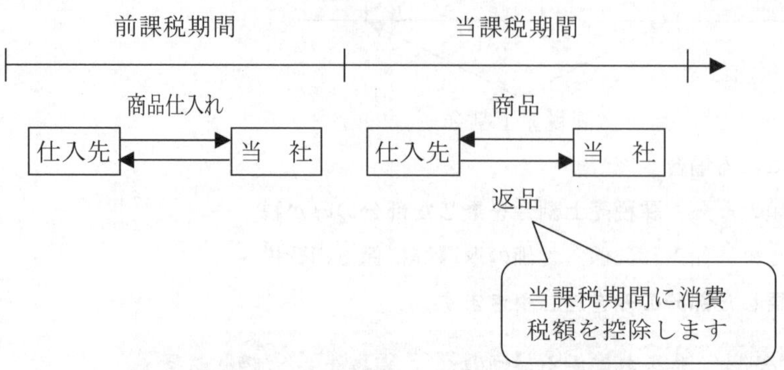

6 控除しきれない場合（法32②）

理論

仕入れに係る対価の返還等に係る消費税額が、課税仕入れ等の税額の合計額を上回り、控除しきれない部分が生じた場合には、その**控除しきれない金額を課税資産の譲渡等に係る消費税額とみなし**て課税標準額に対する消費税額に加算します[*01]。

消費税法<仕入れに係る対価の返還等を受けた場合の仕入れに係る消費税額の控除の特例 >

第32条②　第１項の規定により仕入れに係る対価の返還等を受けた金額に係る消費税額の合計額をその仕入れに係る対価の返還等を受けた日の属する課税期間における課税仕入れ等の税額の合計額から控除して控除しきれない金額があるときは、その控除しきれない金額を課税資産の譲渡等に係る消費税額とみなして政令で定めるところによりその課税期間の課税標準額に対する消費税額に加算する。

*01) Chapter ９ 貸倒れに係る消費税額の控除等における貸倒れの回収の場合の取扱いで出てきた「控除過大調整税額」として処理します。控除過大調整税額は、控除税額の計算に際し、課税仕入れ等の税額に比べ差し引く仕入返還等に係る税額が過大となった場合に生じます。

課税標準額に対する消費時税額	500
控除過大調整税額	＋50
課税仕入れ等の税額	300
仕入返還に係る税額	△300
	~~△350~~
	~~△ 50~~
	0
納付税額	550

7 免税事業者であった課税期間の仕入れに係る対価の返還等

計算

免税事業者であった課税期間において行った課税仕入れについて、課税事業者となった課税期間において仕入れに係る対価の返還等を受けた場合には、仕入れに係る対価の返還等に係る消費税額の控除の特例の適用はありません（基通12－１－８）。

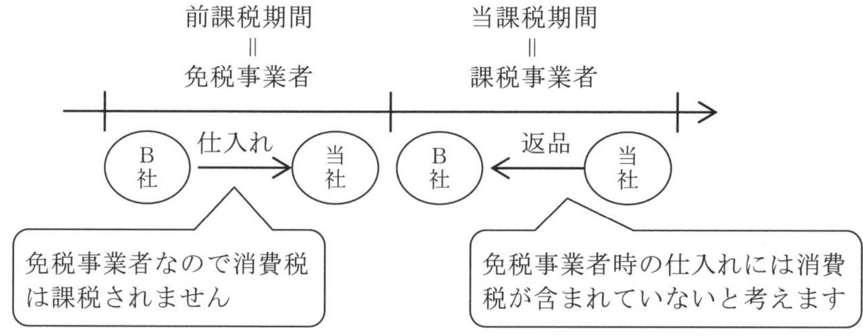

8 免税事業者等となった後の仕入れに係る対価の返還等 計算

課税事業者が、免税事業者となった後において、課税事業者であった課税期間における課税仕入れにつき、仕入れに係る対価の返還等を受けた場合には、仕入れに係る対価の返還等に係る消費税額の控除の特例の適用はありません。(基通12－1－9)。

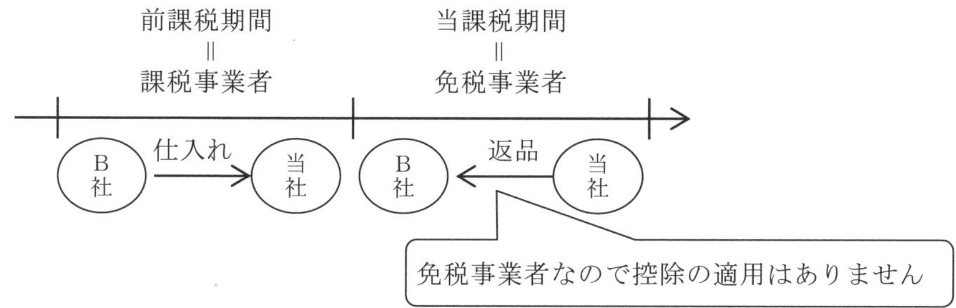

設例1－1　控除対象仕入税額の計算(1)

次の【資料】により、当課税期間（令和7年4月1日～令和8年3月31日）の控除対象仕入税額を割戻し計算の方法により求めなさい。

なお、当社は当課税期間まで継続して課税事業者であり、課税売上割合は90%である。

【資料】(金額は税込)

⑴　課税仕入れ（軽減税率が適用されるものは含まれていない。）

課税資産の譲渡等にのみ要するもの	2,100,100円
その他の資産の譲渡等にのみ要するもの	315,200円
共通して要するもの	1,050,400円

⑵　課税仕入れの返還等（当課税期間の課税仕入れに係るもの）

課税資産の譲渡等にのみ要するもの	105,100円
その他の資産の譲渡等にのみ要するもの	52,500円

解答

控除対象仕入税額　211,117 円

解説　（単位：円）

控除対象仕入税額

⑴　課税売上割合

90％＜95％　　∴　按分計算が必要

⑵　区分経理及び税額

①　個別対応方式

イ　課税資産の譲渡等にのみ要するもの

⒜　課税仕入れ

$2,100,100\times\frac{7.8}{110}=148,916$

⒝　仕入返還等

$105,100\times\frac{7.8}{110}=7,452$

⒞　⒜－⒝＝141,464

ロ　その他の資産の譲渡等にのみ要するもの

⒜　課税仕入れ

$315,200\times\frac{7.8}{110}=22,350$

⒝　仕入返還等

$52,500\times\frac{7.8}{110}=3,722$

ハ　共通して要するもの

$1,050,400\times\frac{7.8}{110}=74,482$

ニ　控除対象仕入税額

141,464＋74,482×90％＝208,497

②　一括比例配分方式

イ　課税仕入れ

2,100,100＋315,200＋1,050,400＝3,465,700

$3,465,700\times\frac{7.8}{110}=245,749$

ロ　仕入返還等

105,100＋52,500＝157,600

$157,600\times\frac{7.8}{110}=11,175$

ハ　控除対象仕入税額

245,749×90％－11,175×90％＝211,117

⑶　有利判定

⑵①　＜　⑵②　　∴　211,117

Section 2 課税貨物の引取りに係る消費税額の還付

Section１では、国内における課税仕入れに関する返品や値引き等が行われた場合の取扱いを見てきました。

仕入税額控除は、国内の課税仕入れに係る消費税額だけでなく、課税貨物の引取りの時に課された消費税額も対象としていましたが、輸入した貨物について返品等があった場合にも国内の課税仕入れと同様に仕入れに係る消費税額を調整する必要が出てきます。

ここでは、輸入した課税貨物に係る返品等の取扱いについて見ていきましょう。

1 課税貨物の引取りに係る消費税額の還付を受ける場合

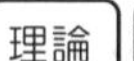

計算

事業者が、保税地域からの引取りに係る課税貨物に係る消費税額の全部又は一部につき、**他の法律の規定*01)により還付を受ける場合**には、還付される消費税額を、還付を受ける日の属する課税期間の課税仕入れ等の税額の合計額から控除して、仕入れに係る消費税額を計算します。

*01）輸徴法の規定による下記の事由が該当します。
・保税地域内で通関済の貨物が滅失等したことにより還付を受ける場合
・違約品等により再輸出したことにより還付を受ける場合

> **消費税法<仕入れに係る対価の返還等を受けた場合の仕入れに係る消費税額の控除の特例>**
> 第32条④　事業者が、保税地域からの引取りに係る課税貨物に係る消費税額の全部又は一部につき、他の法律の規定により、還付を受ける場合には、一定の金額をその還付を受ける日の属する課税期間における課税仕入れ等の税額の合計額とみなして、仕入れに係る消費税額の控除の規定を適用する。

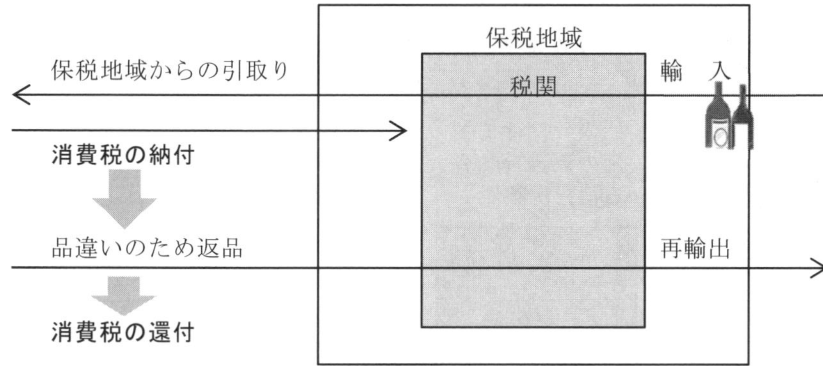

2 課税貨物に係る消費税額の還付

重要

課税貨物に係る消費税額の還付の金額については、**税関から還付された税額のうち国税分について**使用します*01)。

*01）試験では、問題文に与えられます。

ただし、仕入れに係る対価の返還等に係る消費税額と同様に当課税期間の課税売上割合や課税売上高に応じ、以下のように控除対象仕入税額を計算します。

1．課税売上割合が95%以上かつ課税売上高が5億円以下の場合

当課税期間の課税売上割合が95%以上かつ課税売上高が５億円以下の場合は、課税仕入れ等の税額を全額控除できるため、**課税貨物に係る消費税額の還付も全額差し引きます。**

> 課税仕入れ等の税額の合計額*02) － 課税貨物に係る消費税額の還付 ＝控除対象仕入税額

*02) 仕入れに係る対価の返還等に係る消費税額を控除した残額です。

2．上記以外の場合*03)

*03) 個別対応方式か一括比例配分方式かの選択は、控除対象仕入税額の金額によるので、仕入返還等の影響を考慮した双方の金額を比較して行います。

(1) 個別対応方式による場合

課税仕入れ等の税額のうち、課税資産の譲渡等にのみ要する課税仕入れ等の税額は、その全額が税額控除の対象となるため、課税貨物に係る消費税額の還付額も**全額差し引きます**。また、共通して要する課税仕入れ等の税額は、課税売上割合を乗じた部分のみが税額控除の対象となるため、課税貨物に係る消費税額の還付額も**課税売上割合を乗じた部分のみを差し引きます。**

> 課税資産の譲渡等にのみ要する課税仕入れ等の税額の合計額（A） － 課税資産の譲渡等にのみ要する課税貨物に係る消費税額の還付額（A′′） ＝Ⓐ

> 共通して要する課税仕入れ等の税額の合計額（B） × 課税売上割合 － 共通して要する課税貨物に係る消費税額の還付額（B′′） × 課税売上割合 ＝Ⓑ

> Ⓐ ＋ Ⓑ ＝控除対象仕入税額

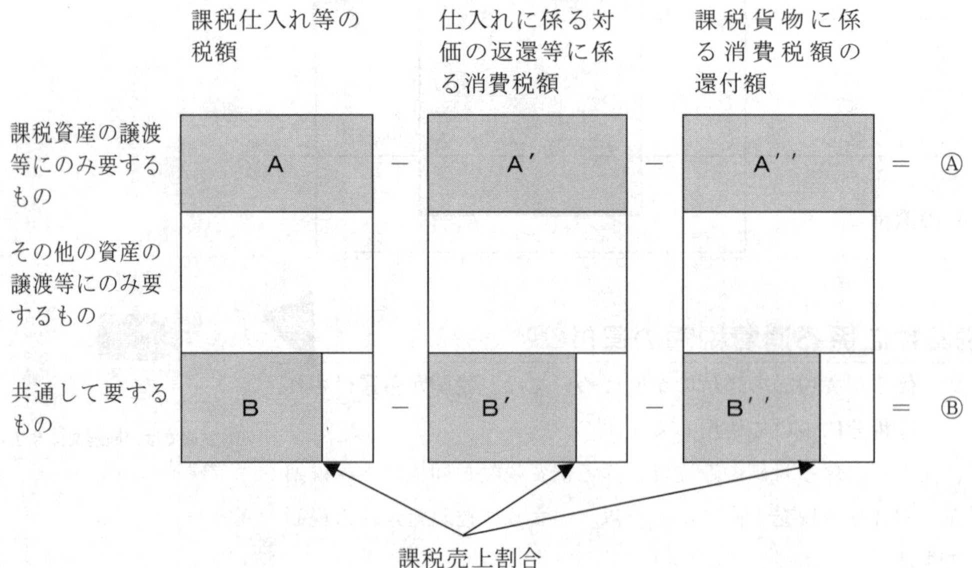

⑵ 一括比例配分方式による場合

課税仕入れ等の税額のうち、**課税売上割合を乗じた部分のみが税額控除の対象**となるため、課税貨物に係る消費税額の還付額も**課税売上割合を乗じた部分のみを差し引きます。**

課税仕入れ等の税額の合計額 × 課税売上割合 − 課税貨物に係る消費税額の還付額 × 課税売上割合 ＝ 控除対象仕入税額

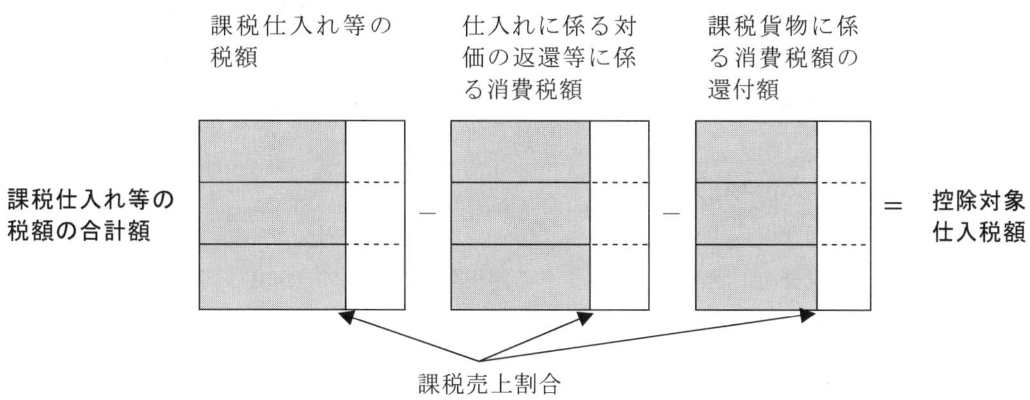

3 課税貨物の引取りに係る消費税額の還付を受ける場合の適用時期

計算

還付を受ける消費税額が確定した日の属する課税期間で控除します。

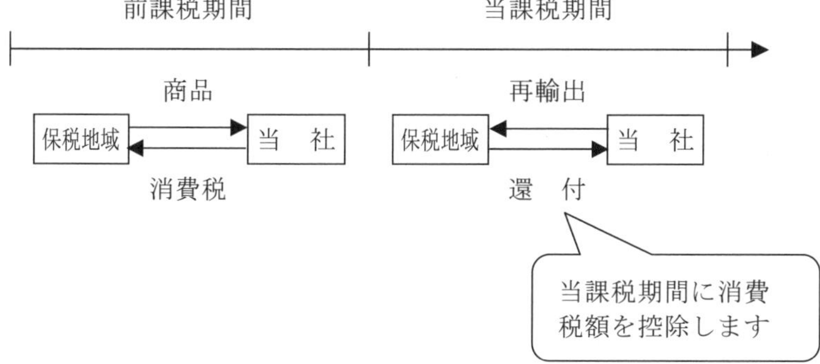

4 控除しきれない場合（法32⑤）

理論

還付を受ける消費税額が課税仕入れ等の税額の合計額を上回り、控除しきれない部分が生じた場合、その控除しきれない金額を**課税資産の譲渡等に係る消費税額とみなし**て課税標準額に対する消費税額に加算します。

> **消費税法<仕入れに係る対価の返還等を受けた場合の仕入れに係る消費税額の控除の特例>**
>
> 第32条⑤　還付を受ける消費税額の合計額をその還付を受ける日の属する課税期間における課税仕入れ等の税額の合計額から控除して控除しきれない金額があるときは、その控除しきれない金額を課税資産の譲渡等に係る消費税額とみなして政令で定めるところによりその課税期間の課税標準額に対する消費税額に加算する。

〈輸入品に係る仕入割戻し〉（基通12－1－5）

保税地域からの引取りに係る課税貨物について、その課税貨物の購入先からその課税貨物の購入に係る割戻しを受けた場合のその割戻しは、仕入れに係る対価の返還等に該当しません*01)。

*01) 課税貨物に関するもののうち、課税仕入れ等の税額の合計額から差し引かれるものは、税関から還付を受けた税額のみです。輸入先からのリベートは該当しません。

設例2－1　控除対象仕入税額の計算(2)

次の【資料】により、当課税期間（令和7年4月1日～令和8年3月31日）の控除対象仕入税額を割戻し計算の方法により求めなさい。

なお、当社は当課税期間まで継続して課税事業者であり、課税売上割合は90%である。

【資料】（金額は税込）

(1)　課税商品（雑貨類）の国内仕入高　52,500,000円

(2)　販売費及び一般管理費　24,000,000円

上記金額には、課税資産の譲渡等にのみ要する課税仕入れ13,125,000円、その他の資産の譲渡等にのみ要する課税仕入れ7,350,000円、共通して要する課税仕入れ1,417,500円が含まれており、残額は課税仕入れとならない。なお、軽減税率が適用されるものは含まれていない。

(3)　仕入割戻し　2,625,000円

上記金額は、すべて当課税期間の課税仕入れに係るものであり、課税資産の譲渡等にのみ要するものが2,100,000円、共通して要するものが525,000円である。

(4)　課税商品（雑貨類）の輸入仕入高　4,320,000円

上記金額には、保税地域から課税貨物を引き取った際、税関に納付した消費税額309,300円及び地方消費税額87,200円が含まれている。なお、輸入品はすべて課税資産の譲渡等にのみ要する課税貨物である。

(5)　輸入品を仕入先に返品したことによって税関から還付を受けた消費税額40,000円及び地方消費税額11,200円がある。

解答　控除対象仕入税額　4,830,757円

解説　（単位：円）

控除対象仕入税額

(1)　課税売上割合

90%＜95%　∴　按分計算が必要

(2)　区分経理及び税額

①　個別対応方式

イ　課税資産の譲渡等にのみ要するもの

(a)　課税仕入れ

52,500,000＋13,125,000＝65,625,000

$65,625,000 \times \frac{7.8}{110} = 4,653,409$

(b)　課税貨物　309,300

(c)　仕入返還等

$$2,100,000 \times \frac{7.8}{110} = 148,909$$

(d)　引取還付　　40,000

(e)　(a)＋(b)－(c)－(d)＝4,773,800

ロ　その他の資産の譲渡等にのみ要するもの

$$7,350,000 \times \frac{7.8}{110} = 521,181$$

ハ　共通して要するもの

(a)　課税仕入れ

$$1,417,500 \times \frac{7.8}{110} = 100,513$$

(b)　仕入返還等

$$525,000 \times \frac{7.8}{110} = 37,227$$

ニ　控除対象仕入税額

4,773,800＋100,513×90％－37,227×90％＝4,830,757

②　一括比例配分方式

イ　課税仕入れ

65,625,000＋7,350,000＋1,417,500＝74,392,500

$$74,392,500 \times \frac{7.8}{110} = 5,275,104$$

ロ　課税貨物　　309,300

ハ　仕入返還等

2,100,000＋525,000＝2,625,000

$$2,625,000 \times \frac{7.8}{110} = 186,136$$

ニ　引取還付　　40,000

ホ　一括比例配分方式

（5,275,104＋309,300）×90％－186,136×90％－40,000×90％＝4,822,441

(3)　有利判定

(2)①　＞　(2)②　　∴　4,830,757

仕入返還等も区分経理する必要がある点に注意しましょう。

引取還付の金額は、国税部分の金額をそのまま使う点に注意しましょう。

Try it　　仕入れに係る対価の返還等

次の<資料>より、ＯＡ機器の販売業を営む甲株式会社の当課税期間（令和７年４月１日～令和８年３月31日）における控除対象仕入税額を割戻し計算の方法により計算しなさい。なお、解答は課税売上割合から控除対象仕入税額までの計算過程を示すこと。なお、軽減税率が適用されるものは含まれていない。

<資料１>　当課税期間における売上げに関する資料

⑴　課税売上高（税抜き）　392,920,000円

⑵　非課税売上高　108,000,000円

<資料２>　当課税期間における課税仕入れ等に関する資料（消費税等相当額を含む。）

⑴　課税資産の譲渡等にのみ要する課税仕入れ等　136,080,000円

このうち28,946,000円は、当社が輸入し保税地域から引取った商品に係るものであり、この28,946,000円には、保税地域からの引取りに際し課された消費税額2,073,100円及び地方消費税額584,700円が含まれている。

⑵　上記⑴に係る対価の返還等の額　26,460,000円

このうち3,748,000円は、⑴の保税地域から引取った商品について返品をしたものであり、この返品分3,748,000円には保税地域の所轄税関長より還付の通知を受けた消費税額268,400円及び地方消費税額75,700円が含まれている。

⑶　課税資産の譲渡等とその他の資産の譲渡等に共通して要する課税仕入れ　101,844,000円

⑷　上記⑶に係る対価の返還等の額　25,154,000円

⑸　その他の資産の譲渡等にのみ要する課税仕入れ　35,367,100円

⑹　上記⑸に係る対価の返還等の額　2,158,000円

解答

1.　課税売上割合

⑴　課税売上高　392,920,000

⑵　非課税売上高　108,000,000

⑶　課税売上割合

$$\frac{⑴}{⑴+⑵}=\frac{392,920,000}{500,920,000}=0.7843\cdots < 95\%$$　∴　按分計算が必要

2.　区分経理及び税額

⑴　個別対応方式

①　課税資産の譲渡等にのみ要するもの

イ　課税仕入れ

136,080,000－28,946,000＝107,134,000

$$107,134,000\times\frac{7.8}{110}=7,596,774$$

ロ　課税貨物　2,073,100

ハ　仕入返還等

26,460,000－3,748,000＝22,712,000

$$22,712,000\times\frac{7.8}{110}=1,610,487$$

ニ　引取還付　　268, 400

ホ　イ＋ロ－ハ－ニ＝7, 790, 987

② その他の資産の譲渡等にのみ要するもの

イ　課税仕入れ

$$35,367,100\times\frac{7.8}{110}=2,507,848$$

ロ　仕入返還等

$$2,158,000\times\frac{7.8}{110}=153,021$$

③ 共通して要するもの

イ　課税仕入れ

$$101,844,000\times\frac{7.8}{110}=7,221,665$$

ロ　仕入返還等

$$25,154,000\times\frac{7.8}{110}=1,783,647$$

④ 控除対象仕入税額

$$7,790,987+7,221,665\times\frac{392,920,000}{500,920,000}-1,783,647\times\frac{392,920,000}{500,920,000}=12,056,551$$

(2) 一括比例配分方式

イ　課税仕入れ

107, 134, 000＋35, 367, 100＋101, 844, 000＝244, 345, 100

$$244,345,100\times\frac{7.8}{110}=17,326,288$$

ロ　課税貨物　　2, 073, 100

ハ　仕入れ返還等

22, 712, 000＋2, 158, 000＋25, 154, 000＝50, 024, 000

$$50,024,000\times\frac{7.8}{110}=3,547,156$$

ニ　引取還付　　268, 400

ホ　控除対象仕入税額

$$(17,326,288+2,073,100)\times\frac{392,920,000}{500,920,000}-3,547,156\times\frac{392,920,000}{500,920,000}$$

$$-268,400\times\frac{392,920,000}{500,920,000}=12,223,907$$

3. 比　較

2.(1) ＜ 2.(2)　　∴　12, 223, 907

解 説

課税仕入れ等の消費税額と課税貨物に係る消費税額は合計して課税売上割合を乗じますが、仕入返還等に係る消費税額と引取還付に係る消費税額はそれぞれに課税売上割を乗じる点に注意してください。

仕入れに係る対価の返還等の処理（基通 12－1－12）

事業者が、課税仕入れ（免税事業者であった課税期間において行ったものを除く。）につき返品をし、又は値引き若しくは割戻しを受けた場合に、当該課税仕入れの金額から返品額又は値引額若しくは割戻額を控除する経理処理を継続しているときは、これを認める。

この場合の返品額又は値引額若しくは割戻額については、仕入れに係る対価の返還等を受けた場合の仕入れに係る消費税額の控除の特例の規定の適用はないことに留意する。

	総額経理	純額経理（上記通達の処理）
課税商品 10,000 を掛仕入れ	（借）課税仕入れ　（貸）買　掛　金 10,000　10,000	（借）課税仕入れ　（貸）買　掛　金 10,000　10,000
上記課税商品のうち 100 を返品	（借）買　掛　金　（貸）仕 入 返 品 100　100	（借）買　掛　金　（貸）課税仕入れ 100　100

⇩　⇩

仕入れに係る対価の返還等	100	課税仕入れを直接控除しているため、仕入れに係る対価の返還等の金額はない

Chapter 11

資産の譲渡等の時期

このChapterでは、納付する税額の計算にあたって重要となる売上げの帰属時期について、原則的な内容を見ていきます。売上げの帰属時期は基本的には会計における帰属時期と変わりないのですが、税法特有の考え方もいくつかありますので、会計との違いに注意しながら確認しましょう。

Section 1 資産の譲渡等の時期

消費税はChapter１で学習した「課税期間」において行われたすべての取引に対し、納付税額を計算していくため、行われた取引がどの課税期間に属する取引なのか正確に把握しなければなりません。すなわち「いつ計上されるべき売上げなのか？」ということです。

ここでは、消費税における売上げの認識基準について見ていきましょう。

1 資産の譲渡等の時期

消費税法基本通達において、資産の譲渡等がどの課税期間に行われたか[*01)]について、次のように定められています。

原則

引渡基準

特例

延払基準（リース取引）[*02)]

工事進行基準（工事の請負）[*02)]

現金基準（小規模事業者）[*02)]

収納基準（国、地方公共団体等）[*02)]

*01) 売上げの計上時期のことをいっており、仕入れの計上時期ではありません。なお、「課税資産の譲渡等」ではないため、土地の売却等の非課税資産の譲渡等も含まれます。

*02) 特例については、応用編で学習していきます。

2 資産の譲渡等の時期の原則

資産の譲渡等の時期は、原則として、**引渡しのあった日**（引渡基準、発生主義）となります。

具体的には、資産の種類により以下のようになります。

1．棚卸資産の譲渡等の時期（基通９－１－１、２）

棚卸資産の譲渡を行った日は、その**引渡しがあった日**とします[*01)]。

棚卸資産の引渡しの日がいつであるかについては、出荷した日、相手方が検収した日等、棚卸資産の種類及び性質、その販売に係る契約の内容等に応じてその引渡しの日として合理的であると認められる日のうち、事業者が継続して棚卸資産の譲渡を行ったこととしている日によります。

*01) 代金を回収した日ではないことに注意してください。

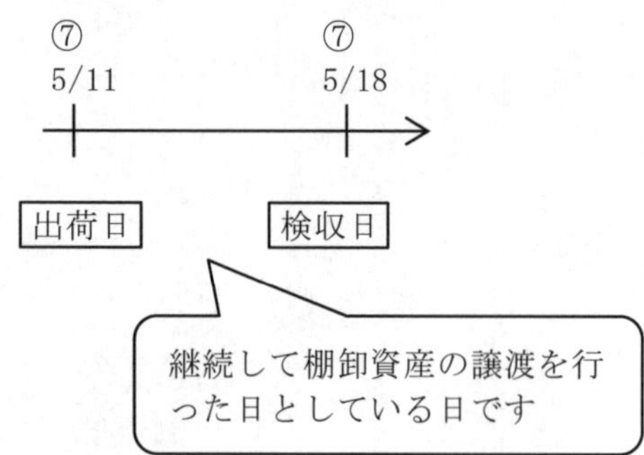

2．請負による資産の譲渡等の時期（基通9－1－5）

請負による資産の譲渡等の時期は、物の引渡しを要する請負契約にあっては、その**目的物の全部を完成して相手方に引渡した日**、物の引渡しを要しない請負契約にあっては、その**約した役務の全部を完了した日**とします。

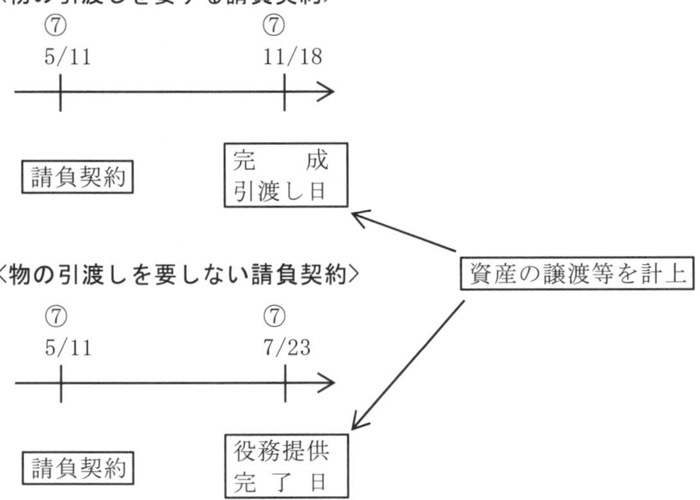

3．人的役務の提供（請負を除く）に係る資産の譲渡等の時期（基通9－1－11）

人的役務の提供（請負を除く）に係る資産の譲渡等の時期は、その役務の提供を完了した日となります。

4．固定資産の譲渡の時期（基通9－1－13）

固定資産の譲渡の時期は、別に定めるものを除き、その引渡しがあった日*02)とします。

*02) 代金を回収した日ではないことに注意してください。

5．工業所有権等の譲渡等の時期（基通9－1－15）

工業所有権等*03)の譲渡等の時期は、その効力が発生した日に行われたものとします。

*03) 工業所有権とは、特許権、実用新案権、意匠権、商標権並びにこれらの権利に係る出願権及び実施権をいいます。

6．資産の貸付けの時期（基通9－1－20）

資産の貸付けの時期は、以下のようになります*04)。

⑴　契約又は慣習により支払日が定められている場合（**原則**）
　その**支払いを受けるべき日**とします。

⑵　使用料等の額の増減について係争がある場合（特例）
　係争が解決して使用料等の金額が確定し、その支払いを受ける日とすることができます。

*04) 問題文上に特に指示がないときは、原則どおり契約上の支払日を確認してください。

7．保証金等のうち返還を要しないものに係る資産の譲渡等の時期（基通9－1－23）

資産の賃貸借契約等に基づいて保証金、敷金等として受け取った金額のうち、賃貸借契約終了前における一定の事由により返還しないこととなる部分については、その**返還しないこととなった日**を資産の譲渡等の時期とします。

〈契約満了時又は解約時に保証金の20%を償却[*05)]する場合〉

契約時に返還不要が確定している場合、契約時点で計上します。

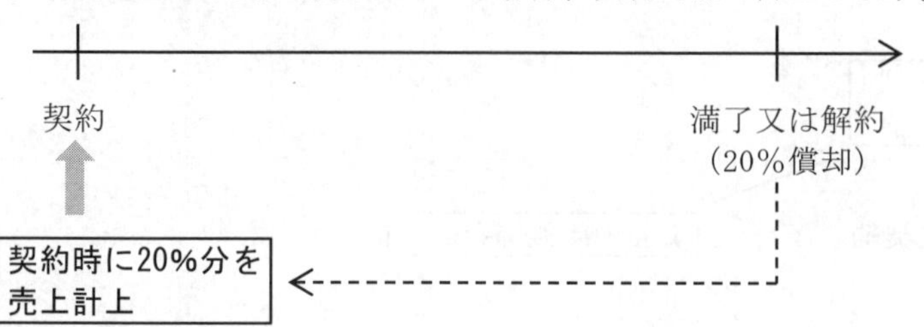

*05) 保証金は、賃料の滞納などのリスクを回避する目的で賃借人から契約時に担保として預かるもので、一般的には契約終了時に賃借人に返金されますが、契約において保証金の償却の条項が定められている場合には、この償却部分は賃貸人の収入に充当されます。

8．前受金、仮受金に係る資産の譲渡等の時期（基通9－1－27）

前受金、仮受金に係る資産の譲渡等の時期は、**現実に資産の譲渡等を行った時**[*06)]となります。

*06) 前受金を受け取った日ではないことに注意してください。

9．試用販売 2回目でOK!

試用販売とは、買い手側に商品を試送し、商品を試してもらったうえで購入の意思を決めてもらう販売形態です。

試用販売が行われた場合の資産の譲渡等の時期は以下のとおりです。

原　則	相手方が購入の意思を表示した日
特　例	試送した商品等について、相手方が一定期間内に返送又は購入の意思表示をしない場合に、特約等により購入の意思表示をしたものとみなされる場合にはその期間満了の日

10．委託販売（基通9－1－3） 2回目でOK!

委託販売とは、商品等の販売を第三者に委託し、代行して販売してもらう販売形態です。

商品の販売を受託した者（「受託者」といいます）は、商品を委託した者（「委託者」といいます）に、「売上計算書」などで販売高を報告し、販売した商品に対する手数料を請求します。

委託販売が行われた場合の資産の譲渡等の時期は以下のとおりです。

原　則	受託者が委託品を販売した日（販売基準）
特　例	委託品について売上計算書が売上げのつど作成されている場合に、事業者が継続して売上計算書の到着した日を棚卸資産の譲渡をした日としている場合には、その到着した日（売上計算書到着日基準）*07)

ここで、会計上、委託者（当社）が受託者の販売手数料控除後の金額（純額）で売上高に計上している場合には、消費税の計算上、売上高に手数料部分を加算し、売上げを総額に戻し計上することに注意しましょう。

*07) 受託者が当課税期間に販売しても売上計算書の到着日が翌課税期間であれば、当課税期間の売上げにはなりません。

設例1－1　資産の譲渡等の時期

次の【資料】により、当課税期間（令和７年４月１日～令和８年３月31日）の課税売上げの金額を求めなさい。

なお、当社の取り扱う商品は課税商品であり、当社は当課税期間まで継続して課税事業者である。

【資料】（金額は税込）

⑴	当課税期間に前受金（手付金）として受け取った金額 なお、商品は翌課税期間に引渡している。	105,000円
⑵	当課税期間における商品売上高（売掛金の回収は当課税期間に行っている。）	2,100,000円
⑶	当課税期間における商品売上高（売掛金の回収は翌課税期間である。）	3,150,000円
⑷	当課税期間における備品売却高（未収金の回収は翌課税期間である。）	525,000円

解答

課税売上げの金額　5,775,000 円

解説（単位：円）

⑴　棚卸資産は、手付金を受け取った課税期間ではなく、棚卸資産を引き渡した課税期間の課税売上げとなります。

⑵⑶　棚卸資産は、代金を受け取った課税期間ではなく、棚卸資産を引き渡した課税期間の課税売上げとなります。

⑷　固定資産も、棚卸資産と同様に、固定資産を引き渡した課税期間の課税売上げとなります。

課税売上げの金額＝2,100,000＋3,150,000＋525,000＝5,775,000

Try it　資産の譲渡等の時期

次の場合の売上げの計上時期及び金額を答えなさい。なお、当課税期間は、令和７年４月１日～令和８年３月31日である。

⑴　不動産業を営むＡ社は、令和７年12月25日に店舗の賃貸借契約にあたり、1,000,000円の保証金を収受した。この保証金は、契約書において当該賃貸借契約終了日にその20％相当額を償却する旨が明記されている。

⑵　不動産業を営むＡ社は、令和８年３月15日に居住用住宅の賃貸借契約にあたり、200,000円の敷金を収受した。この敷金は、契約書において退去時に原状回復費用相当額を控除した残額を返戻する旨が明記されている。

⑶　電器製品の販売を行っているＢ社は、令和７年６月３日に顧客から冷蔵庫の注文を受け、代金270,000円の半額である135,000円を受取り、前受金として経理処理した。顧客に冷蔵庫を引渡し、残金を回収したのは、令和７年８月10日である。

解答

⑴　令和７年12月25日（契約時）　　1,000,000円×20％＝200,000円

⑵　退去時（賃貸借期間終了時）　原状回復費用相当額

⑶　令和７年８月10日　　270,000円

解説

⑴⑵　保証金、敷金等として受け取った金額のうち、賃貸借契約終了前における一定の事由により返還しないこととなる部分については、その返還しないこととなった日を資産の譲渡等の時期とします。⑴は契約時に返還しない金額が明らかであるため、契約時にその返還しない金額を計上します。これに対し、⑵は退去時まで返還しないこととなる金額が確定しないため、退去時に返還しないこととなる金額を計上します。

⑶　前受金に係る資産の譲渡等の時期は、実際に資産を引き渡した日が資産の譲渡等の時期となります。

Chapter 12

確定申告Ⅱ

教科書の後半では、税法特有の論点である申告などの手続きについて見ていきます。
手続き関係の規定は、計算の項目がほとんどなく、理論中心となりますので、重要な用語や適用要件等をしっかり理解しましょう。
このChapterでは、申告関係の規定の基本となる確定申告について確認していきます。

Section 1

確定申告

ここまで学習してきた国内取引の消費税はChapter 1 で学習したように申告納税方式の税金であるため、事業者が支払うべき消費税額は確定申告により確定されます。

税額の確定とは、国に対する租税という債務の確定であるため、確定申告は申告納税方式のもとでは重要な意味を持ちます。

ここでは、確定申告の具体的な制度の内容について見ていきましょう。

1 確定申告制度の概要

理論

国内取引に係る消費税について課税事業者は、課税期間ごとに、その**課税期間の末日の翌日から２ヵ月以内**に税務署長に対して確定申告書を提出しなければなりません*01)。

ただし、**国内における課税資産の譲渡等（特定資産の譲渡等及び輸出免税取引等を除く）**[*02)]**がなく、かつ、差引税額がない**[*03)]**課税期間**については、提出義務はありません。

消費税法〈確定申告〉

第45条① 事業者（免税事業者を除く。）は、課税期間ごとに、その課税期間の末日の翌日から２月以内に、次に掲げる事項を記載した申告書を税務署長に提出しなければならない。ただし、国内における課税資産の譲渡等（特定資産の譲渡等に該当するもの及び輸出免税取引等の規定により消費税が免除されるものを除く。）及び特定課税仕入れがなく、かつ、第四号に掲げる消費税額がない課税期間については、この限りでない。

一　その課税期間中に国内において行った課税資産の譲渡等（特定資産の譲渡等に該当するもの及び輸出免税取引等の規定により消費税が免除されるものを除く。）に係る税率の異なるごとに区分した課税標準である金額の合計額及びその課税期間中に国内において行った特定課税仕入れに係る課税標準である金額の合計額並びにそれらの合計額（次号において「課税標準額」という。）

二　税率の異なるごとに区分した課税標準額に対する消費税額

三　課税標準額に対する消費税額から控除をされるべき次に掲げる消費税額の合計額（控除税額小計）

イ　仕入れに係る消費税額

ロ　売上げに係る対価の返還等の金額に係る消費税額

ハ　特定課税仕入れに係る対価の返還等を受けた金額に係る消費税額

ニ　貸倒れに係る消費税額

*01) 申告納税方式を採用しているため、納税者自らが税額を計算し、申告書を税務署長に提出します。

*02) 「課税資産の譲渡等（特定資産の譲渡等及び輸出免税取引等を除く）」とは、7.8%課税となる課税取引のことです。消費税法においては、7.8%課税となる取引を指す用語が存在しないため、7.8%課税となる取引を指すときはこのような表現を使います。

*03) 「差引税額がない」とは、課税標準額に対する消費税額から控除税額を控除した金額がマイナスとなる場合です。この場合には、このマイナスの金額を差引税額と呼ばず「控除不足還付税額」といいます。

四　第二号に掲げる消費税額（課税標準額に対する消費税額）から前号に掲げる消費税額の合計額（控除税額小計）を控除した残額に相当する消費税額（差引税額）
五　第二号に掲げる消費税額（課税標準額に対する消費税額）から第三号に掲げる消費税額の合計額（控除税額小計）を控除してなお不足額があるときは、当該不足額（控除不足還付税額）
六　その事業者が当該課税期間につき中間申告書を提出した事業者である場合には、第四号に掲げる消費税額（差引税額）から当該申告書に係る中間納付額を控除した残額に相当する消費税額（納付税額）
七　第四号に掲げる消費税額（差引税額）から中間納付額を控除してなお不足額があるときは、当該不足額（中間納付還付税額）
八　前各号に掲げる金額の計算の基礎その他財務省令で定める事項

2 確定申告書の提出

理論

1．提出義務者

確定申告書を提出する義務を負う者は、課税事業者です。

ただし、一課税期間において、**国内における課税資産の譲渡等**[*01)] **がなく、かつ、差引税額がない課税期間**については、事業者は確定申告書を提出する必要はありません。

また、免税事業者も確定申告書を提出する必要はありません。

*01) 特定資産の譲渡等及び輸出免税取引等を除きます。

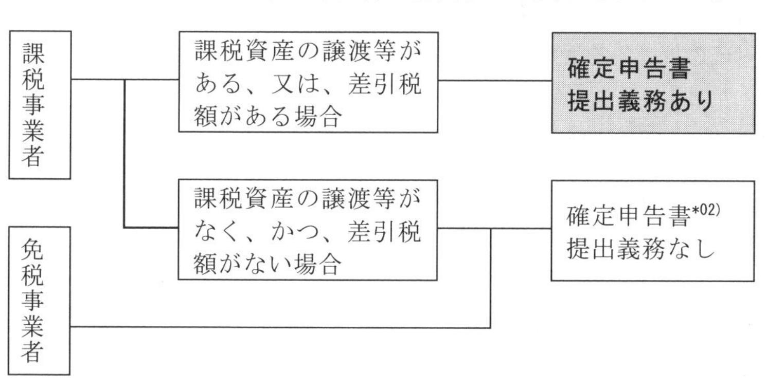

*02) 課税事業者で確定申告書を提出する義務がない場合には、還付を受けるため、任意の申告書を提出することができます。還付についてはChapter13で見ていきます。なお、免税事業者は任意の申告書の提出もできません。

申告義務なし

	7.8%課税売上げ**あり** 差引税額**あり**	7.8%課税売上げ**なし** 差引税額**あり**	7.8%課税売上げ**あり** 差引税額**なし**	7.8%課税売上げ**なし** 差引税額**なし**
課税標準額に対する消費税額	100	0	100	0
控除過大調整税額	0	200	0	0
控除税額小計	80	120	120	120
差引税額	20	80	0	0
控除不足還付税額	0	0	20	120

2. 提出期限

原則*03)として、確定申告書の提出義務を負う課税事業者は、課税期間ごとに、その**課税期間の末日の翌日から２ヵ月以内**に税務署長に対して確定申告書を提出しなければなりません。

*03) 提出期限については、特例が存在します。詳しくは後半で見ていきます。

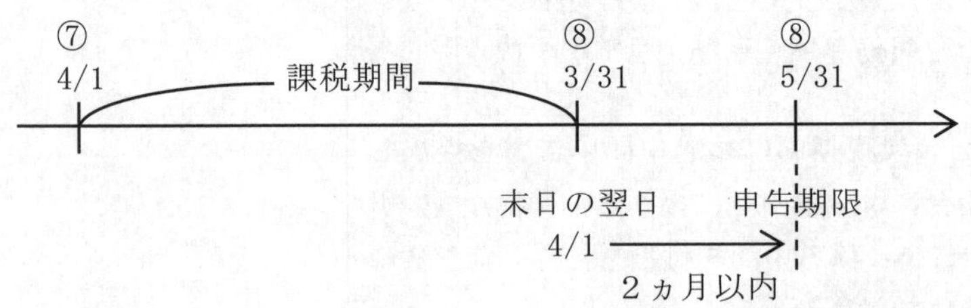

3. 添付書類（法45⑤）

確定申告書には、その課税期間中の**資産の譲渡等の対価の額***04)及び**課税仕入れ等の税額の明細**その他の事項を記載した書類を添付しなければなりません。

*04) 添付書類は、課税売上割合や控除対象仕入税額が正しく計算されているのかを確認する目的で添付する書類であるため、課税売上げだけでなく非課税売上げも含めた、「資産の譲渡等の対価の額」の明細を記載する必要があります。

3 確定申告書の記載事項（法45①） 理論

確定申告書には、以下の事項を記載する必要があります。

① 課税標準額*01)

② 税率の異なるごとに区分した課税標準額に対する消費税額

③ 課税標準額に対する消費税額から控除する消費税額の合計額（控除税額小計）

イ 仕入れに係る消費税額

ロ 売上げに係る対価の返還等の金額に係る消費税額

ハ 特定課税仕入れに係る対価の返還等を受けた金額に係る消費税額

ニ 貸倒れに係る消費税額

④ 課税標準額に対する消費税額から控除税額小計を控除した残額に相当する消費税額（差引税額）

⑤ 課税標準額に対する消費税額から控除税額小計を控除してなお不足額があるときは、その不足額（控除不足還付税額）

⑥ その事業者がその課税期間につき中間申告書を提出した事業者である場合には、差引税額から中間納付税額を控除した残額に相当する消費税額（納付税額）

⑦ 差引税額から中間納付税額を控除してなお不足額があるときは、その不足額（中間納付還付税額）

⑧ 上記金額の計算の基礎その他一定の事項

*01) 課税標準額とは、課税資産の譲渡等に係る税率の異なるごとに区分した課税標準である金額の合計額及び特定課税仕入れに係る課税標準である金額の合計額並びにそれらの合計額をいう。

4 個人事業者の確定申告書の提出期限の特例（措法86の4） 重要

理論

個人事業者（免税事業者を除く）の、その年の12月31日の属する課税期間に係る確定申告書の提出期限は、**その年の翌年３月31日**[*01]とします。

*01）暦年で考える点に注意しましょう。

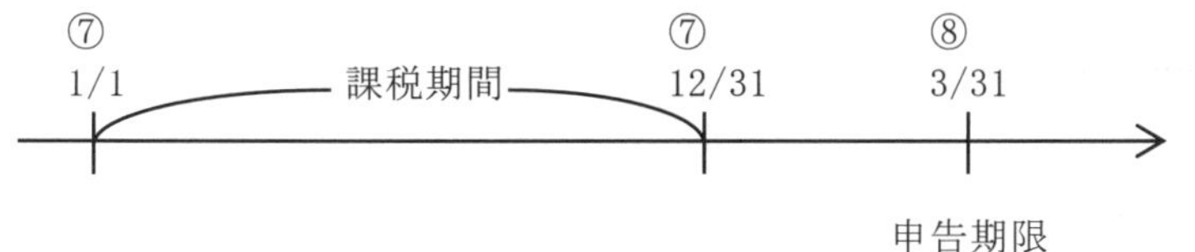

5 個人事業者が死亡した場合の提出期限の特例 重要

確定申告書を提出すべき個人事業者が死亡した場合には、その**相続人**[*01]に申告義務が生じます。その際には、申告期限について以下の特例が適用されます。

*01）相続人が２人以上のときは、原則、各相続人が連署による一つの書面で提出します。

1．課税期間の末日の翌日から申告期限までに死亡した場合（法45②）

確定申告書を提出すべき個人事業者が、その課税期間の末日の翌日から、その申告書の提出期限までの間にその申告書を提出しないで死亡した場合には、その相続人は、その**相続の開始があったことを知った日**[*02]**の翌日から４ヵ月以内**に、税務署長にその申告書を提出しなければなりません。

*02）相続の開始があったことを知った日とは、相続人が相続の開始を知り得た日であるため、通常は被相続人の死亡日となりますが、失踪宣告等、特別な事由がある場合には死亡日とはならないことがあります。

相続の開始があったことを知った日の翌日

⑥ 1/1　課税期間　12/31　⑦ 2/10　⑦ 2/11　⑦ 6/10

申告期限

4ヵ月

相続の開始があったことを知った日

2．課税期間の中途に死亡した場合（法45③）

個人事業者が、課税期間の中途において死亡した場合において、その者のその課税期間分の消費税について確定申告書を提出しなければならない場合には、その相続人は、その**相続の開始があったことを知った日**[*02]**の翌日から４ヵ月以内**に、税務署長にその申告書を提出しなければなりません。

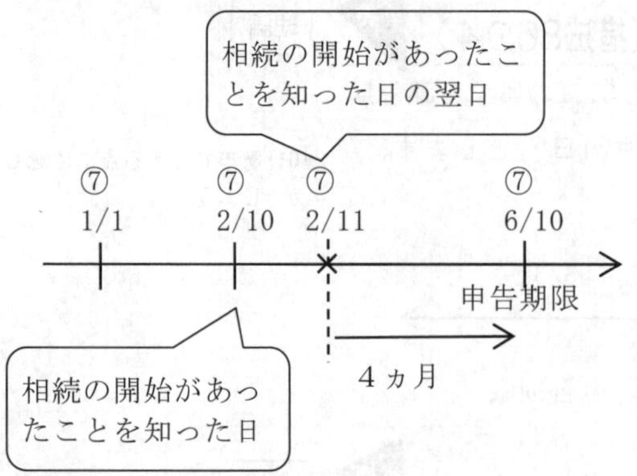

6 清算中の法人の残余財産が確定した場合の提出期限の特例（法45④） 2回目で OK! 理論

清算中の法人につき、その残余財産が確定した場合には、その残余財産の確定の日の属する**課税期間の末日の翌日から１ヵ月以内**に、税務署長にその申告書を提出しなければなりません。

ただし、その課税期間の末日の翌日から**１ヵ月以内に残余財産の最後の分配等が行われる場合には、その前日までに**提出しなければなりません。

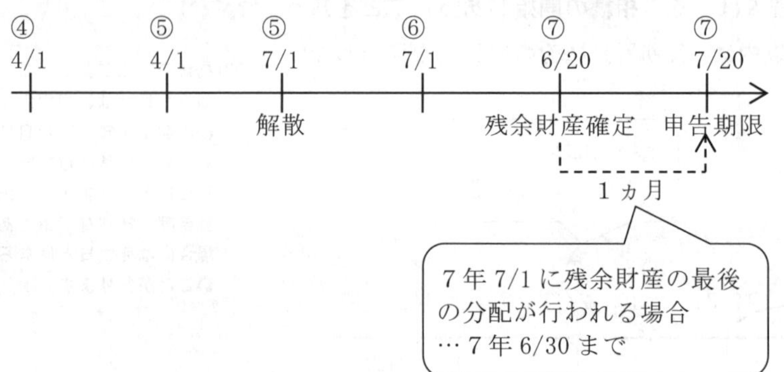

7 法人の確定申告書の提出期限の特例 理論

１．対象法人（法45の２①）

消費税の確定申告書を提出すべき義務を有する法人のうち、法人税法の確定申告書の提出期限の特例の規定の適用を受ける法人

2．届出書の提出（法45の２①）

消費税申告書の提出期限を延長する旨を記載した延長届出書を納税地の所轄税務署長に提出

３．提出期限の特例（法45の２①）

(1) 対象課税期間

延長届出書を提出した日の属する事業年度以後の各事業年度終了の日の属する課税期間

⑵　**確定申告書の提出期限**

⑴の課税期間の末日の翌日から３月以内

4．3月決算法人の例

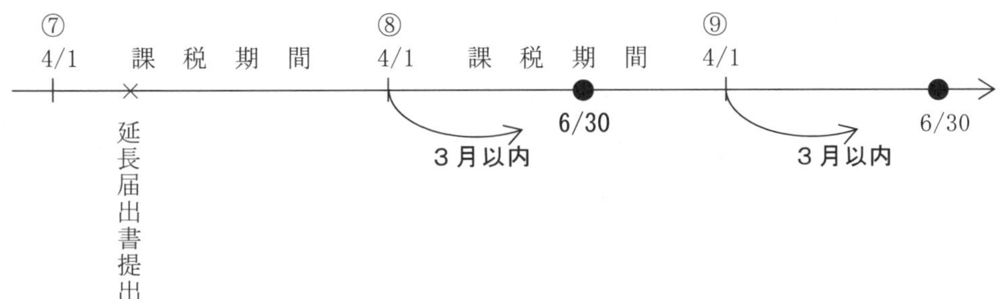

5．不適用届出書の提出

⑴　**不適用届出書の提出（法 45 の２③）**

2.の延長届出書を提出した法人は、この規定の適用を受けることをやめようとするとき、又は事業を廃止したときは、その旨を記載した届出書をその納税地の所轄税務署長に提出しなければならない。

⑵　**効力の発生（法 45 の２④）**

⑴の届出書の提出があったときは、その提出があった日の属する事業年度終了の日の属する課税期間以後の事業年度終了の日の属する課税期間については、2.の規定による届出は、その効力を失う。

8　納付（法49）

理論

確定申告書を提出した者は、その申告書に記載した差引税額（中間申告書による中間納付税額がある場合には、納付税額）があるときは、その**申告書の提出期限まで**に、その消費税額を**国**に納付しなければなりません。

9　還付（法52①、法53①）

理論

確定申告書の提出があった場合において、その申告書に**控除不足還付税額又は中間納付還付税額の記載**があるときは、税務署長は、これらの申告書を提出した者に対し、その不足額に相当する消費税を還付します[*01]。

*01) 確定申告義務がある場合で、控除不足還付税額や中間納付還付税額が出るケースです。
詳しくは、2を見てください。

10 電子情報処理組織による申告の特例（法46の2） 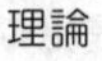

1．概要

消費税の**中間申告書、確定申告書及び還付申告書並びにこれらの申告書の添付書類**は、原則として、**書面により提出**しなければならないこととされている。しかし、経済社会のＩＣＴ化*01)等が進展する中、税務手続においてもＩＣＴの活用を推進し、データの円滑な利用を進めることにより，社会全体のコスト削減及び企業の生産性向上を図る観点から、**特定法人である事業者の消費税の申告**については、中間申告書、確定申告書若しくは還付申告書又はこれらの申告書に係る期限後申告書若しくは修正申告書及び添付書類に記載すべきものとされている事項を、**電子情報処理組織を使用する方法により提供***02)しなければならない。

*01)「Information and CommunicationTechnology」を略した言葉です。ネットワーク通信技術を活用して、人と人、人と物などをつなぎ、コミュニケーションをとることを指します。

*02) e-Taxによる申告です。

2．特定法人

電子申告の義務化の対象となる特定法人は、次の法人とされている

⑴　当該事業年度開始の時における資本金の額又は出資の金額等が１億円を超える法人

⑵　相互会社*03)

⑶　投資法人*04)

⑷　特定目的会社*05)

⑸　国又は地方公共団体

*03) 保険業法に基づいて設立される法人で、保険業を行うことを目的とする社団法人をいう。

*04) 投資信託及び投資法人に関する法律に基づき、特定の資産への投資・運用を目的として設立される法人をいう。

*05) 資産の流動化に関する法律に基づき資産の流動化に係る業務を行うために設立される社団法人

Chapter 13

還付を受けるための申告

確定申告は、通常、納付する税金を確定させるために行いますが、税金を前もって払い過ぎてしまった場合には、還付されるべき税金を確定させる手段ともなります。

申告の計算上、還付金が発生した場合に提出する申告書を特に「還付申告書」と呼んでいきますが、ここでは、そのうち、本来申告の義務のない事業者が任意で提出する「還付を受けるための申告」の内容について確認していきます。確定申告との違いに注意しながら見ていきましょう。

Section 1 還付を受けるための申告

Chapter12で確定申告義務について学習しましたが、確定申告書の提出義務がない課税事業者についても任意の申告書の提出により、還付を受けられることとしています

ここでは、その任意の申告である「還付を受けるための申告」について学習していきましょう。

1 還付を受けるための申告の概要（法46①）

理論

課税事業者は、原則として、その課税期間分の消費税について確定申告を行う義務もありますが、一定の要件に該当する者は、課税事業者であっても申告の義務は生じません。

しかし、この申告義務のない者は、通常消費税の還付を受けることができる者であるため、**還付を受けるための申告書（任意による還付申告書）の提出が認められています。**

> **消費税法<還付を受けるための申告>**
>
> 第46条①　事業者（免税事業者を除く。）は、その課税期間分の消費税につき控除不足還付税額又は中間納付還付税額がある場合には、申告書を提出すべき義務がない場合においても、これらの還付を受けるため、前条第一項各号（確定申告書の記載事項）に掲げる事項を記載した申告書を税務署長に提出することができる。

2 還付を受けるための申告書の提出

理論

1．適用対象者

還付を受けるための申告書の提出ができるのは、**確定申告書の提出義務がない課税事業者**です。確定申告書の提出義務がない課税事業者とは、課税事業者のうち、**国内における課税資産の譲渡等（特定資産の譲渡等及び輸出免税取引等を除く）がなく、かつ、差引税額がない者**をいます。この還付を受けるための申告書の提出により、**控除不足還付税額又は中間納付税額還付税額の還付**を受けることができます*01)。

なお、免税事業者に関しては、そもそも申告の対象者から除外されているため、還付を受けられるケースに該当していたとしても、申告書を提出することはできず、還付を受けることもできません*02)。

*01) 還付を受けるための申告は、任意の申告であるため、申告期限はありません。

*02) 免税事業者が、控除不足額の還付を受けるためには、事前に「課税事業者の選択」により、課税事業者になっておく必要があります。
詳しくは、Chapter 6 Section３を見てください。

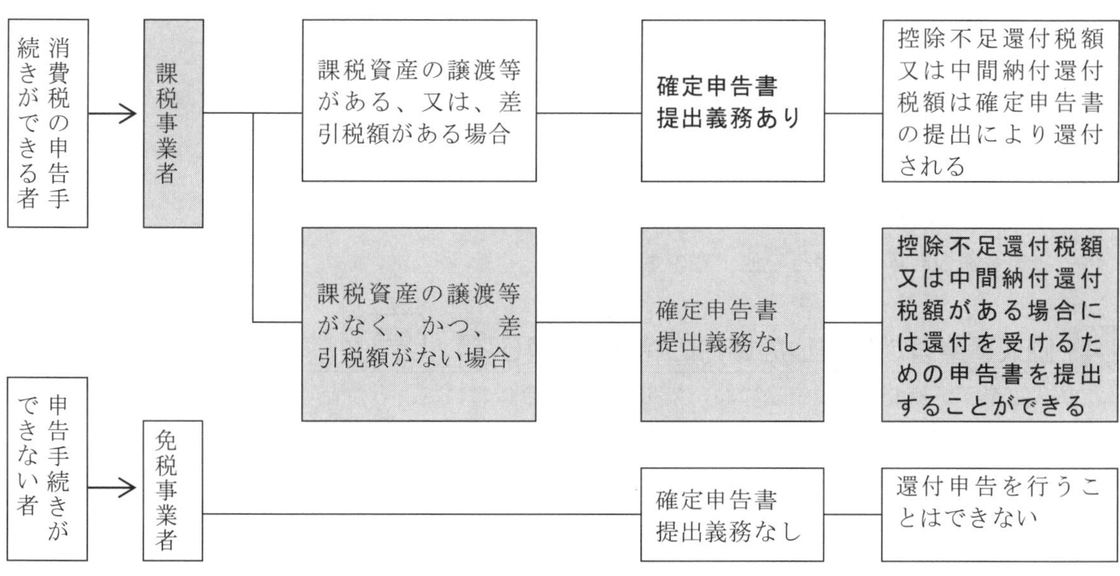

課税標準額に対する消費税額		0
控除税額	控除対象仕入税額	1,850
	返還等対価に係る税額	100
	貸倒れに係る税額	50
	控除税額小計	2,000
差引税額		—
控除不足還付税額		2,000
中間納付税額		500
納付税額		—
中間納付還付税額		500

具体的には、左記のようなケースです。この場合、申告をすることにより控除不足還付税額の 2,000 と中間納付還付税額の 500 の還付を受けることができます。

2．添付書類（法46③）

還付を受けるための申告書には、その課税期間中の**資産の譲渡等の対価の額及び課税仕入れ等の税額の明細**その他の事項を記載した書類を添付しなければなりません。

3 還付を受けるための申告書の記載事項　理論

還付を受けるための申告書には、以下の事項を記載する必要があります*01)。

① 課税標準額*02)

② 税率の異なるごとに区分した課税標準額に対する消費税額

③ 控除税額小計

イ 仕入れに係る消費税額

ロ 売上げに係る対価の返還等の金額に係る消費税額

ハ 特定課税仕入れに係る対価の返還等を受けた金額に係る消費税額

*01) 確定申告書と同じ様式の申告書を使用するため、記載事項も同じ項目になります。

*02) 課税標準額とは、課税資産の譲渡等に係る税率の異なるごとに区分した課税標準である金額の合計額及び特定課税仕入れに係る課税標準である金額の合計額並びにそれらの合計額をいう。

ニ　貸倒れに係る消費税額

④　差引税額

⑤　控除不足還付税額

⑥　納付税額

⑦　中間納付還付税額

⑧　上記金額の計算の基礎その他一定の事項

4 個人事業者が死亡した場合の特例（法46②） 理論

個人事業者が課税期間の中途において死亡した場合において、その者のその課税期間分の消費税について還付を受けるための申告書を提出することができる場合に該当するときは、その相続人は、税務署長にその申告書を提出することができます。

Chapter 14

中間申告Ⅱ

預かった税金を納付する消費税は、その性質上、事業者の規模に応じた前払いの制度である「中間申告」の制度が設けられています。
中間納付税額の計算は、消費税法の本試験では毎年出題されている項目であり、年々高度な論点が出題されるようになってきました。
ここでは、中間納付税額の計算について基本的な内容を見た上で、中間申告の適用要件等、理論の内容についても確認していきます。

Section 1

中間申告

課税事業者は、原則として課税期間の末日の翌日から２ヵ月以内に確定申告書を提出し、その申告内容に係る消費税を納付しなければなりません。

これに加えて、一定の条件に該当する場合には、課税期間開始の日以後一定の各期間につき中間申告が必要になります。

この中間申告について見ていきましょう。

1 中間申告制度の趣旨

理論

課税資産の譲渡等に係る消費税は、その取引が行われた際に納税義務が発生します。しかし、確定申告によって消費税が納付されるのは、納税義務の発生から最長で14ヵ月[*01)]を経過した時であり、事業者はその期間、納付すべき税金を運用することができます。

納税義務を有する事業者の規模は様々であり、規模の大きな事業者には多額の消費税が集まるため、本来預り金である消費税を原資とした資金運用を認めてしまうことは、納税者間の不平等を是認することとなってしまいます。

こうした納税者間の不平等を解消するために、中間申告制度が設けられています。

また、国の財政面からは、税収の時期を安定させたいという要請があります。この要請に応えることも中間申告制度が設けられている理由の１つです。

*01) 納期限は、確定申告書の提出期限である課税期間の末日の翌日から２ヵ月を経過する日となるため、課税期間が12ヵ月である場合、最長で課税期間の初日から14ヵ月となります。

2 中間申告書の提出義務

理論

1．適用対象者

中間申告書の提出義務があるのは課税事業者に限られ、**免税事業者については、申告義務はありません。**

なお、「課税期間特例選択・変更届出書」の提出により課税期間の特例の適用を受け、課税期間を短縮している事業者も中間申告の対象者から除かれます[*01)]。

*01) 詳しくは応用編で学習していきます。

2．提出義務

中間申告書の提出義務の有無は、**直前の課税期間の確定消費税額**[*02)]**を基準に判定し**[*03)]、判定された区分ごとに中間申告書を提出しなければなりません。なお、この**中間申告の計算の対象となる期間を中間申告対象期間といい**、その年又はその事業年度のうち最後の期間は、確定申告を行うため除かれます。

また判定の結果、中間申告の義務がない事業者についても選択により任意に中間申告書を提出することができます。

*02) 差引税額のことをいいます。詳しくは３で説明します。

*03) 当課税期間に課税事業者であっても、前課税期間が免税事業者であった場合には、判定の基準となる直前の課税期間の確定消費税額がないため、中間申告書の提出義務はありません。

直前の課税期間の確定消費税額	中間申告書の提出義務	
年間4,800万円超	一月中間申告	1ヵ月ごと年11回
年間400万円超、4,800万円以下	三月中間申告	3ヵ月ごと年3回
年間48万円超、400万円以下	六月中間申告	6ヵ月目に年1回
年間48万円以下	中間申告不要（任意中間申告が可能）	

3 中間申告義務の判定

中間申告のパターンは上記の3パターンがあり、中間申告の計算の際には、先ず、**どのパターンの提出義務に該当するのかを判定**します。次に、判定後の各パターンに応じた税額計算を行います。

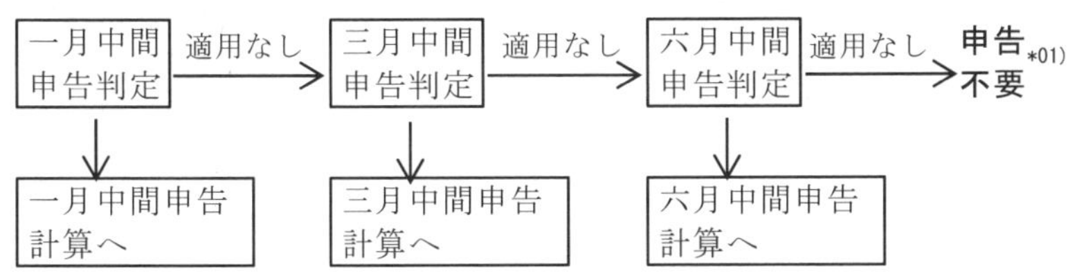

*01) 任意中間申告が可能です。

1．一月中間申告

直前の課税期間の確定消費税額の**1ヵ月分が400万円を超えるか否か**により判定します。

$$\frac{\text{直前の課税期間の確定消費税額}}{\text{直前の課税期間の月数}^{*02)}} = \text{A}$$

A ＞ 400万円　∴　適用あり

A ≦ 400万円　∴　適用なし

（注）適用除外

・個人事業者の事業を開始した日の属する課税期間

・法人のその月数が3ヵ月以内の課税期間*03)

・法人の設立課税期間（新設合併による設立を除く）

判定の結果、適用がない場合には、次の2．の判定に進みます。

*02) 直前の課税期間の月数は、通常12ヵ月ですが、法人の場合には、設立事業年度や事業年度の変更を行ったとき等直前の課税期間が12ヵ月でない場合には、分母に用いる月数が変わります。

*03) 当課税期間そのものの月数が3ヵ月（6ヵ月）以内である場合を指し、計算の基礎となる前課税期間が3ヵ月（又は6ヵ月）未満であるか否かは問いません。

2. 三月中間申告

直前の課税期間の確定消費税額の**3ヵ月分が100万円を超えるか否か**により判定します。

$$\frac{\text{直前の課税期間の確定消費税額}}{\text{直前の課税期間の月数}}\text{（円未満切捨）}\times 3 = B$$

B ＞ 100万円　∴　適用あり

B ≦ 100万円　∴　適用なし

（注）適用除外

- 個人事業者の事業を開始した日の属する課税期間
- 法人のその月数が３ヵ月以内の課税期間[*03]
- 法人の設立課税期間（新設合併による設立を除く）
- 一月中間申告の適用を受ける期間を含む三月中間申告対象期間[*04]

判定の結果、適用がない場合には、次の３．の判定に進みます。

*04) **直前の課税期間の税額に変更があったことにより、申告の対象区分が異動し、同じ期間内に２以上の申告区分の対象となってしまう場合の調整です。詳しくは、6でみていきます。**

3. 六月中間申告

直前の課税期間の確定消費税額の**6ヵ月分が24万円を超えるか否か**により判定します。

$$\frac{\text{直前の課税期間の確定消費税額}}{\text{直前の課税期間の月数}}\text{（円未満切捨）}\times 6 = C$$

C ＞ 24万円　∴　適用あり

C ≦ 24万円　∴　適用なし

（注）適用除外

- 個人事業者の事業を開始した日の属する課税期間
- 法人のその月数が６ヵ月以内の課税期間[*03]
- 法人の設立課税期間（新設合併による設立を除く）
- 一月中間申告又は三月中間申告の適用を受ける期間を含む六月中間申告対象期間[*04]

判定の結果、**適用がない場合には、中間申告書の提出義務はありません**が、納税者の選択により4の任意の中間申告を行うことができます。

なお、直前の課税期間の確定消費税額とは、直前の課税期間の確定申告書に記載すべき**差引税額**で、各**中間申告対象期間の末日までに確定したもの**をいいます。

ただし、一月中間申告のみ以下の「確定日」[*05]までに確定したものとします。

〈一月中間申告の確定日〉

① 法人の課税期間開始の日から２ヵ月の一月中間申告対象期間の場合

課税期間開始の日から２ヵ月を経過する日

② 個人事業者の課税期間開始の日から３ヵ月の一月中間申告対象期間の場合

課税期間開始の日から３ヵ月を経過する日

③ 上記以外の一月中間申告対象期間

中間申告対象期間の末日

*05)「確定日」という言葉が使われているのは、一月中間申告対象期間の判定のみです。
①と②のケースでは、課税期間開始から２ヵ月又は３ヵ月は同じ日が確定日となります。
これは、直前の課税期間の確定申告の申告期限が、課税期間終了後２ヵ月（個人事業者の場合は３ヵ月）となっていることに対する調整です、
申告期限については、7で説明します。

4 任意の中間申告

1．概要

3 3．の判定により、中間申告の義務がない事業者が、六月中間申告を行いたい場合には、**届出書を提出**することにより六月中間申告書を提出することができます。

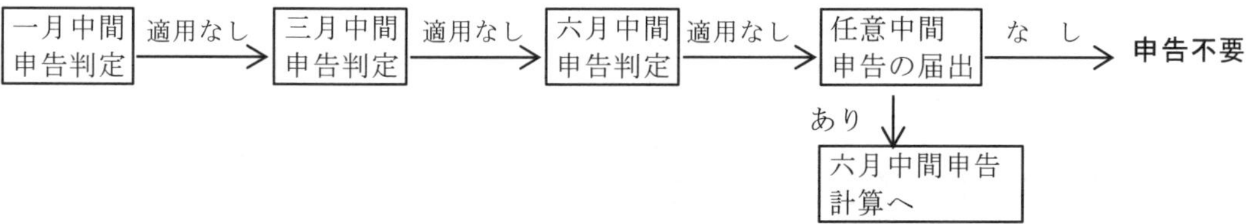

2．届出書の提出

中間申告の義務がない事業者が、六月中間申告を行いたい場合には、あらかじめ納税地の所轄税務署長に**届出書**[*01]を提出します。

この場合には、その**提出した日以後にその末日が最初に到来する六月中間申告対象期間から**中間申告を行わなければなりません。

*01) 届出書の名称は、「任意の中間申告書を提出する旨の届出書」です。

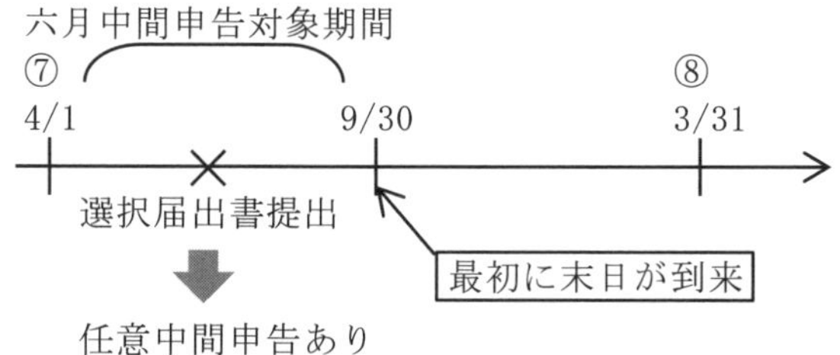

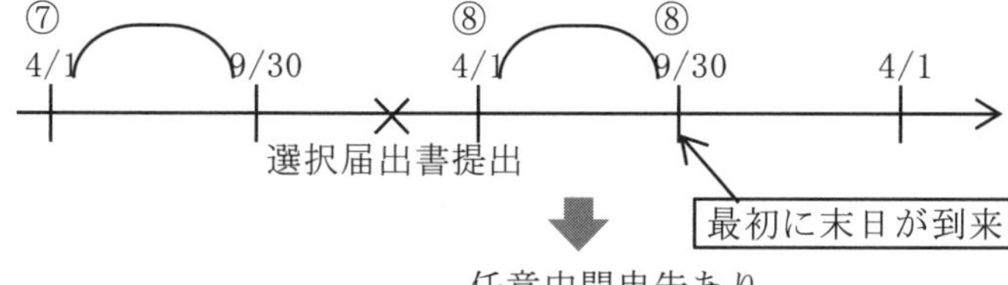

3. 取りやめ届出書の提出と効力

任意による中間申告の届出書を提出した事業者は、その適用を受けることを**やめようとするとき**、又は**事業を廃止したとき**は、取りやめ届出書[*02)]を納税地の所轄税務署長に提出しなければなりません。

*02) 届出書の名称は、「任意の中間申告書を提出することの取りやめ届出書」です。

取りやめ届出書の提出があったときは、その**提出があった日以後にその末日が最初に到来する六月中間申告対象期間以後の六月中間申告対象期間**については、2．による届出書は、効力を失います。

したがって、これ以後は六月中間申告を行う必要はありません。

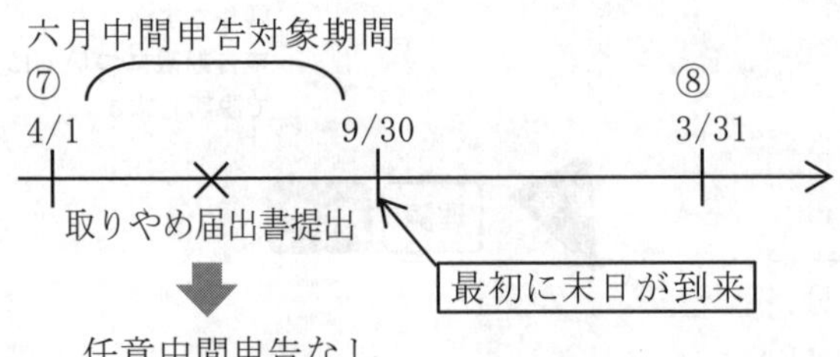

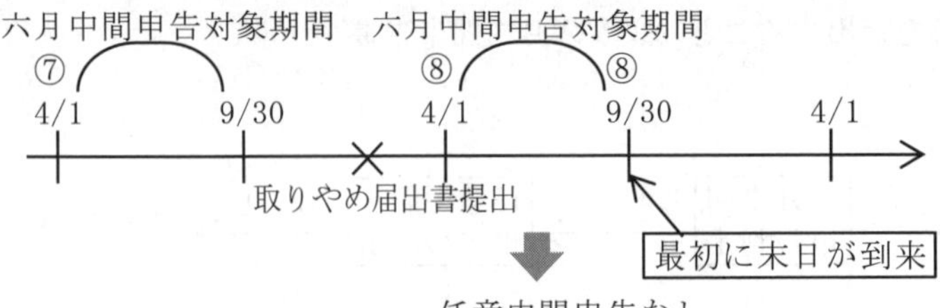

4. 取りやめ届出書の提出があったものとみなされる場合

2．による任意の中間申告の適用の届出書を提出した事業者が、その提出した日以後にその末日が最初に到来する六月中間申告対象期間以後の六月中間申告対象期間に係る**六月中間申告書をその提出期限までに提出しなかった**場合には、その事業者は、**3．による届出書**をその六月中間申告対象期間の末日に**納税地の所轄税務署長に提出**したものとみなされます。

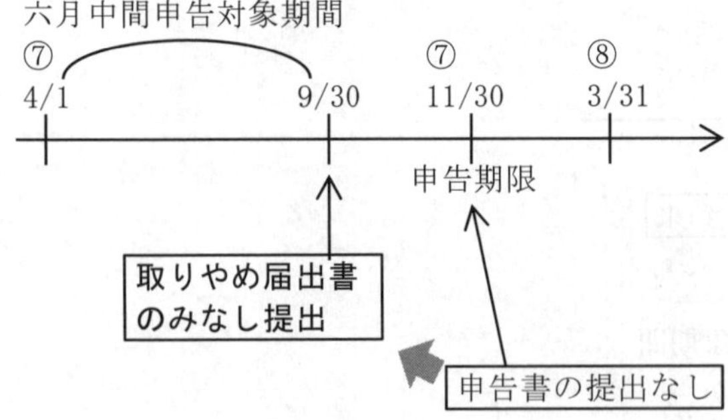

5 中間納付税額の計算

中間納付税額の計算方法には、**直前の課税期間の確定消費税額を基礎とする場合**（原則）と、**仮決算に基づく場合**（特例）があります。

1．原則（法42）

前述の判定金額をそのまま納付するイメージです。

次の３パターンのうち、**3の判定において「適用あり」に該当した区分に示す計算を行います。**

(1) 一月中間申告

① 判定　$\dfrac{\text{直前の課税期間の確定消費税額}}{\text{直前の課税期間の月数}}$ ＝A ＞ 4,000,000円　∴ 適用あり

② 中間納付税額

A（百円未満切捨）×11回

(2) 三月中間申告

① 判定　$\dfrac{\text{直前の課税期間の確定消費税額}}{\text{直前の課税期間の月数}}$ ×３＝B ＞ 1,000,000円　∴ 適用あり

② 中間納付税額

B（百円未満切捨）×３回

(3) 六月中間申告

① 判定　$\dfrac{\text{直前の課税期間の確定消費税額}}{\text{直前の課税期間の月数}}$ ×６＝C ＞ 240,000円　∴ 適用あり

② 中間納付税額

C（百円未満切捨）

設例１－１　中間納付税額の計算（原則）

前課税期間（令和６年４月１日～令和７年３月31日）の確定消費税額がA～Cのそれぞれの場合における当課税期間（令和７年４月１日～令和８年３月31日）の中間納付税額を計算しなさい。

A　62,000,000円

B　4,400,000円

C　500,000円

解答

	中間納付税額
A	56,832,600円
B	3,299,700円
C	249,900円

解説　(単位：円)

A　62,000,000円の場合

⑴　一月中間申告

①　判定

$\frac{62,000,000}{12}$ ＝5,166,666 ＞ 4,000,000　　∴　適用あり

②　中間納付税額

5,166,666 → 5,166,600（百円未満切捨）

5,166,600×11回＝56,832,600

B　4,400,000円の場合

⑴　一月中間申告

①　判定

$\frac{4,400,000}{12}$ ＝366,666 ≦ 4,000,000　　∴　適用なし

⑵　三月中間申告

①　判定

$\frac{4,400,000}{12}$ ×３＝1,099,998*01) ＞ 1,000,000　　∴　適用あり

②　中間納付税額

1,099,998 → 1,099,900（百円未満切捨）

1,099,900×３回＝3,299,700

C　500,000円の場合

⑴　一月中間申告

①　判定

$\frac{500,000}{12}$ ＝41,666 ≦ 4,000,000　　∴　適用なし

⑵　三月中間申告

①　判定

$\frac{500,000}{12}$ ×３＝124,998*01) ≦ 1,000,000　　∴　適用なし

(3) 六月中間申告

① 判定

$\frac{500,000}{12} \times 6 = 249,996^{*01)} > 240,000$ ∴ 適用あり

② 中間納付税額

249,996円 → 249,900（百円未満切捨）

*01) 12で除した後、3（六月中間申告の判定の場合は6）を乗じます。先に3（又は6）を乗じないようにしましょう。なお、12で除した時点で円未満の端数が生じた場合は、円未満の端数を切捨てます。

2．特例（法43）

仮決算に基づく場合には、前課税期間の税額は使わず中間申告対象期間を**一課税期間とみなして仮決算を行い**、計算された実額を中間納付額とすることができます*03)。

事業者は、**中間申告対象期間ごとに、原則と特例のいずれかを選択適用**して、中間納付税額を計算することができます。

なお、仮決算の結果、**控除不足還付税額が生じても中間申告での還付は行いません***04)。また、仮決算による申告書を提出する場合には、確定申告等と同様の書類の添付が必要です*05)。

*03) 中間申告の適用の判定は、必ず前課税期間の確定消費税額に基づいて行います。仮決算の計算結果を中間申告適用の有無の判定に利用することはできません。

*04) 18ページの消費税法基本通達を見てください。

*05) Chapter12 Section 1 2 を見てください。

設例1－2 中間納付税額の計算（特例）

前課税期間（令和6年4月1日～令和7年3月31日）の確定消費税額は4,520,000円であり、当課税期間（令和7年4月1日～令和8年3月31日）の取引の状況は、以下のとおりであった。

これらの資料より当課税期間の中間納付税額を計算しなさい。なお、中間納付税額は、原則と特則のうちいずれか有利な方を採用するものとする。

当課税期間の取引の状況

	4月～6月	7月～9月	10月～12月
課税標準額に対する消費税額	5,375,000円	4,967,000円	5,171,000円
控除対象仕入税額	4,120,000円	3,990,000円	4,031,000円

解答 中間納付税額 3,236,800 円

解説 （単位：円）

(1) 一月中間申告

① 判定*01)

$\frac{4,520,000}{12} = 376,666 \leqq 4,000,000$ ∴ 適用なし

(2) 三月中間申告

① 判定*01)

$$\frac{4,520,000}{12} \times 3 = 1,129,998 > 1,000,000$$ ∴ 適用あり

② 中間納付税額

イ 4月～6月

(a) 原則 1,129,998 → 1,129,900（百円未満切捨）

(b) 特例*02) 5,375,000－4,120,000＝1,255,000（百円未満切捨）

(c) 有利判定*03) (a) ＜ (b) ∴ 1,129,900

ロ 7月～9月

(a) 原則 1,129,900（百円未満切捨）

(b) 特例*02) 4,967,000－3,990,000＝977,000（百円未満切捨）

(c) 有利判定*03) (a) ＞ (b) ∴ 977,000

ハ 10月～12月

(a) 原則 1,129,900（百円未満切捨）

(b) 特例*02) 5,171,000－4,031,000＝1,140,000（百円未満切捨）

(c) 有利判定*03) (a) ＜ (b) ∴ 1,129,900

ニ 中間納付税額の合計額

イ＋ロ＋ハ＝3,236,800

*01) 中間申告の適用の判定は、必ず前課税期間の確定消費税額に基づいて行います。仮決算の結果を利用することはできません。

*02) 三月中間申告を適用するため、３ヵ月を一課税期間とみなして仮決算を行います。

*03) 原則と特例（仮決算）のうち、金額の少ない方を有利として選択します。

6 直前の課税期間の確定消費税額に変更がある場合 

中間申告の判定は、直前の課税期間の確定消費税額を用いて行います。しかし、以下のような事由により直前の課税期間の確定消費税額に変更がある場合があります。

(1) 修正申告書*01)の提出により直前の課税期間の税額が増加した場合

(2) 税務署長の更正処分*01)により直前の課税期間の税額が増減した場合

*01) 修正申告や更正処分については、Chapter16で学習していきます。

このような場合には、各中間申告対象期間の末日（一月中間申告については「確定日」*02)）までに確定した直前の課税期間の確定消費税額を使い、中間申告の有無の判定や中間納付税額の計算を行います。

すなわち、**税額の変更があった中間申告対象期間の直前の中間申告対象期間までは変更前の税額**を使い、**税額の変更があった中間申告対象期間以後の中間申告対象期間については変更後の税額**を使うという意味です。

計算の手順を次の例題を使って見ていきます。

*02) 一月中間申告に関しては、課税期間開始の日以後２ヵ月（個人事業者は３ヵ月）の期間については、確定日が課税期間開始の日以後２ヵ月（個人事業者は３ヵ月）になる特例がありますので、確定日において税額が変更されているかどうかを確認します。

〔**例題**〕

当課税期間　　令和７年４月１日～令和８年３月31日

当初申告額　　46,180,000円

修正申告額　　48,290,000円（2,110,000円増加）

(注)　修正申告書は、令和７年11月15日に提出

11/15 修正
↓

	4月	5月	6月	7月	8月	9月	10月	11月	12月	1月	2月	3月
一月中間申告								変更後税額				
三月中間申告												
六月中間申告												

⑴　令和７年 11 月 15 日に修正申告により税額が変更されているため、各中間申告対象期間の判定に用いる税額は以下のようになります。

①　一月中間申告対象期間

４月～10 月　　当初申告額　　46,180,000 円

11 月～２月　　修正申告額　　48,290,000 円

②　三月中間申告対象期間

４月～６月及び７月～９月　　当初申告額　　46,180,000 円

10 月～12 月　　修正申告額　　48,290,000 円

③　六月中間申告対象期間

当初申告額　　46,180,000 円

⑵　それぞれの金額を使って申告の有無の判定を行い、判定の結果を表に書き込みます。

	4月	5月	6月	7月	8月	9月	10月	11月	12月	1月	2月	3月
一月中間申告	×	×	×	×	×	×	×	○	○	○	○	
三月中間申告		○			○			○				
六月中間申告			○									

⑶　各中間申告対象期間の金額のみの判定で○を付けた中で、別の中間申告の適用を受ける期間を含む期間があれば適用除外に該当しますので、適用除外となる中間申告対象期間を整理していきます。

	4月	5月	6月	7月	8月	9月	10月	11月	12月	1月	2月	3月
一月中間申告	×	×	×	×	×	×	×	○	○	○	○	
三月中間申告		○			○			含む ×				
六月中間申告			含む ×									

⑷　整理が終わったら答案用紙で計算していきます。

〔解答〕（単位：円）

⑴　一月中間申告

①　判定

イ　４月～10月

$\dfrac{46,180,000}{12}$ ＝3,848,333 ≦ 4,000,000　∴　適用なし

ロ　11月～２月

$\dfrac{48,290,000}{12}$ ＝4,024,166 ＞ 4,000,000　∴　適用あり

②　中間納付税額

4,024,166 → 4,024,100（百円未満切捨）

4,024,100×４回＝16,096,400

⑵　三月中間申告

①　判定

イ　４月～６月、７月～９月

$\dfrac{46,180,000}{12}$ ×３＝11,544,999 ＞ 1,000,000　∴　適用あり

ロ　10月～12月

適用なし（一月中間申告の適用を受ける期間を含む期間に該当）

②　中間納付税額

11,544,999 → 11,544,900（百円未満切捨）

11,544,900×２回＝23,089,800

⑶　中間納付税額の合計額

16,096,400＋23,089,800＝39,186,200

設例１－３　確定消費税額に変更がある場合

当社の前課税期間（令和６年４月１日～令和７年３月31日）における確定消費税額は48,230,100円である。

これに基づき当社の当課税期間（令和７年４月１日～令和８年３月31日）の中間納付税額を計算しなさい。

なお、当社は令和７年８月20日に税務署長より更正処分を受けており、当課税期間中にこれに基づく減少税額1,820,000円の還付を受けている。

解答　中間納付税額　27,678,900　円

解説 （単位：円）

8/20 更正
↓

	4月	5月	6月	7月	8月	9月	10月	11月	12月	1月	2月	3月
一月中間申告	○	○	○	○	×	×	×	×	×	×	×	
三月中間申告	×*01)			×*01)			○					
六月中間申告	×*02)											

⑴ 一月中間申告

① 判定

イ 4月～7月

$\frac{48,230,100}{12}$ ＝4,019,175 ＞ 4,000,000 ∴ 適用あり

ロ 8月～2月

$\frac{48,230,100-1,820,000}{12}$ ＝3,867,508 ≦ 4,000,000 ∴ 適用なし

② 中間納付税額

4,019,175 → 4,019,100（百円未満切捨）

4,019,100×４回＝16,076,400

⑵ 三月中間申告

① 判定

イ 4月～6月、7月～9月

適用なし

ロ 10月～12月

$\frac{48,230,100-1,820,000}{12}$ ×３＝11,602,524 ＞ 1,000,000 ∴ 適用あり

② 中間納付税額

11,602,524 → 11,602,500（百円未満切捨）

⑶ 中間納付税額の合計額

16,076,400＋11,602,500＝27,678,900

*01) 一月中間申告の適用を受ける期間を含む期間であるため、三月中間申告の適用はありません。
*02) 一月中間申告の適用を受ける期間を含む期間であるため、六月中間申告の適用はありません。

7 中間申告書の提出期限

理論

1．一月中間申告

一月中間申告の場合、原則として**一月中間申告対象期間の末日の翌日から２ヵ月以内**が中間申告書の提出期限です。

ただし、法人では、課税期間の開始から１ヵ月目に関する中間申告書の提出期限が２ヵ月目の提出期限まで延長されています。

また、個人事業者でも、課税期間の開始から２ヵ月目までの中間申告書の提出期限が３ヵ月目の提出期限まで延長されています。

⑴　法人の場合

課税期間開始の日から２ヵ月間は、確定日が延長されるため、これに合わせて申告期限も延長されています。なお、通常の中間申告期限は、各中間申告対象期間の各確定日から２ヵ月以内となります。

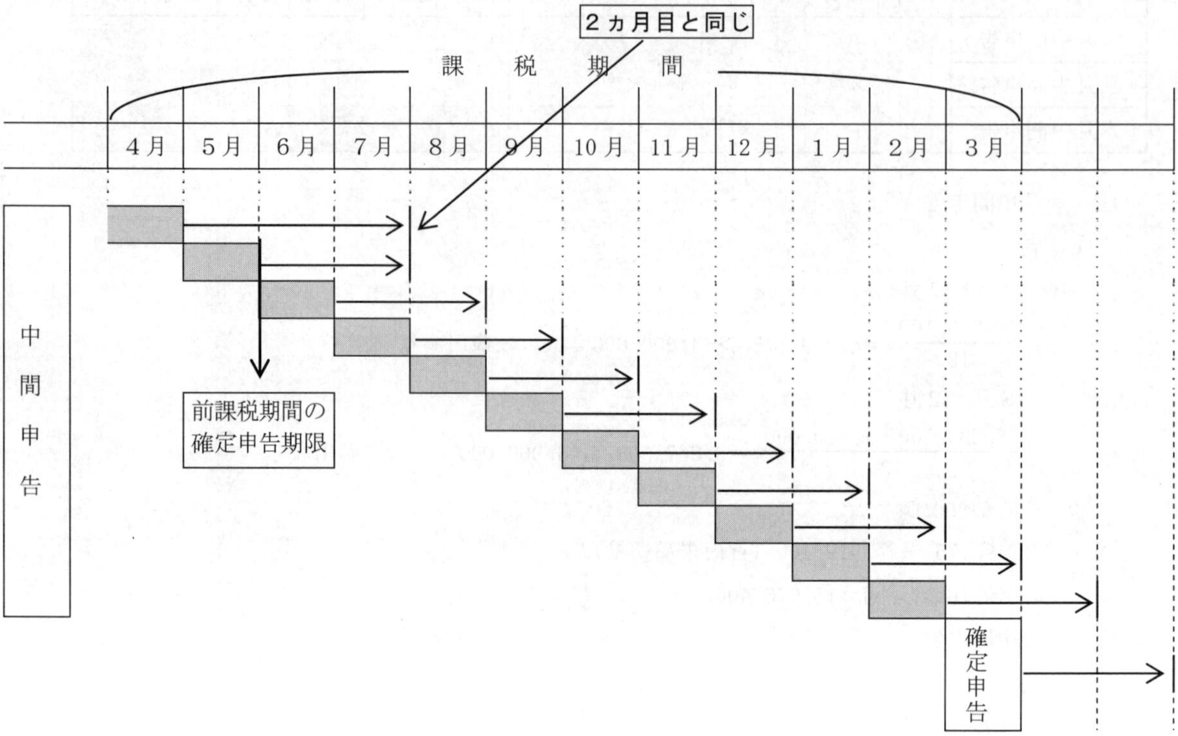

⑵　個人事業者の場合

課税期間開始の日から３ヵ月間は、確定日が延長されるため、これに合わせて申告期限も延長されています。

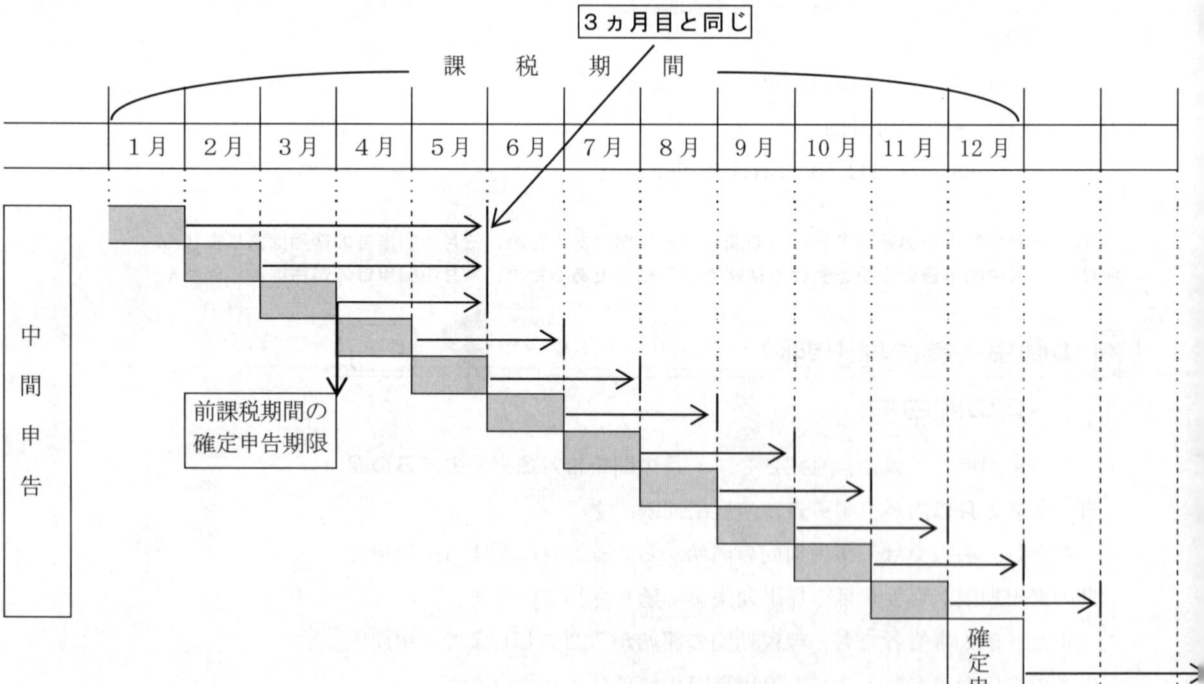

2．三月中間申告

三月中間申告の場合の提出期限は、**三月中間申告対象期間の末日の翌日から２ヵ月以内**です。

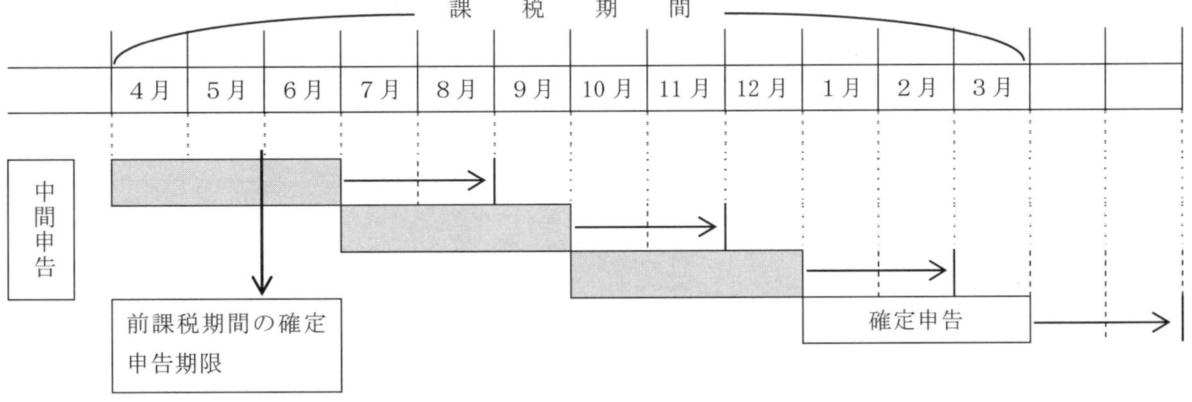

3．六月中間申告

六月中間申告の場合の提出期限は、**六月中間申告対象期間の末日の翌日から２ヵ月以内です。**

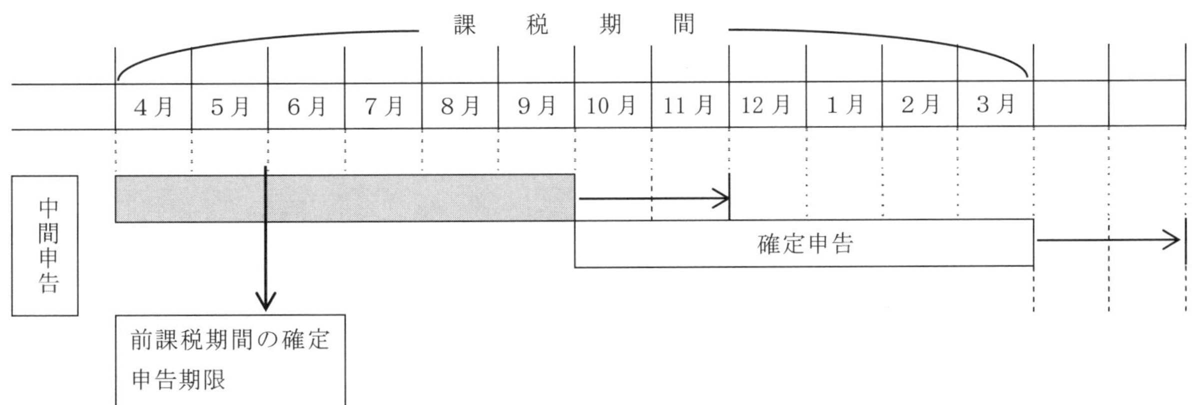

8　中間申告書の提出がない場合の特例（法44）

理論

中間申告書を提出すべき事業者が、その中間申告書をその提出期限までに提出しなかった場合には、その事業者については、その**提出期限において**、税務署長に、**原則の税額の計算方法に基づいた中間申告書の提出があったものとみなされます**[*01)]。

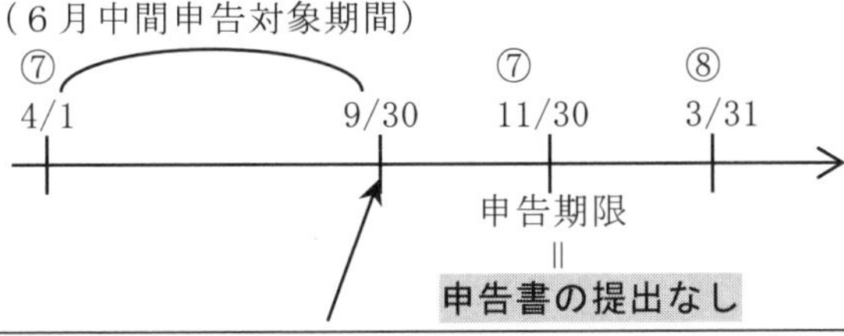

*01) 原則の計算による税額で納付する場合には、申告は形式的なものにすぎず、申告を行わなくても税額確定における効果は変わらないということです。
特例（仮決算）による税額計算を行いたいときのみ期限内に申告をしないと原則の税額で申告期限に税額が確定されてしまうので、注意が必要です。

9 中間申告による納付 理論

中間申告書を提出した者は、中間申告書に記載した金額があるときは、その**申告書の提出期限まで**にその消費税額を**国に納付**しなければなりません。

Try it　中間納付税額の計算

当社の前課税期間（令和６年４月１日～令和７年３月31日）における確定消費税額は50,000,000円である。

これに基づき当社の当課税期間（令和７年４月１日～令和８年３月31日）の中間納付税額を計算しなさい。

なお、当社は令和７年６月10日に税務署長より47,500,000円とする更正処分を受けており、当課税期間中にこれに基づく減少税額の還付を受けている。

また、当社は消費税法第43条『仮決算をした場合の中間申告書の記載事項等』の規定を適用した仮決算による中間申告書は提出していない。

解 答　（単位：円）

⑴　一月中間申告

①　判定

イ　４月、５月

$\frac{50,000,000}{12}$ ＝4,166,666 ＞ 4,000,000　　∴　適用あり

ロ　６月～２月

$\frac{47,500,000}{12}$ ＝3,958,333 ≦ 4,000,000　　∴　適用なし

②　中間納付税額

4,166,666 → 4,166,600（百円未満切捨）

4,166,600×２回＝8,333,200

⑵　三月中間申告

①　判定

イ　４月～６月

適用なし

ロ　７月～９月、10月～12月

$\frac{47,500,000}{12}$ ×３＝11,874,999 ＞ 1,000,000　　∴　適用あり

②　中間納付税額

11,874,999 → 11,874,900（百円未満切捨）

11,874,900×２回＝23,749,800

⑶　中間納付税額の合計額

8,333,200＋23,749,800＝32,083,000

解 説

	４月	５月	６月	７月	８月	９月	10月	11月	12月	１月	２月
１月	○	○	×	×	×	×	×	×	×	×	×
３月	10～12月 ×			１～３月 ○			４～６月 ○				

６/10
更正

仮決算による申告額が400万円、100万円又は24万円以下である場合の中間申告の要否（基通15－1－4）

事業者が仮決算をした場合の中間申告書の記載事項等の規定により中間申告を行う場合において、一月中間申告対象期間に係る中間申告義務の規定により計算した消費税額が400万円を超えるとき、三月中間申告対象期間に係る中間申告義務の規定により計算した消費税額が100万円を超えるとき又は六月中間申告対象期間に係る中間申告義務の規定により計算した消費税額が24万円を超えるときは、仮決算により計算した中間申告対象期間の消費税額が400万円以下、100万円以下又は24万円以下となるときであっても中間申告書を提出しなければならない。

仮決算において控除不足額（還付額）が生じた場合（基通15－1－5）

事業者が仮決算をした場合の中間申告の規定により仮決算をして中間申告書を提出する場合において、課税標準額に対する消費税額から控除されるべき消費税額を控除して控除不足額が生じるとしても、その控除不足額につき還付を受けることはできない。

このような控除不足額が生じた場合の中間納付額は、零円となる。

Chapter 15

引取りに係る申告

Chapter２で学習したように消費税の課税の対象となる取引は、これまで中心に学習してきた「国内取引」だけでなく「輸入取引」も対象としています。

ここでは、輸入取引について、申告や納付という側面から確認していきます。

輸入に関する規定ですので、つかみ辛いところもありますが、イメージを膨らませながら確認していきましょう。

Section 1 引取りに係る消費税の概要

消費税は消費地課税主義という観点から国内での商品の販売やサービスの提供を課税の対象とする国内取引だけでなく、輸入取引についても国内での消費を前提としていることから、課税の対象としています。
ここでは、消費税のもう一つの取引である輸入取引の申告について見ていきましょう。

1 輸入取引と消費税

理論

国内で商品の購入をする場合、購入する者は、購入時に代金の支払いと一緒に消費税を支払います。このときに、購入した者が事業者であった場合には、前段階控除の考え方から購入の際の消費税は課税仕入れ等の税額として税額控除の対象とされました。

これと同様に、海外から貨物を輸入した者は、その輸入の際、消費税の申告を行い輸入した貨物に係る消費税を税関に納めます。このときに、国内取引と同様に、貨物を引き取った者が事業者である場合には、この税関で支払った消費税が**「課税貨物の税額」として課税仕入れ等の税額を構成し、税額控除の対象**となります。

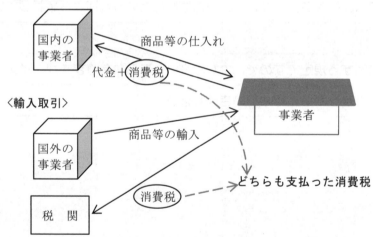

〈国内取引〉

国内の事業者

商品等の仕入れ

代金＋消費税

事業者

〈輸入取引〉

国外の事業者

商品等の輸入

税　関

消費税

どちらも支払った消費税

2 輸入取引の流れ

理論

外国から貨物を輸入する流れは、次のとおりです。

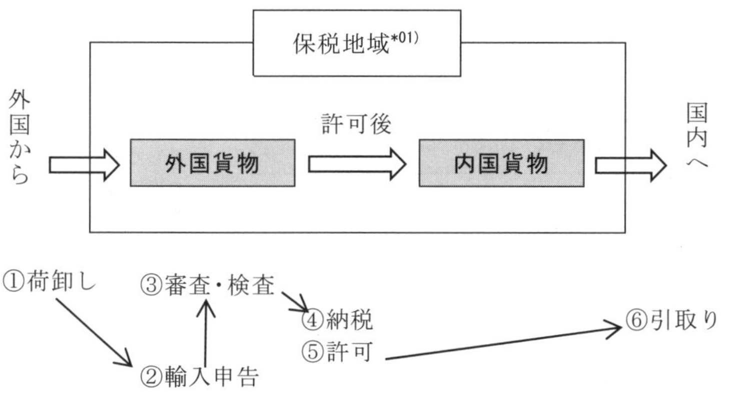

*01) 保税地域とは、輸出入の手続の間、貨物を一時貯留する場所です。
輸入の場合、まずは保税地域に搬入されて税関の許可を待つことになります。そのため、法律上は保税地域も外国（日本ではない場所）と同様に考えます。

輸入の際には、税関で関税と一緒に消費税の申告・納付を行わなければならず、それが完了した後、輸入の許可が得られることとなります。

陸揚げした貨物は、いったん保税地域と呼ばれる場所で輸入の許可を待つことになります。税関から輸入の許可が下りるまでは、引き続き外国貨物として扱われ、原則として消費税等を納付して輸入の許可が出た時点で内国貨物となり、保税地域外に持ち出すことができます。

3 納税義務者

理論

輸入取引では、**外国貨物を保税地域から引き取る者**が納税義務者となります。

> **消費税法<納税義務者>**
> 第５条②　外国貨物を保税地域から引き取る者は、課税貨物につき、この法律により、消費税を納める義務がある。

国内取引と異なり、**納税義務者を事業者に限っていません。**

したがって、事業者ではない個人（消費者）であっても、輸入取引を行った際には、消費税を納める義務があります*01)。

また、小規模事業者に係る納税義務の免除の規定により国内取引の納税義務が免除されている事業者であっても、輸入取引に関しては消費税を納付する義務*02)があります。

*01) 一般の個人が海外旅行でお土産を買った場合等で、日本に持ち込む物品の金額や数量が一定範囲内であれば免除されます。

*02) 課税の対象の単元で、消費税の取引には大きく分けて国内取引と輸入取引があることを学習しました。ここで「国内取引の申告」が確定申告、「輸入取引の申告」が引取りの申告になります。そのため、「国内取引の申告」と「輸入取引の申告」は分けて考えましょう。

4 課税貨物と非課税貨物

輸入する外国貨物のうち、消費税が課税されるものを**課税貨物**といい、反対に課税されないものを**非課税貨物**といいます。

国内取引で非課税取引の対象となる物品のうち、次に掲げるものが非課税貨物となり*01)、これら以外の貨物は課税貨物として取り扱います。

非課税貨物となるもの
・有価証券等 ・郵便切手類 ・印紙 ・証紙 ・物品切手等 ・身体障害者用物品 ・教科用図書

*01) 非課税となる物でも、貨物として輸入できる物に限られているので、例えば、土地は非課税貨物にはなりません。外国から輸入できる物品で、国内取引でも非課税になるものと覚えておきましょう。

Section 2 引取りに係る申告

Section１で学習したように、課税貨物の引取りに係る消費税の申告は、その引取りの際に行いますが、申告の方法は輸入する貨物の内容に応じて「申告納税方式」と「賦課課税方式」の２つの方法に分けられます。

また、申告納税方式が採用される貨物については、一定の要件に該当する場合には、申告期限を延長できる制度も認められています。

1 課税貨物に関する申告の方法

理論

課税貨物を引き取る際には、一定の事項を記載した申告書を税関長に提出しなければなりません。その申告には、２つの方法があります。

⑴ **申告納税方式** 納付する税額を納税義務者の申告により確定することを原則とする方式*01)

⑵ **賦課課税方式** 納付すべき税額を専ら税関長の処分により確定する方式

このうち、賦課課税方式により申告する課税貨物は、以下のものに限られており、それ以外は申告納税方式によることとなります。

賦課課税方式が適用される課税貨物
・入国品の携帯品、別送品 ・（一定の範囲内の）郵便物 ・不当廉売貨物*02)

*01) 国内取引の消費税は、申告納税方式となります。詳しくはChapter１を見てください。

*02) いわゆるダンピングされた価格で輸入される貨物のことです。他の貨物と同じように課税すると、国内の産業に被害が及ぶおそれがあるため、他の課税貨物とは区別して課税されます。

2 申告納税方式

理論

申告納税方式には、「一般申告」の他、輸入業務への配慮から設けられた「特例申告」があります。

1．一般申告（法47①）

一般申告では、**課税貨物を保税地域から引き取る都度**、一定の事項を記載した申告書を、税関長に提出しなければなりません。

2．特例申告（法47③）

特例申告では、**課税貨物を引き取る日の属する月の翌月末日までに**その月分の輸入をまとめて申告すればよいことになっています*01)。

これは、輸入業者等、海外からの輸入が頻繁に行われる事業者に対して、その引取りの都度申告を行うことの手間を省くために、１ヵ月分の輸入についてまとめて申告を行えるよう認められた制度です。

そのため、**特例申告はあらかじめ税関長*02)の承認を受けた者**（特例輸入者）が採用できる申告方法となっています*03)。

*01) 例えば３月中に引き取った課税貨物に係る申告書については４月末までに提出することとなります。

*02) 輸入の場面では、税務署や税務署長ではなく、税関や税関長に対し、書類の提出、承認の申請等の手続を行います。

*03) セキュリティ管理やコンプライアンス（法令尊守）の体制が整備されている等の条件を満たす必要があります。

〈一般申告の流れ[*04)]〉

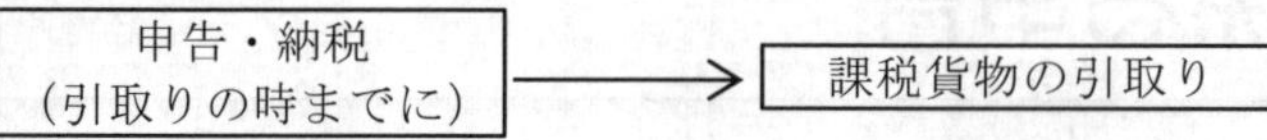

*04) 一般申告では、申告・納税が先に行われ、反対に特例申告では、申告・納税が後に行われます。

〈特例申告の流れ[*04)]〉

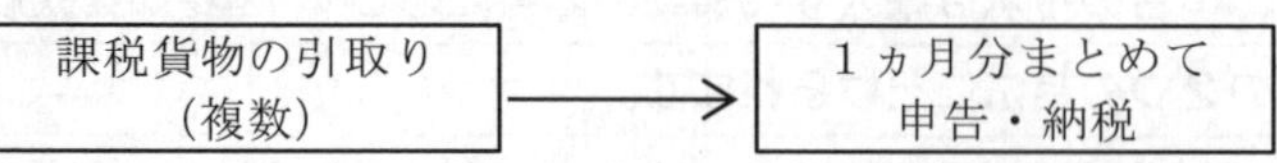

〈特例申告の場合の課税貨物の引取りに係る税額控除の時期〉

（法 30①三）

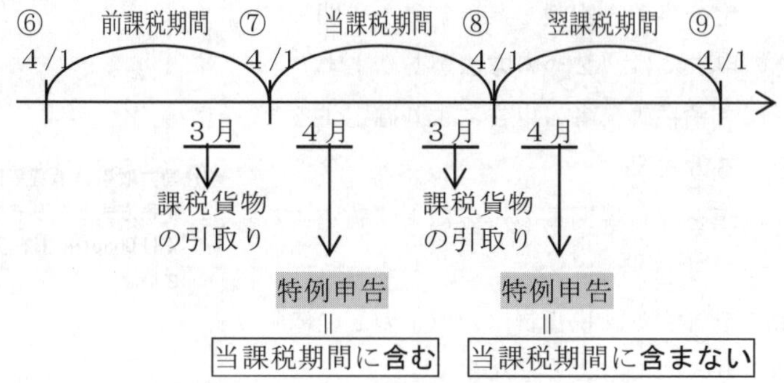

令和８年３月引取り分の申告は翌課税期間に行われているため、その引取りに係る消費税額は、当課税期間の税額控除の対象に含めません。

令和７年３月引取り分の申告は当課税期間に行われているため、その引取りに係る消費税額は、当課税期間の税額控除の対象に含めます。

3 賦課課税方式（法47②）

理論

賦課課税方式が適用される課税貨物を保税地域から引き取る際にも、その引き取る者が申告書を税関長に提出する必要があります。

なお、賦課課税方式の場合には**特例申告が認められておらず**、必ず引取りの時までに申告書を提出しなければなりません。

4 申告書の記載事項（法47①、②）

理論

申告書の記載事項は、次の項目となります。

⑴ **申告納税方式**

・課税貨物の品名・品名ごとの数量、課税標準額及び税率

・課税標準額に対する**消費税額**及びその合計額

・その他の事項

⑵ **賦課課税方式**[*01)]

・課税貨物の品名・品名ごとの数量及び課税標準額

・その他の事項

*01) 賦課 課税方式の場合には、納付すべき消費税額の計算は課税する税関側が行うため、申告の際に消費税額を記載する必要はありません。
賦課課税方式における申告とは、あくまでも賦課課税のための資料としての申告という意味合いです。

Section 3 課税貨物に係る納付

課税貨物の引取りに係る消費税については、原則として貨物の引取り時に納付をしなければならず、納付されていない場合には保税地域から引き取ることができません。

このような原則どおりの納付しか認められないと、資金的な問題で貨物を必要な時期に引き取ることができない可能性があるため、担保の提供等の要件を満たした場合には、納付の期限を延長できる制度を認めています。

ここでは、輸入取引における納付の制度について見ていきましょう。

1 課税貨物に係る納付等

理論

1．申告納税方式（法50①）

(1) 一般申告

申告納税方式で一般申告の場合には、**課税貨物を保税地域から引き取る時**までに、申告書に記載した消費税額の合計額に相当する消費税を**国に納付**しなければなりません*01)。

*01) 国税の納付先は、国です。

(2) 特例申告

申告納税方式で特例申告を行う場合には、**その申告書の提出期限***02)までに、申告書に記載した消費税額の合計額に相当する消費税を**国に納付**しなければなりません。

*02) 特例申告の申告期限は、引取りの日の属する月の翌月末日です。

2．賦課課税方式（法50②）

賦課課税方式の場合には、保税地域の所在地の所轄税関長がその引取りの際に消費税を**徴収**します*03)。

*03) 申告納税方式と異なり、税額の確定を行うのは、税関側であるという趣旨から「納付」ではなく「徴収」という表現を用いています。

2 納期限の延長

理論

1．納期限の延長の概要

申告納税方式が適用される課税貨物を引き取る場合には*01)、税関長に**納期限の延長申請書を提出**し、**担保を提供**することで、納期限を延長することができます*02)。

なお、延長できる期間は、一般申告か特例申告かによって異なります。

*01) 賦課課税方式が適用される課税貨物については、納期限の延長は認められません。

*02) 延長できる消費税額は、提供した担保の額を限度とします。

2．一般申告の場合

一般申告の場合、２つの納期限の延長方式があります。

⑴ 個別延長方式（法51①）

個別延長方式とは、引き取る課税貨物それぞれの消費税について、**3ヵ月を限度**に納期限の延長を受けることをいいます。

個別延長方式の場合、**引取りの際**に延長申請書を提出し、担保を提供します。

例）

令和７年10月５日　　A品の引取り ―3ヵ月以内→ 令和８年１月５日

令和７年10月15日　　B品の引取り ―3ヵ月以内→ 令和８年１月15日

⑵ 包括延長方式（法51②）

包括延長方式とは、その月（**特定月**）に引き取った課税貨物の消費税について、**その特定月の末日の翌日から3ヵ月を限度**に、納期限の延長を受けることをいいます。

包括延長方式の場合、**特定月の前月末日までに**あらかじめ延長申請書の提出と担保の提供を行っておく必要があります。

例）

令和７年10月５日　　A品の引取り

令和７年10月15日　　B品の引取り

・申請書の提出期限　　令和７年９月30日

・納期限　　　　　　　令和８年１月31日

（特定月（10月）の末日（31日）の翌日（11/1）から３ヵ月以内）

3. 特例申告の場合（特例延長方式）（法51③）

特例申告の場合、**申告期限の翌日から2ヵ月**[*03]**を限度**に、納期限の延長を申請することができます。これを特例延長方式といいます。

特例延長方式では、**特例申告書の提出期限**[*04]**までに**延長申請書の提出を行っておく必要があります。

*03) 特例申告の場合、原則の納期限が一般申告に比べて1ヵ月猶予されているため、延長できる期間が1ヵ月短いと覚えておきましょう。

*04) 課税貨物の引取日の属する月の翌月末日までです。

例）

令和７年10月５日　　A品の引取り

令和７年10月15日　　B品の引取り

・申告期限　　令和７年11月30日

（課税貨物の引取日の属する月（10月）の翌月（11月）末日まで）

・納期限　　　令和８年１月31日

（申告期限（11/30）の翌日（12/1）から２ヵ月以内）

<特例輸入者と特例委託輸入者>

特例申告は、特例輸入者（あらかじめ税関長から承認を受けた者）又は特例委託輸入者（あらかじめ税関長の認定を受けた者（認定通関業者）に貨物の輸入に係る通関手続を委託した者）が行うことができることとされています。

特例輸入者が特例申告に係る関税の納期限延長の申請を行う際に必要とされていた担保の提供については、税関長が関税の保全のために必要があると認める場合にのみ命ずることができることとされたことに伴い、消費税においても同様に、税関長が消費税の保全のために必要があると認める場合にのみ担保の提供を命ずることができることとされ（法51③）、その納期限の延長を申請する場合の担保の提供については、原則不要とされました。

特例委託輸入者については、特例輸入者とは異なり、業務遂行能力等について税関の審査を経ておらず、あくまで認定通関業者に通関手続を委託した一般の輸入者であることから、関税法の改正において納期限延長に係る担保要件の見直しの対象とされなかったため、その納期限の延長を申請する場合には担保の提供が必要とされます。

<申告と納付について>

特例申告は申告期限の延長規定であるため、書類（申告書）を提出する時点での延長です。

これに対し、個別延長方式、包括延長方式、特例延長方式は、納期限の延長規定ですので、納付の時点での延長規定です。

「原則的な納期限＝申告期限」ですので、この納期限のみを伸ばすのが納期限の延長という規定です。

申告と納付の関係で捉えた場合、一般申告で申告した場合の納期限の延長が「個別延長方式」と「包括延長方式」、特例申告で申告した場合の納期限の延長が「特例延長方式」となります。

「申告期限＝書類を出す期限」、「納期限＝税金を支払う期限」と置き換えて確認するようにしましょう。

担保として提供することができる物件（国税通則法第50条）

提供される担保の種類は、次に掲げるものとする。

① 国債及び地方債

② 社債（特別の法律により設立された法人が発行する債券を含む。）その他の有価証券で税関長が確実と認めるもの

③ 土地

④ 建物、立木及び登記される船舶並びに登録を受けた飛行機、回転翼航空機及び自動車並びに登記を受けた建設機械で保険に附したもの

⑤ 鉄道財団、工場財団、鉱業財団、軌道財団、運河財団、漁業財団、港湾運送事業財団、道路交通事業財団及び観光施設財団

⑥ 税関長が確実と認める保証人の保証

⑦ 金銭

Chapter 16

更正の請求

確定申告書に記載した税額に誤りがあったときに行う税額の是正の方法の一つとして「更正の請求」という規定があります。

ここでは、更正の請求をとおして、国税の税額の確定や是正の手続と国税通則法等について学習していきましょう。

Section 1

更正の請求

国内取引の消費税に関しては申告納税方式を採用しているため、納付する消費税の額は、納税者が自己の責任で計算した税額であり、申告することにより、その税額に相当する消費税を納付する義務を負うこととなります。

しかし、税額の計算は複雑で誰もが間違いなく計算できるとは限らず、誤りがある場合も考えられます。

それでは、その計算に誤りがあった場合には、どのように是正したらよいのでしょうか？　ここでは、税額の是正方法の一つである更正の請求について見ていきましょう。

1 税額の確定と是正

国と納税者とを租税における債権者と債務者と捉えた場合、納税者が納付すべき消費税は国に対する債務であり、納税者は租税という債務を国に対して負う債務者という立場になります。

債務には、支払期日が存在し、**支払期日が過ぎた場合には利息が発生**します。

国税においても、租税という債務に対し納期限が存在し、**納期限が過ぎたもの**については、**延滞税という利息相当の税金が発生**します。

利息は、元本相当額が確定しないと算定できないため、**租税債務を確定**させる必要があります。これが税額の確定という手続です。

〈税額の確定手続〉

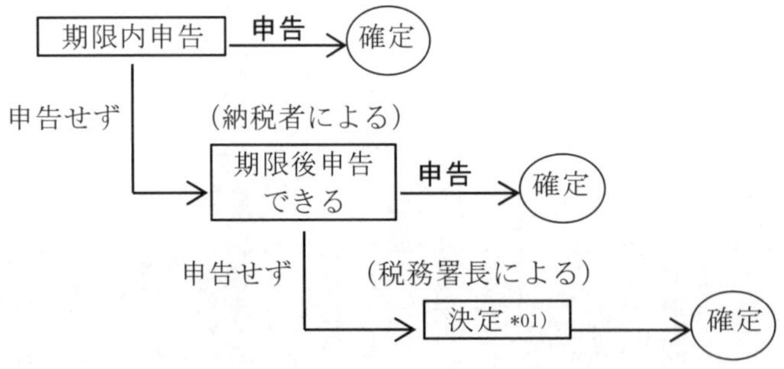

*01) 決定とは、税務署長が、納税申告書の提出義務を負う者が、申告書を提出しなかった場合に、その調査により、申告書に係る課税標準等又は税額等を決定することをいいます。

このように税額が確定した後に、その確定した税額が誤っていた場合にはどのように是正したらよいのでしょうか。

税額の是正は、次のように行われます。

〈税額の是正手続〉

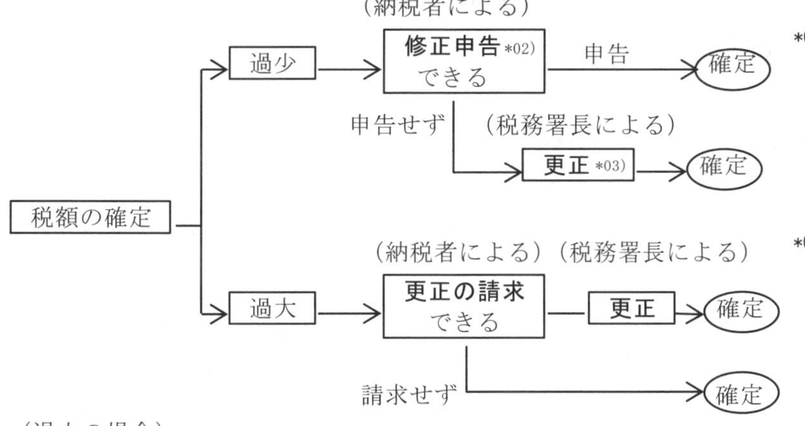

*02) 修正申告とは、納税申告書を提出した事業者が、申告書に記載した税額が過少である場合又は還付金の額が過大である場合に修正を申告することです。

*03) 更正とは、納税申告書の提出があった場合において、その納税申告書に記載された課税標準等若しくは税額等の計算が国税に関する法律の規定に従っていなかったとき、又は課税標準等若しくは税額等が調査したところと異なるときに、その調査により、その申告書に係る課税標準等又は税額等を税務署長が変更することをいいます。

（過少の場合）

確定した税額が**過少**であるときは、**修正申告書を提出**することにより正しい税額が確定されます。このときに修正申告をしなければならない者が修正申告を行わなかったときは、**税署長の更正という処分**により税額が確定されます。

（過大の場合）

確定した税額が**過大**であるときは、納税者は自ら税額を減額することは認められていないため、**更正の請求という手続**を行います。

更正の請求とは、修正申告等の申告とは異なり、税務署長に更正をしてもらうための手続であるため、**提出のみでは税額の確定は行われません。**

更正という税務署長の処分により、初めてその税額の減額が認められます。なお、税額が過大であった場合には納税者が**更正の請求を行わない限り**、税額が修正されることはありませんので、**誤った税額のまま確定**されてしまいます。

2 更正の請求の概要

確定申告などにより確定した税額が過大である場合、納税義務者には確定した税額を是正する**更正の請求**を税務署長に対して行う必要があります。

更正の請求は、**国税通則法第23条**に規定されています。しかし、消費税特有の事情により、国税通則法による更正の請求では救済できない場合があるため、これらについて**消費税法において特例**が設けられています。

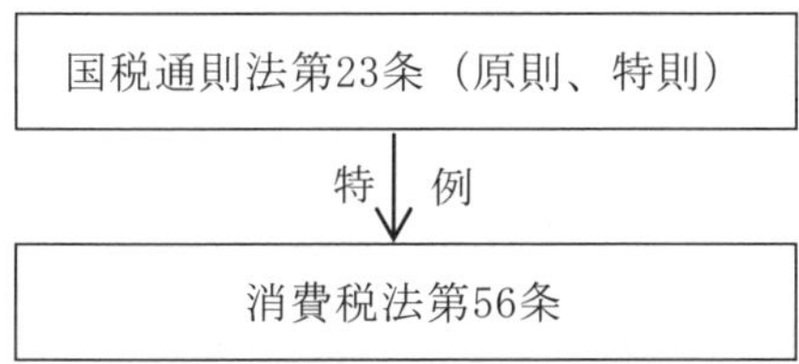

3 国税通則法による更正の請求

1．原則（国通法23①）

納税申告書を提出した者は、次のいずれかの理由に該当する場合には、その申告書に係る国税の**法定申告期限から５年以内**に限り、税務署長に対し、更正の請求をすることができます。

(1)　その申告書に記載した課税標準等の計算が国税に関する法律の規定に従っていなかったこと[*01)]又は計算に誤りがあったこと[*02)]により**納付すべき税額が過大**であるとき

(2)　(1)の理由により、**還付金の額が過少**であるとき、又はその記載がなかったとき

*01) 法律の規定に従っていないことの例示としては、翌課税期間の課税売上高を当課税期間の課税売上高に含めている場合があります。

*02) 計算に誤りがあったこととは、事務処理等で計算のミスがあった場合を指します。

2．特則（国通法23②）

納税申告書を提出した者又は決定を受けた者は、次のいずれかの理由に該当する場合には、その**理由等が生じた日の翌日から２ヵ月以内**に限り、税務署長に対し更正の請求をすることができます[*03)]。

(1)　その申告等に係る課税標準等の計算の基礎となった**事実に関する訴えについての判決**により、その事実がその計算の基礎としたところと異なる[*04)]ことが確定したとき

(2)　その申告等に係る課税標準等の計算にあたって、その申告等をした者に帰属するものとされていた**所得等が他の者に帰属する**ものとするその他の者に係る国税の更正又は決定があったとき[*05)]

(3)　その他**法定申告期限後に生じた上記に類するやむを得ない理由**があるとき

*03) 一定の事実が生じた日が、原則の請求期間内であり、更正の請求をその期間内で行える場合には、特則の適用はありません。

*04) その計算の基礎が異なるとは、そもそもの計算の前提に変更があった場合を指します。

*05) 例えば親会社の収入としていたものが、実際は子会社の収入であるとの更正を受けた場合が該当します。

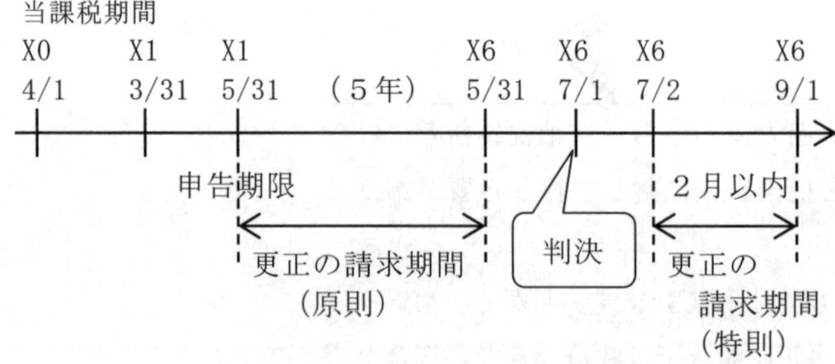

国税通則法<更正の請求>

第23条①　納税申告書を提出した者は、次の各号のいずれかに該当する場合には、その申告書に係る国税の法定申告期限から５年以内に限り、税務署長に対し、その申告に係る課税標準等又は税額等につき更正をすべき旨の請求をすることができる。

一　その申告書に記載した課税標準等若しくは税額等の計算が国税に関する法律の規定に従っていなかったこと又はその計算に誤りがあったことにより、その申告書の提出により納付すべき税額（その税額に関し更正があった場合には、その更正後の税額）が過大であるとき。

二　省略

三　第一号に規定する理由により、その申告書に記載した還付金の額に相当する税額（その税額に関し更正があった場合には、その更正後の税額）が過少であるとき、又はその申告書（その申告書に関し更正があった場合には、更正通知書）に還付金の額に相当する税額の記載がなかったとき。

②　納税申告書を提出した者又は決定を受けた者は、次の各号のいずれかに該当する場合（納税申告書を提出した者については、その各号に定める期間の満了する日が第１項に規定する期間の満了する日後に到来する場合に限る。）には、第１項の規定にかかわらず、その各号に定める期間において、その該当することを理由として更正の請求をすることができる。

一　その申告、更正又は決定に係る課税標準等又は税額等の計算の基礎となった事実に関する訴えについての判決（判決と同一の効力を有する和解その他の行為を含む。）により、その事実がその計算の基礎としたところと異なることが確定したとき　その確定した日の翌日から起算して２月以内

二　その申告、更正又は決定に係る課税標準等又は税額等の計算に当たってその申告をし、又は決定を受けた者に帰属するものとされていた所得その他課税物件が他の者に帰属するものとするその他の者に係る国税の更正又は決定があつたとき　その更正又は決定があつた日の翌日から起算して２月以内

三　その他その国税の法定申告期限後に生じた前２号に類する政令で定めるやむを得ない理由があるとき　その理由が生じた日の翌日から起算して２月以内

4 消費税法の特例  理論

更正の請求のうち、課税資産の譲渡等に係るものと、課税貨物に係るものについては、消費税法において特例が設けられています*01)。

*01) 特例の場合、上記の更正の請求の手続で記載したもの以外に、修正申告書を提出した日及び更正等の通知を受けた日を更正請求書に記載する必要があります。

1．課税資産の譲渡等に係る特例（法56①）

確定申告書等*02)に記載すべき一定の金額につき、修正申告書を提出し又は更正等を受けた者は、その修正申告書の提出等に伴い、これらに係る**課税期間後の各課税期間で決定を受けた課税期間に係る***03)**納付すべき税額が過大**又は還付金の額が過少となる場合には、その修正申告書を**提出した日等の翌日から2ヵ月以内**に限り、税務署長に対し、更正の請求をすることができます。

*02) 確定申告書等は、確定申告書と還付を受けるための申告書を指す言葉です。

*03) この規定のケースに該当する場合でも、更正の請求の対象となる課税期間の申告がされている場合は、国税通則法の原則が適用されます。このため、この消費税法の特例は、国税通則法の適用がない決定を受けた課税期間で適用されます。

消費税法〈更正の請求の特例〉

第56条① 確定申告書等に記載すべき一定の金額につき、修正申告書を提出し、又は更正若しくは決定を受けた者は、その修正申告書の提出又は更正若しくは決定に伴い次の各号に掲げる場合に該当することとなるときは、その修正申告書を提出した日又はその更正若しくは決定の通知を受けた日の翌日から2月以内に限り、税務署長に対し、その各号に規定する金額につき更正の請求をすることができる。（中略）

一 その修正申告書又は更正若しくは決定に係る課税期間後の各課税期間で決定を受けた課税期間に係る差引税額又は納付税額（その金額につき修正申告書の提出又は更正があった場合には、その申告又は更正後の金額。次項において同じ。）が過大となる場合

二 その修正申告書又は更正若しくは決定に係る課税期間後の各課税期間で決定を受けた課税期間に係る中間納付還付税額（その金額につき修正申告書の提出又は更正があった場合には、その申告又は更正後の金額。次項において同じ。）が過少となる場合

〈具体例〉

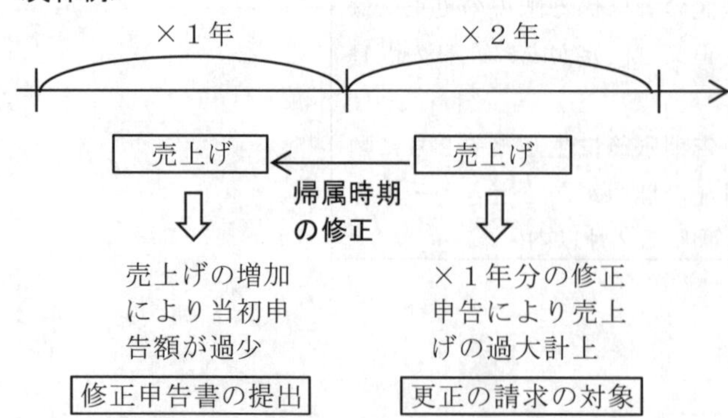

2. 課税貨物に係る特例（法56②）

課税貨物に係る申告書に記載すべき一定の金額につき、修正申告書を提出し、又は更正等を受けた者は、その修正申告書の提出等に伴い、これらに係る課税期間の納付すべき税額が過大又は還付金の額が過少となる場合には、その**修正申告書を提出した日等の翌日から２ヵ月以内**に限り、税務署長に対し、更正の請求をすることができます。

> **消費税法〈更正の請求の特例〉**
>
> 第56条② 申告納税方式が適用される課税貨物に係る引取りの申告書に記載すべき課税標準等の金額につき、修正申告書を提出し、若しくは更正若しくは決定を受けた者又は賦課課税方式が適用される課税貨物に係る消費税につき国税通則法に規定する賦課決定若しくは変更決定を受けた者は、その修正申告書の提出若しくは更正若しくは決定又は賦課決定若しくは変更決定に伴い次の各号に掲げる場合に該当することとなるときは、その修正申告書を提出した日又は更正決定等の通知を受けた日の翌日から２月以内に限り、税務署長に対し、その各号に規定する金額につき更正の請求をすることができる。（中略）
>
> 一 その修正申告書又は更正決定等に係る課税期間で決定を受けた課税期間に係る差引税額又は納付税額が過大となる場合
>
> 二 その修正申告書又は更正決定等に係る課税期間で決定を受けた課税期間に係る中間納付還付税額が過少となる場合

〈具体例〉

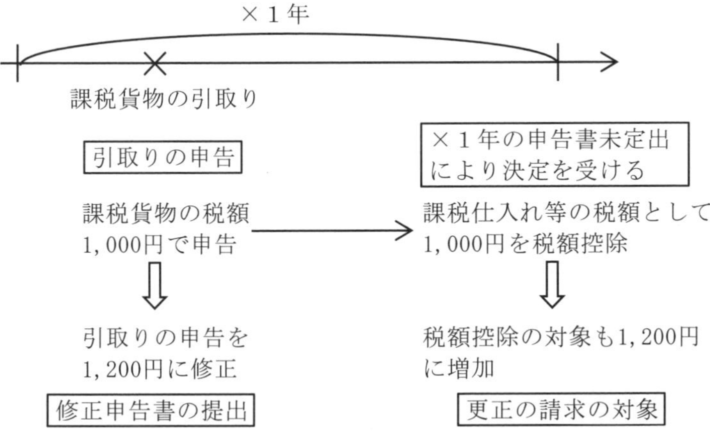

3. 更正請求期間のまとめ

事　　由	更正の請求期間
①　国税通則法の原則	法定申告期限から５年以内
②　国税通則法の特則	一定の事実が生じた日の翌日から２ヵ月以内
③　消費税法の特例	修正申告書を提出した日又は更正等の通知を受けた日の翌日から２ヵ月以内（決定を受けた課税期間に限る）

5 更正の請求の手続（国通法23③） 理論

更正の請求をしようとする者は、その請求に係る更正前及び更正後の課税標準等又は税額等、その更正の請求理由等を記載した**更正請求書**を税務署長に提出しなければなりません。

6 更正の請求があった場合の徴収猶予について（国通法23⑤） 理論

更正の請求があった場合においても、税務署長は、その請求に係る納付すべき**国税の徴収を猶予しません**。

ただし、税務署長が、相当の理由があると認めたとき*01)は、その国税の全部又は一部の徴収を猶予することができます。

*01) 更正の請求内容が明らかに正しいとわかる場合等です。

7 輸入品に係る更正の請求の請求先（国通法23⑥） 理論

輸入品に係る申告消費税等についての更正の請求は、**税関長**に対して行います。

索　引

あ行

か行

さ行

た行

な行

は行

ま行

や行

ら行

Memorandum Sheet

2025年度版　ネットスクール出版

税理士試験教材のラインナップ

● 税理士試験に合格するためのメイン教材

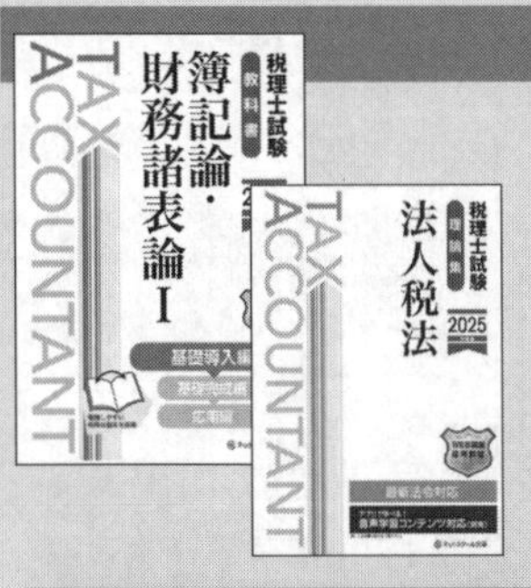

税理士試験教科書・問題集・理論集

ネットスクール税理士 WEB 講座の講師陣が自ら「確実に合格できる教材づくり」をコンセプトに執筆・監修した教材です。
税理士試験の合格に必要な内容を効率よく、かつ、挫折しないように工夫した『教科書』、計算力を身に付ける『問題集』、理論問題対策の『理論集』から構成されており、どの科目の教材も、豊富な図解と受験生がつまずきやすいポイントを押さえた、ネットスクール税理士 WEB 講座でも使用している教材です。

簿記論・財務諸表論の教材

書名	価格	発売
税理士試験教科書　簿記論・財務諸表論Ⅰ　基礎導入編【2025年度版】	3,630円（税込）	好評発売中
税理士試験問題集　簿記論・財務諸表論Ⅰ　基礎導入編【2025年度版】	3,300円（税込）	好評発売中
税理士試験教科書　簿記論・財務諸表論Ⅱ　基礎完成編【2025年度版】	3,630円（税込）	好評発売中
税理士試験問題集　簿記論・財務諸表論Ⅱ　基礎完成編【2025年度版】	3,300円（税込）	好評発売中
税理士試験教科書　簿記論・財務諸表論Ⅲ　応用編【2025年度版】	2024 年11月発売	
税理士試験問題集　簿記論・財務諸表論Ⅲ　応用編【2025年度版】	2024 年11月発売	
税理士試験教科書　財務諸表論　理論編【2025年度版】	2024 年12月発売	

☆簿記論・財務諸表論の方はこちらもオススメ！☆

穂坂式 つながる会計理論

書名	価格	発売
税理士 財務諸表論 穂坂式 つながる会計理論【第2版】	2,640円（税込）	好評発売中

過去問ヨコ解き問題集

書名	価格	発売
税理士試験過去問ヨコ解き問題集 簿記論【第3版】	3,740 円（税込）	好評発売中
税理士試験過去問ヨコ解き問題集 財務諸表論【第５版】	3,740 円（税込）	好評発売中

● 試験前の総仕上げには必須のアイテム！

ラストスパート模試　毎年５～６月ごろ発売予定

試験直前期は、出題予想に基づいた『ラストスパート模試』で総仕上げ！
全３回分の本試験さながらの模擬試験を収載。
分かりやすい解説とともに直前期の得点力 UP をサポートします。
※ 画像や内容は 2024 年度版をベースにしたものです。変更となる場合もございます。

● 税理士試験の学習を本格的に始める前に…

知識ゼロでも大丈夫！　税理士試験のための簿記入門

税理士試験向けの独自の内容で簿記の基本が学習できる1冊です。

本書を読むことで、税理士試験の簿記論に直結した基礎学習が可能なので、簿記の学習経験が無い方や基礎が不安な方にオススメです。

2,640円（税込）好評発売中！

法人税法の教材

税理士試験教科書・問題集　法人税法Ⅰ　基礎導入編【2025年度版】	3,300円（税込）	好評発売中
税理士試験教科書　法人税法Ⅱ　基礎完成編【2025年度版】	3,630円（税込）	好評発売中
税理士試験問題集　法人税法Ⅱ　基礎完成編【2025年度版】	3,300円（税込）	好評発売中
税理士試験教科書　法人税法Ⅲ　応用編【2025年度版】	2024年12月発売	
税理士試験問題集　法人税法Ⅲ　応用編【2025年度版】	2024年12月発売	
税理士試験理論集　法人税法【2025年度版】	2,420円（税込）	2024年9月発売

相続税法の教材

税理士試験教科書・問題集　相続税法Ⅰ　基礎導入編【2025年度版】	3,300円（税込）	好評発売中
税理士試験教科書　相続税法Ⅱ　基礎完成編【2025年度版】	3,630円（税込）	好評発売中
税理士試験問題集　相続税法Ⅱ　基礎完成編【2025年度版】	3,300円（税込）	好評発売中
税理士試験教科書　相続税法Ⅲ　応用編【2025年度版】	2024年12月発売	
税理士試験問題集　相続税法Ⅲ　応用編【2025年度版】	2024年12月発売	
税理士試験理論集　相続税法【2025年度版】	2,420円（税込）	2024年9月発売

消費税法の教材

税理士試験教科書・問題集　消費税法Ⅰ　基礎導入編【2025年度版】	3,300円（税込）	好評発売中
税理士試験教科書　消費税法Ⅱ　基礎完成編【2025年度版】	3,630円（税込）	好評発売中
税理士試験問題集　消費税法Ⅱ　基礎完成編【2025年度版】	3,300円（税込）	好評発売中
税理士試験教科書　消費税法Ⅲ　応用編【2025年度版】	2024年12月発売	
税理士試験問題集　消費税法Ⅲ　応用編【2025年度版】	2024年12月発売	
税理士試験理論集　消費税法【2025年度版】	2,420円（税込）	2024年9月発売

国税徴収法の教材

税理士試験教科書　国税徴収法【2025年度版】	4,620円（税込）	好評発売中
税理士試験理論集　国税徴収法【2025年度版】	2,420円（税込）	2024年9月発売

書籍のお求めは全国の書店・インターネット書店、またはネットスクールWEB-SHOPをご利用ください。

ネットスクール WEB-SHOP

https://www.net-school.jp/

ネットスクール WEB-SHOP　検索

※ 書名・価格・発行年月は変更する場合もございますので、予めご了承ください。(2024年9月現在)

本書の発行後に公表された法令等及び試験制度の改正情報、並びに判明した誤りに関する訂正情報については、弊社WEBサイト内の**『読者の方へ』**にてご案内しておりますので、ご確認下さい。

https://www.net-school.co.jp/

なお、万が一、誤りではないかと思われる箇所のうち、弊社WEBサイトにて掲載がないものにつきましては、**書名（ＩＳＢＮコード）と誤りと思われる内容**のほか、お客様の**お名前及び郵送の場合はご返送先の郵便番号とご住所**を明記の上、弊社まで**郵送またはe - mail**にてお問い合わせ下さい。

＜郵送先＞　〒101－0054
東京都千代田区神田錦町3－23メットライフ神田錦町ビル３階
ネットスクール株式会社　正誤問い合わせ係

＜e - mail＞　seisaku@net-school.co.jp

※正誤に関するもの以外のご質問、本書に関係のないご質問にはお答えできません。
※**お電話によるお問い合わせはお受けできません。**ご了承下さい。

税理士試験　教科書

消費税法Ⅱ　基礎完成編　【2025年度版】

2024年９月６日　初版　第１刷

著　　　　者　ネットスクール株式会社
発　行　者　桑原知之
発　行　所　ネットスクール株式会社　出版本部
〒101－0054　東京都千代田区神田錦町3－23
電 話　03（6823）6458（営業）
ＦＡＸ　03（3294）9595
https://www.net-school.co.jp
執筆総指揮　山本和史
表紙デザイン　株式会社オセロ
編　　　　集　吉川史織　加藤由季
ＤＴＰ制作　中嶋典子　石川祐子　吉永絢子
有限会社ドアーズ本舎　長谷川正晴
印刷・製本　日経印刷株式会社

　Printed in Japan　ISBN　978-4-7810-3841-4